자연을 그리워하는 땅을 그리워하는 사람들의

귀농 길잡이

글쓴이

강대인 농부. 전남 강진. 정농회 회장
구찬수 농부. 전북 남원
김광화 농부. 전북 무주
김남수 침구사. 뜸사랑 회장. 녹색대학 석좌교수
김준권 농부. 경기 양주. 귀농운동본부 이사
문원산 농부. 장수하늘소마을 대표
박주대 양봉. 강원 춘천
성여경 귀농운동본부 정책연구소장
안병덕 농부. 경기 벽제. 귀농운동본부 공동대표
안철환 농부. 경기 안산. 귀농운동본부 도시농업위원
양동춘 대체의학 연구가. 녹색대학 자연의학과 교수
양희창 간디 청소년학교 교장
이동범 귀농운동본부 도시농업위원
이우성 농부. 충북 괴산. 흙살림연구소 출판홍보실장
이진천 귀농운동본부 사무처장
이창우 서울시정개발연구원 연구위원
임덕배 농부. 경북 문경
장영란 농부. 전북 무주
정현숙 농부. 전북 정읍. 한 살림 정읍전주 대표
차성건 농부. 경남 산청
최한실 농부. 경북 상주
추둘란 농부. 충남 홍성
추성수 농부. 경북 봉화

(사)전국귀농운동본부 엮음

기획 · 진행 : 안철환, 민경수, 백봉영

길잡이 귀농

땅을 그리워하는 사람들의
자연을 그리워하는

전국 귀농운동본부 엮음

소나무

| 차 례 |

자연을 그리워하는 땅을 그리워하는 사람들의

귀농길잡이

생태적 귀농을 위한 다섯 조건

이병철 귀농운동본부 이사장

자연과 더불어 살고 싶어 귀농을 생각한다면 우선 몇 가지 기본 조건에 대한 검토가 필요합니다. 편의상 이를 '생태적 귀농을 위한 다섯 조건'이라고 이름 붙이겠습니다. 여기서 굳이 '생태적 귀농'이라고 한 것은 농업을 오직 직업으로, 돈벌이 수단으로만 바라보는 귀농과 구분하기 위해서입니다. 우리가 귀농하고자 하는 첫째 목적이 자연과 조화되는 '생태적 삶'을 사는 것이라면, 이렇게 삶의 방식을 바꾸는 데 밑바탕이 되는 조건들을 살펴볼 필요가 있는 것입니다.

그러기 전에 먼저 개인의 삶을 바꾸는 귀농이 왜 이 시대에 '운동'이란 이름으로 펼쳐져야 하는지, 그리고 이러한 귀농운동은 어떤 뜻을 품고 있는지 간단히 생각을 정리해 보는 것이 좋겠습니다.

자연의 흐름을 거스르며 유한한 자원을 소모하고, 고갈시키고, 생태계를 파괴하는 공업화 중심의 산업문명이 이대로는 더 이상 지속될 수 없다는 걸 이제 대부분의 사람들은 알고 있습니다. 생명의 안전성·건강성·지속성의 위기, 특히 일상화되고 있는 기상이변 같은 환경생태계의 재앙과 에너지 고갈, 그리고 대다수 생물종의 멸종이란 예에서 보듯이 인류문명의 새로운 전환 없이는 인류를 포함한 지구 생명계 전체가 위기에서 벗어날 수 있는 길은 없습니다. 인류가 자연과 조화되는 생태 순환적인 문명양식을 어떻게 실현해 가느냐에 인류의 운명과 지구 생명계의 미래가 달려있습니다.

이런 점에서 이 시대를 이끌고 변화시키는 근본적 지향은 생태적 문명과 그 사회의 실현에 있다고 할 수 있습니다. 그렇다면 운동의 기본 과제는 생태적 사회의 미래를 밝히는 일과, 지금 여기 우리 자신의 삶과 문명 양식을 생태적으로 바꿔나가는 데 두어야 합니다. 환경생태운동이 철저한 삶의 운동이고 문명대안운동이어야 하며 근본주의적이지 않으면 안 되는 이유가 여기에 있다고 하겠습니다.

대안을 찾는 운동의 고갱이는 현재의 삶에 있습니다. 삶을 어떻게 바꾸는가가 대안운동의 관건입니다. 따라서 대안운동이란 삶을 통한 운동이어야 하며 운동의 결과가 삶으로 스며들어 드러나야 합니다. 그런 점에서 자연생태계, 지구의 전 생명계가 절멸의 위기로 치닫는 대전환기에서, 대안운동은 마땅히 생명가치에 바탕한 살림운동 곧 생명운동이어야 함이 자명해집니다.

죽임을 구조화하는 체제와 그 문명 속에서 살리는 일보다 더 절대적인 일은 없습니다. 이 시대의 대안운동이란 철저한 생명운동으로서, 살아남기 위한 운동이며 살리는 운동이자 제대로 살고 더불어 사는 운동이어야 한다는 것입니다. 따라서 대안운동이 감당해야 할 기본 과제는, 자연생태계 파괴와 죽임을 구조화하는 문명양식과 쓰고 버리는 폐기에 바탕하고 있는 소모적 삶의 방식을 바꾸는, 실천적 삶의 대안을 제시하는 것이라 할 수 있습니다.

귀농운동은 이런 점에서 어떤 운동보다 근본주의적 관점과 실천적 삶의 대안을 분명히 제시하고 있습니다. 귀농이란 단순히 직업을 농업으로 갖거나 거주지를 농촌으로 바꾸는 것을 뜻하는 것이 아니라, 삶의 근본적인 전환을 의미하기 때문입니다. 단순히 농촌으로 돌아간다거나 농사를 짓는다는 것이 대안이 아니라 어떤 마음, 어떤 가치관을 가지고 농촌으로 돌아가 어떻게 사느냐가 중요하다는 사실을 분명히 해야 합니다. 농업을 통한 생태적 가치와 자립적 삶의 실현을 바탕으로 지속 가능한 생산과 생활 양식, 곧 생태 순환적인 농적 문명農的 文明을 일구어가자는 것이 귀농운동의 과제이자 구체적 목표입니다.

이러한 인식을 바탕으로 귀농이 생태적 삶으로 전환되기 위해서 먼저 짚어봐야 할 다섯 가지 조건을 살펴보겠습니다.

하나, 돌아가기 위해서는 떠나온 자임을 알아야 한다

귀농이란 '농農'으로 돌아간다는 말입니다. 농으로 돌아간다는 의미를 알기 위해서는 우선 농이 무엇이고, 왜 돌아가야 하는지를 알아야 합니다. 농이란 자연과 관계하여 생명을 가꾸며 사는 것을 뜻합니다. 흔히 농업을 생명산업, 창조산업이라고 할 때의 의미가 이것입니다. 그런 점에서 농으로 돌아간다는 것은 농적 삶, 곧 모든 생명의 근원자리인 자연과 함께 하는 삶으로 돌아간다는 것입니다. 농으로 돌아간다고 할 때 농에는 농업의 의미뿐만이 아니라 농촌·농민·농심이란 의미가 모두 포함된 것으로 보아야 합니다. 농촌이란 그러한 삶의 공간이며, 농민이란 그렇게 사는 사람이며, 농심이란 그런 마음을 말하고 있습니다. 그래서 농이 천하의 대본이라고 한 것이겠지요.

생태적 귀농은 이 점을 보다 분명히 합니다. 귀농귀본歸農歸本, 귀농귀일歸農歸一이라는 의미가 그것입니다. 귀농이란 그 하나의 자리인 근본, 곧 천하대본의 자리로 돌아간다는 것입니다. 그러므로 귀농에서 '돌아간다'는 것은 근본의 자리, 생명의 근원자리로 돌아감을 뜻합니다. 이렇게 돌아가야 하는 것은 지금 우리가 생명의 뿌리, 그 근원으로부터 분리되어 있기 때문입니다. 따라서 귀농을 통해 농으로 돌아감이란 자연으로, 근본으로, 제자리로, 뿌리로 돌아가는 것이며 생명의 자리로 돌아가는 것이라 하겠습니다. 그리고 그렇게 돌아가서 이루는 삶을 자립적인 삶, 조화로운 삶, 영성적인 삶, 모심의 삶, 아낌의 삶이라고 할 수 있습니다. 이처럼 귀농의 돌아감이란 본래 있어야 할 제자리인 '생명의 자리'로 돌아가 자신의 존재와 삶의 근원성을 회복하는 것이라 하겠습니다.

이를 좀 더 구체적으로 표현하면 귀농의 돌아감이란 뿌리 뽑힌 삶에서 생명의 근원에 뿌리내리는 삶으로, 자연을 거스르는 삶에서 자연과 조화되는 상생 순환의 삶으로, 소모적이고 파괴적인 삶에서 생산적이고 창조적인 삶으로, 의존적인 삶에서 자립적인 삶으로, 경쟁 속의 불안한 삶에서 정직한 삶·평정한 삶으로, 병든 삶·기형적인 삶에서 건강하고 생기 가득한 삶으로 돌아간다는 뜻입니다. 이러한 돌아감을 통해 이루고자 하는 바는 흔히 말하듯 물질적으로 잘 살기 위해서가 아니라 생명이 충실히 살아있는 창조하는 삶을 위해서이며, 성공하기 위해서가 아니라 인간답게 살기 위해서라 하겠습니다. 자신의 존재 의미와 가치를 찾기 위해서, 건강하고 아름다운 삶을 살기 위해서입니다.

귀농이 '생명의 근본 자리로 돌아감'이라는 인식을 분명히 하고, 이것이 삶을 바꾸는 데까지 나아가려면 우리가 떠나온 자임을 아는 일이 먼저라는 점을 눈여겨봐야 합니다. 돌아가야 한다는 것을 알기 위해서는 우리가 떠나온 자임을 먼저 알아야 하기 때문입니다. 지금 서 있는 이 자리가 우리가 있어야 할 본래의 자리가 아니라는 사실을 자각할 때, 지금 내 존재와 삶의 불안과 위기가 마땅히 있어야 할 본래의 자리에서 벗어나 있기 때문임을 분명히 알 수 있고, 바로 그 때 비로소 망설임 없이 돌아갈 수 있습니다.

복귀기근復歸其根, 다시 그 뿌리로 돌아가야 한다는 것은 우리 또한 땅을 떠나서, 자연을 떠나서 살 수 없는 존재이기 때문입니다. 우리 모두가 사회적 존재이기 이전에 생태적 존재라는 자각과 바로 이러한 '생태적 존재'가 우리 인간이라는 생명체의 본래 모습이라는 인식이 있을 때 비로소 돌아감이 가능한 것입니다.

둘, 귀농은 삶의 전환임을 분명히 한다

귀농이란 직업이나 직장 또는 생계 수단을 농업으로 바꾸는 것을 의미하는 것이 아니라, 삶 자체를 송두리째 바꾸는 것임을 분명히 합니다. 반反자연적인 문명과 반反생태적인 삶의 방식으로는 지금 우리가 직면하고 있는 생명과 존재의 위기를 헤치고 생명의 안전성과 건강성, 지속성을 실현할 수 없다는 것을 명확히 인식하고 삶의 내용과 방식을 근본적으로 바꿔야 합니다. 삶을 근본적으로 구조조정하는 것이라 할 수 있겠지요.

농촌으로 돌아가거나 농사짓는 삶으로 돌아가려는 목적이 경제적 가치를 실현하기 위한 또 다른 형태의 돈벌이가 되어서는 안 되겠습니다. 달리 말하면 귀농이란 삶의 방편이 아니라 삶의 내용이며 삶 그 자체여야 한다는 것입니다. 농적 삶, 땅을 밟고 그 위에서 계절의 변화에 순응하면서 생명을 기르고 가꾸는 일 그 자체에서 삶의 의미와 내용을 실현해 내야 한다는 것입니다. 그것은 농촌, 농업의 의미와 가치를 새롭게 발견하는 것입니다. 공업화 중심의 산업문명 속에서 잃어버렸던 본원적 가치인 생명 가치, 생태적 가치를 새롭게 찾아내는 일입니다. 농업을 경제적 가치 중심으로 바라보는 한 이미 귀농은 실패할 수밖에 없으며 새로운 삶의 실현도 불가능해질 뿐입니다.

삶의 전환이란 중심 가치관과 구체적 삶의 양식이 동시에 바뀔 때 비로소 가능합니다. 삶의 형식과 내용을, 존재의 가치관과 삶의 방식을 새롭게 바꿀 때 비로소 삶의 전환이 이루어진다는 것입니다. 자신에게 있어서 정말 소중하고 가치있는 것이 무엇인가, 어떻게 살아가는 것이 그러한 가치관에 걸맞은 삶의 방식인가를 찾아 바꿔야만 합니다. 그러기 위해서는 물질 중심의 자본주의 체제와 소비사회에 젖어, 쓰고 버리는 것에 중독된 자기 살해적이고 파멸적인 문명에서 벗어나야 합니다. 생명을 상품화하고 존재를 황폐화하는 체제와 그 삶의 방식에서 벗어나 삶의 양식, 존재방식을 근본적으로 바꾸는 것이 되지 않으면 안 됩니다.

이러한 삶의 전환을 위해서는 먼저 자신의 중심 가치관부터 바꾸어야 합니다. 지금 우리에게 있어 무엇이 가장 소중한 가치인가를 새롭게 확인하는 것이지요. 그것은 산업문명과 자본주의 체제가 강조하는 경제·물질·소유 가치 중심에서 생명·정신·존재 가치 중심으로, 생태·생명 가치 중심으로 가치관을 바꾸는 것입니다. 그것은 돈보다는 생명이 더 소중하고, 더 많이 갖기보다는 더 많이 존재하는 것이 훨씬 중요하고 가치 있다는 생각입니다. 경제적 가치만으로 평가할 수 없는 더 소중한 가치에 대한 자각 없이는 이러한 삶의 전환은 불가능하기 때문입니다.

이것은 이른바 자신과 세상, 곧 이 세계를 이해하고 인식하는 신념체계인 패러다임을 생명가치 중심으로 바꾸는 일Paradigm shift이라 하겠습니다. 이 같은 가치관의 전환을 바탕으로 삶의 방식을 자립적으로 꾸려 갈 때 비로소 새로운 삶의 전환이 일어날 것입니다.

셋, 내가 진정으로 원하는 삶이어야 한다

그렇다면 이제 귀농을 통해 이루고자 하는 생태적 삶이란 과연 내가 원하는 삶, 곧 자신의 행복을 실현할 수 있는 삶인가를 물어볼 차례입니다. 아무리 생태적 삶이 시대적 대안이고 타당하다고 해도 귀농이라는 삶의 전환 여부를 결정하는 것은 자신의 개별적 선택입니다. 그러니 귀농을 결정하기 위해서 나는 어떻게 살고 싶은가, 귀농을 통해 내가 과연 행복할 수 있는가를 자신에게 묻고 확인하는 것은 너무도 당연한 과정이지요.

내가 원하는 삶의 모습은 어떤 것인가? 나에게 있어 정말로 소중한 것은 무엇인가? 어떨 때 나는 행복한가? 이런 질문들에 답하기 위해서는 우선 정신없이 달리기를 멈추고 자신과 주위를 정직하게 돌아보아야 합니다. 나와 우리 가족이 지금 어떻게 병들고 생명이 시들어가고 있는지, 우리 사회가 얼마나 병들어 있으며 죽임이 구조화되고 있는지를 바로 보아야 합니다.

위험한 것은 위기가 아니라 위기의식이 마비된 것이라는 경구처럼, 지금 우리 대부분은 마치 열탕 속의 개구리처럼 죽어가고 있다는 사실을 알지 못하고 있습니다. 갈수록 심화되는 생태위기 속의 자연재앙에서 살아남고 제대로 살아가기 위해서는, 지금 우리에게 정화와 치유가 절박하다는 사실을 깨닫고, 생명의 근원성과 삶의 자연성을 회복하는 것이 열쇠임을 알아야 합니다. 그것이 바로 '생태적 각성'입니다.

생태적 각성이란 다른 말로 우리가 생태맹生態盲 환자라는 사실을 자각하고 고백하는 것입니다. 생태맹이란 인간이 자신의 모태가 자연이라는 사실을 망각하고 이에 대한 신비함, 오묘함, 풍성함을 느끼지 못하는 상태를 말합니다. 한마디로 생태적 감수성을 잃어버린 상태로 그 주된 증상은 이렇습니다. 도시화·산업화로 파생된 인공적 환경을 당연시하며 하루에 한 걸음도 흙을 밟지 않는 삶에 아무런 문제를 느끼지 못합니다. 반면에 자연과 조화롭게 살아가는 데 필요한 지혜나 정서, 자연과 교감하는 가치를 제대로 인식하지 못하는 거지요.

그런 점에서 생태적 삶의 전제는 생태적 각성에 있다고 하겠습니다. 생태적 각성 없이는 생태맹의 치유와 생태적 삶으로의 전환은 불가능합니다. 일찍이 도연명이 귀거래사에서 읊은 것처럼 각비覺非, 곧 삶의 전환을 이루는 근원적인 성찰이 필요한 것입니다.

이제 깨어있는 상태에서 내가 원하는 삶, 곧 행복한 삶을 이룰 수 있는 조건이 무엇인지를 정확히 살펴보아야 합니다. 어떻게 사는 것이 행복한 삶일까요? 행복한 삶에 대해 일반적으로 생각해 볼 수 있는 것은 마음의 평정, 생명의 충실함, 지금 여기에 살아 있다는 자부심을 갖는 것이라고 할 수 있습니다. 이는 다른 말로 삶에 대한 만족감 또는 존재에 대한 만족감이라고도 할 수 있는데 이런 삶이 가능하기 위한 바탕은 마음의 평정입니다. 마음의 평정 또는 삶과 존재의 평정(평온, 평화) 없이는 어떤 조건이 충족되더라도 결코 행복할 수 없기 때문입니다. 따라서 마음의 평정을 행복한 삶을 위한 기본 전제로 삼는다면 이것을 실현하기 위한 몇 가지 조건이 있습니다. 행복한 삶을 살기 위해서는 자립적 삶, 자연과 교감하는 삶, 정직한 삶, 창조하는 삶이 되어야 할 것입니다.

자립적 삶이란 자연 생태적 삶의 첫째 조건으로 자연의 존재 원리라 할 수 있습니다. 스스로 자신의 생계 곧 생명 유지에 필요한 것을 마련하는 것입니다. 자신의 생명을 다른 것에 의지하는 한 결코 마음이 평온할 수 없습니다. 자립적이지 않으면 꿈에도 행복할 수 없다는 것이 이 말입니다. 자립적 삶이란 돈에 의지하지 않고 스스로 식량, 에너지 같은 생존 요소를 마련해 가는 것입니다.

어떤 외부 충격에도 흔들리지 않는 식량과 에너지의 확보는 위기의 시대에 가장 절박한 과제입니다. 자립의 완전한 형태는 자신의 삶 속에서 물질 순환 체계를 구축하는 것입니다. 귀농을 통한 자립의 기본은 이를테면 외국에서 식량이 수입되지 않아도 굶어 죽지 않고, 기름 실은 배가 오지 않더라도 얼어 죽지 않는 삶을 스스로 실현하는 것이라 할 수 있습니다.

자연과 교감할 때 우리는 애쓰지 않고도 몸과 마음의 휴식과 안정을 얻고 저절로 정화되며 치유되는 것을 느낍니다. 또한 자연 속에서 생명과 존재에 대한 신비함과 영적인 고양을 체험하며, 이를 통한 깊은 통찰과 각성을 얻기도 합니다. 이처럼 자연 속에서만 깊은 안식과 신성을 체험할 수 있는 것은 자연이란 모든 생명의 모태이며 신성의 드러남이기 때문입니다. 그런 까닭에 자연과 교감하는 삶을 살지 않는다면 온전한 정화와 치유, 심신의 평정함을 이룰 수 없습니다.

삶이 정직하지 않고서 마음의 평정, 존재의 자부심을 실현할 수 없다는 것은 더 이상 말할 나위가 없겠지요. 나의 삶이 다른 생명과 존재를 해치거나 불행하게 하지 않고 살아가는 것, 이기심과 경쟁에 의지하지 않고 자신과 남을 속이지 않으며, 자신과 다른 존재 모두에게 이로운 삶을 살아가는 것이 마음의 평정 곧 행복한 삶의 전제일 수밖에 없는 것입니다.

창조하는 삶이란 자신이 자기 삶의 주인으로 사는 것입니다. 자신의 존재를 돈벌이를 위한 상품으로 판매하거나 수단으로 삼지 않고, 자신의 주인으로 스스로의 삶을 창조해 가는 것입니다. 창조하는 삶만이 자부심과 긍지를 느끼며 삶을 아름답고 건강하게 일구어갈 수 있습니다. 그런 점에서 창조하는 삶이란 노래하는 삶, 삶을 음미하고 감상하며 감사하는 삶이 아니겠습니까. 생명을 기르고 가꾸는 그 자체를 좋아하고 즐기며 흙에 두 발을 딛고 서 있다는 그 자체에 감사할 수 있을 때 비로소 기쁨으로 노래하며 창조하는 삶이 가능할 것입니다.

넷, 구체적 계획을 세우고 의도적인 노력을 집중해야 한다

내가 원하는 삶이 진정 행복한 삶이고 그러한 행복을 실현하기 위해서 앞서 말한 삶의 조건들을 갖추어야 한다는 것에 동의한다면, 삶의 대안으로 생태적 귀농을 생각할 수 있습니다.

도시의 아스팔트 시멘트 위에서 쓰고 버리는 삶과 생명을 상품화하는 체제와 생명의 근원자리를 스스로 파멸시키는 문명 속에서는 내가 원하는 삶을 실현할 수 없음을 자각한다면, 귀농을 통해 반反생태적인 도시에서는 불가능했던 자립적인 삶, 자연과 교감하는 삶, 정직한 삶, 창조적인 삶을 살 수 있는 가능성을 찾을 수 있다는 것입니다. 그렇게 하기 위해서는 귀농을 통해 이루고자 하는 삶의 목표와 이를 이루기 위한 계획을 구체화하고 거기에 노력을 집중해야 합니다. 그래야 원하는 삶으로 전환할 수 있습니다. 이것은 우선 내가 귀농해야 하는 열 가지 이유, 그 목적 찾기에서부터 시작합니다.

내가 귀농해야 하는 이유, 귀농하지 않으면 안 되는 열 가지 이유와 목적이란 그랬으면 좋겠다는 차원의 것이 아니라, 그 이유와 목적을 생각하면 절로 가슴이 뛰고 힘과 의욕이 생기며 행복감이 느껴지는 절실한 것이어야 합니다. 그렇지 않으면 삶의 전환이 제대로 이루어질 수 없고 행복할 수도 없습니다. 이처럼 열 가지 분명한 이유와 목적을 찾았다면 그 다음에는 내가 이루고자 하는 이런 모습들, 생태적이고 자립적인 모습들을 보다 분명하게 그리는 청사진 그리기가 필요합니다. 그림의 상像이 선명하면 할수록 그 것에 분명하게 다가갈 수 있습니다.

청사진을 분명하게 그렸다면 목표를 올바르게 실현하기 위해 구체적이고 현실적인 계획을 세우고 그 계획을 지금 여기에서 행동으로 옮길 차례입니다. 목표를 분명히 수립하고 계획을 구체적으로 세웠는데 그것을 이루지 못했다면 이는 그 과정에 집중하지 못했기 때문입니다. 마음을 오롯이 한 점에 모으는 노력, 마치 볼록렌즈로 빛을 한 점에 모아 불을 일으키듯 바로 지금 여기에서 모든 관심과 에너지를 집중해야 합니다.

귀농을 통한 삶의 전환이란 농촌으로 돌아가 정착한 다음에 이루어지는 것이 아니라, 삶의 전환을 결단하고 행동하는 지금 여기서부터 이루어집니다. 달리 말하면 삶의 전환을 결심한 그 순간부터 예비 농부로, 땅의 사람으로 살아가는 자세를 갖고 귀농할 때까지를 철저한 준비기간으로 삼아야 한다는 것입니다. 생태적 삶을 이루기 위한 구체적 계획 속에는 발을 땅에 딛고 스스로의 손으로 생계를 꾸려가야 할 식食, 의醫, 주住, 교육教育, 문화文化의 자립 방안이 마련되어야 합니다. 어떻게 내 손으로 생명의 먹을거리를 마련할 것인가, 어떻게 내 몸을 스스로 돌볼 것인가, 어떻게 편히 쉴 거처를 마련할 것인가, 어떻게 제대로 가르치고 배울 것인가, 내 자신이 주인 되는 삶의 문화를 어떻게 가꿀 것인가에 대한 구체적 계획을 세우고 이를 실천으로 옮겨가야 합니다.

다섯, 자연과 함께 사는 법, 조화되는 법을 배워야 한다

귀농을 통한 생태적 삶이란 결국 생명의 근거인 땅으로 돌아가 자연의 질서에 따라 사는 삶을 말합니다. 그동안 우리는 도시화·산업화·문명화를 통해 자연에서 떠나 있었고, 우리 자신이 자연을 떠나서 살 수 없는 생태적 존재라는 사실을 망각했으며, 자연 속에서 조화롭게 사는 법을 잃어버렸습니다. 그 결과 생태적 감수성과 자연 속에서 건강하게 살아가기 위한 분별지를 상실한 채 이른바 생태맹 환자가 되어버린 것이지요. 그런 까닭에 이제 자연과 함께 사는 삶으로 돌아가기 위해서는 다시 자연을 읽고 자연에 따라 사는 법을 배워야 합니다.

대지의 질서를 어기는 자는 결코 대지 위에서 살아갈 자격이 없다는 빅터 샤우버거의 지적처럼, 다시 대지 위에서 살아가기 위해선 대지의 질서에 따르는 생태적 법칙을 배우고 자연의 문법을 새롭게 익히며, 자연에 의지하여 살아가는 생태적 삶의 방법을 학습해야 합니다.

이러한 학습은 땅에서, 자연에서 직접 몸으로 배우고 익히는 것이 최선의 방법입니다. 대지의 자식으로 살기 위한 법을 어머니 대지로부터 직접 배우기 때문입니다. 날마다 땅을 밟고 자연과 만나며 그 속에서 깃들어 사는 생명체들이 어떻게 조화롭게 사는지를 보고 느끼고 배워야 합니다. 이를 통해 잃어버린 감각과 감성을 새롭게 일깨우고, 인디언들의 가르침처럼 우리의 형제자매인 다른 생명들과 어머니 대지의 품안에서 함께 살아가는 법을 다시 배워야 합니다.

'자연에 따르는 것이 도道法自然' 라 하듯이 자연에 따라 사는 법을 구체적으로 익혀야 자연이 주는 풍요를 누리며 삶을 즐길 수 있습니다. 이를 위해서는 땅 위에서 삶을 일구어온 오래된 농부들, 특히 경험 많으신 할아버지·할머니들에게 토착적 지혜를 배우는 일 또한 중요합니다. 옛 선조들의 삶의 지혜나 원주민들 특히 인디언이나 토착민들이 살아가는 삶의 지혜를 통해서도 자연으로 다가가는 법을 배울 수 있습니다. 그리고 생태적 삶의 전환을 먼저 시도한 귀농 선배들로부터 땅에 정착하는 법을 배우는 것도 매우 유용합니다.

자연과 조화되어 사는 길인 생태적 삶으로의 전환을 위한 귀농의 핵심은 결국 삶의 단순성을 어떻게 회복하느냐에 달려 있습니다. 자연으로 다가가는 길, 자연의 풍요와 함께 하는 길은 삶의 자연성과 단순성을 회복하는 것에 달려 있습니다. 삶이 단순할수록 자연의 풍요를 즐기며 감사할 수 있고 삶의 만족도가 높은 것입니다. 삶의 단순성을 회복하는 것이 자립적인 삶의 조건인 것은 이 때문입니다.

참된 쓸모에 바탕한 단순하고 간소한 살림살이가 건강과 풍요의 바탕입니다. 그래서 먼저 비워야 새롭게 채울 수 있는 것입니다. 그런 점에서 삶의 단순성 회복이란 뿌리 뽑힌 삶 속에서 길들여진 습관, 삶의 필요를 모두 돈에 의지하여 사서 쓰고 버리는 중독된 습관과 그런 삶의 양식을 얼마만큼 놓고 비우느냐에 달려 있다고 하겠습니다. 에어컨을 버릴 때 솔바람의 시원함을 누릴 수 있는 것입니다. 간소하고 단순한 살림살이가 곧 건강하고 아름다운 삶을 사는 것입니다. 이런 점에서 귀농의 성패를 가름하는 하나는 도시에 길들어 온 삶을 얼마나 놓고 비우느냐에 달려 있다고 하겠습니다. 이처럼 인위적인 수고를 놓고 자연에 의지하여 삶의 풍요를 누리고 즐기는 것이 자연과 함께 사는 삶의 지혜입니다.

개인의 삶과 지구 생태계는 따로 떨어져 있지 않습니다. 개인의 삶이 생태적으로 바뀔 때 그만큼 지구 생태계도 건강해집니다. 따라서 우리의 모든 행위가 다른 사람들뿐만 아니라 지구 전 생명계와 연결되어 있다는 사실을 자각하고, 지구 차원의 위기에 대해 의식적으로 대응하면서, 지구의 자원을 착취하기보다는 지구를 치유하며 자연의 리듬에 따라 사는 지혜가 절실합니다.

모심侍과 아낌嗇은 이 같은 단순 소박한 삶을 통해 풍요와 감사를 일구며 상생의 삶과 문명을 여는 열쇠입니다. 한 생명, 한 물건에 대해 존재하는 모든 것이 다 거룩하고 신성하다는 마음으로 대하며, 한 물건도 함부로 다루거나 버릴 수 없다는 아낌의 자세로 살림을 꾸려 가는 것이 그것이라 할 수 있습니다. 이를 바탕으로 땅이 생명 에너지의 원천임을 깨닫고 땅에 발을 딛고 서서 느림의 가치관, 작은 것의 소중함, 단순한 것의 아름다움을 추구하며 찬양하는 삶이 지금 여기에 생명력이 충만한 삶을 살게 하는 바탕이라 할 수 있습니다.

| 1 | 튼튼한 귀농을 위한 첫걸음

농사짓는 힘은 어디서 오는가

김준권 농부. 경기 양주. 전국귀농운동본부 이사

평생 농사만 짓고 살았습니다. 저는 농부만한 탈렌트가 없다고 생각합니다. 집 짓는 것부터 먹는 것, 입는 것 등 자급 살림에 필요한 것은 모두 스스로 해야 하잖아요. TV에 나오는 탈렌트는 엄두도 안 날 겁니다. 그러니 농부야말로 진정한 탈렌트가 아니겠습니까?

우리가 가질 수 있는 직업의 종류는 참으로 많습니다. 농사에 관심을 갖게 되어 이 글을 읽으시는 분들의 직업도 여러 가지일 것입니다. 저는 이 세상 그 많은 직업 가운데 농부가 가장 중요한 직업이라고 생각하는 사람입니다. 사람은 자동차, 휴대폰, 냉장고 없이도 살 수 있지만 밥 없이는 살 수 없습니다. 그런 면에서 농업은 사회기여도가 가장 높고, 가장 중요하고, 가치가 높은 직업이라 할 수 있습니다. 사람은 가치를 추구하는 존재입니다.

그래서 저는 삶에서 가장 가치 있고 귀중한 일을 하고 싶어서 농사를 선택했습니다.

농사에 필요한 네 가지 'W'

도시에서 살다가 나이가 들어서 농사를 지어보겠다고 생각하는 사람에게 귀농은 어쩌면 이민을 가서 생활하는 것만큼 힘들지도 모릅니다. 농사는 결코 쉬운 일이 아니며, 더구나 생업으로 하려고 한다면 개척정신이 없다면 더 어렵습니다. 벤처정신이라고 할까요, 농사를 짓기 위한 개척정신에는 네 가지 'W'가 필요합니다.

첫째, 길Way이 아니면 갈 수 없습니다. 개척을 위해서는 길, 즉 땅이 있어야 하며 땅을 마련하려면 길이 있어야 합니다. 반드시 길이 있는 땅을 선택하거나 길을 확보할 수 있는 가능성이 있어야 합니다.

둘째, 물Water입니다. 물이 없는 곳에서는 개척을 할 수 없습니다. 물은 지표수와 지하수가 있는데, 지표수가 오염되지 않은 곳은 거의 없습니다. 이제 맘껏 떠먹을 수 있는 물은 깊은 산골이 아니면 찾기가 힘듭니다. 그러나 지하수는 오염되지 않은 곳이 많습니다. 개척하여 자식과 더불어 대를 이어 살겠다고 한다면 지하수가 오염된 곳은 안 됩니다. 모든 물은 산에서부터 시작하는데 그 수맥의 상류에 오염원, 즉 축사나 화학농업을 하는 곳이 있다면 수질검사에서 질산염이나 합성세제로 오염되었을 가능성이 높습니다. 무엇보다 지하수가 오염되지 않은 땅을 선택해야 합니다.

셋째, 노동력Worker입니다. 스스로 노동력이 얼마나 되는지 알아야 합니다. 얼마 전에 농장에 실습하러 오신 분이 있었는데 덩치는 있어도 힘이 없어서 고생하셨습니다. 경운기 사용법을 가르쳐주고 밭을 혼자 갈도록 했는데, 팔목이 아프다고 하여 침을 놓았지만 효과가 없어서 다음 날 병원에 갔더니 인대가 늘어났다고 합니다. 이처럼 근육을 발달시켜 놓지 않으면 노동력을 제공하기 힘듭니다. 근력을 노동력으로 써야 하는데 오랫동안 사용하지 않다가 갑자기 사용하면 무리가 오게 됩니다. 자기 노동력이 아니면 가족 노동력이나 외부 노동력이 필요한데, 어떤 노동력을 가지고 할 것인가에 대한 고민이 있어야 합니다.

넷째, 부인Wife입니다. 부인이라고 할 수도 있고 협력자라고 할 수도 있는데, 협력자가 적절하겠습니다. 부인이나 남편의 적극적인 협조를 받고 있는가를 생각해야 합니다. 가족의 반대를 무릅쓰고 한다면 대단히 어렵습니다. 귀농을 하려면 가족의 동의와 협력이 꼭 필요합니다.

이것이 농사를 짓기 위해 필요한 개척정신의 네 가지 조건입니다.

풍요로움의 끝

사람은 먹지 않으면 사람답게 살 수 없습니다. 하지만 현재 농업인구는 감소하고 있습니다. 그렇다고 먹을 것이 넘쳐나는 것은 아닙니다. 현재 지구상에는 10억 명이 기아상태에 있다고 합니다. 무서운 이야기이지만 먼 훗날에는 먹을 것이 부족한 시대가 올 것입니다. 지금도 10억 명이 굶주리고 있는데, 21세기에 기아상태가 온다면 지금보다 더 많은 사람이 굶주리게 될 것입니다. 그러면 왜 기아상태가 올 수밖에 없는지 한 번 짚어보겠습니다.

현대의 개발지상주의적인 많은 정책들은 새로운 길과 공장을 끊임없이 만들어내고 있습니다. 그 결과 농경지가 다른 용도로 바뀌어 자연스레 줄어들었고, 각종 환경문제로 인해서 날씨와 기후에 변화가 생기게 되었습니다. 날씨와 기후에 의해서 생산되는 것이 농산물인데, 요즈음에는 폭우·폭염 같은 100년에 한번 일어날까 말까한 일들이 빈번해졌습니다. 이러한 일들이 앞으로 더 자주 일어날 것은 자명합니다. 농업생산물이 줄어드는 이유에는 이와 같은 농경지 감소와 급변하는 기후 말고도 농업기술이 한계점에 이르렀다는 것이 있습니다. 이제는 농업기술의 발전에 한계가 와서 더 진보적인 사회가 되더라도 이것을 통해서는 식량을 증산할 수 없을 것입니다.

레스터 브라운이 쓴 「중국을 누가 먹여 살릴 것인가」라는 책을 보면, 이것은 한 나라의 문제만이 아니고 국제시장을 통해 식량을 해결하는 나라들의 문제입니다. 중국은 산업의 균형을 점차 공업중심으로 옮겨가고 있고 농산물보다 축산물 생산이 증가하고 있는데, 우리나라 역시 마찬가지입니다. 40년 전만 해도 축산물 생산이 많지 않았습니다. 축산물 생산이 늘어날 경우 상대적으로 농산물의 생산은 1/7로 줄어듭니다. 이렇게 된다면 식량위기가 닥칠 수밖에 없습니다. 이것은 인류 전체의 문제라고 이 책은 식량위기에 경종을 울리고 있습니다.

또 「식량대란」이라는 책이 있는데, 여기에서는 각 나라가 WTO체제로 가기 때문에 식량생산을 늘리지 않게 되어서 먹고 사는 일에 문제가 발생한다고 합니다. 앞으로는 우리의 기대처럼 늘 먹는 것이 풍요롭지 않다는 것입니다.

하지만 우리는 그 심각성을 잘 모르고 있습니다. 지혜로운 사람은 비가 오기 전에 우산을 준비하지만 그렇지 않은 사람은 비를 맞을 수밖에 없습니다. 닥쳐서 준비를 하려면 이미 때는 늦습니다. 이것은 개인이나 국가나 모두 마찬가지입니다. 먹는 것이 중요하고, 특히 자급자족이 중요하며 그것을 통한 의식주 해결이 중요합니다.

스스로 일구어 만족하는 삶

지급자족이란 자신의 문제를 스스로 해결하고 그것에 만족하는 삶을 말합니다. 그동안 도시에 살면서 먹고 사는 문제를 해결해오다가 앞으로 농업을 통해서 자신의 삶의 문제를 해결하려고 생각한다면 많이 고민이 될 것입니다.

자급자족은 의·식·주·의료·교육, 이 다섯 가지를 위한 활동인데, 원시생활도 모두 이것을 해결하기 위함이었습니다. 요즘 많이 하고 있는 컴퓨터도 다만 의·식·주 활동을 영위하는 수단일 뿐입니다. 의·식·주뿐만 아니라 자녀의 교육과 의료문제도 해결하지 않으면 살 수 없습니다. 농사를 통해서 그것을 해결한다는 것, 이것이 자급자족입니다. 그 방안에 대해서 구체적으로 알아보겠습니다.

먹을 것

食 사람이 1년을 사는 데는 1인당 83kg의 쌀이 필요합니다. 최근에는 고기와 밀가루 때문에 많이 줄어들었지만 83kg이면 한 가마 정도 됩니다. 한 가족을 5인으로 보면, 1년에 6가마 정도면 먹고 살 수 있습니다. 외부의 변화가 있더라도 먹고 사는 데는 크게 지장이 없습니다. 쌀의 품종과 기술의 차이가 크지 않고 농사짓는 사람의 지도만 조금 받는다면 논 한 마지기(보통 200평)에 평균 3가마 정도는 무난히 생산합니다. 그러니까 400평 정도면 한 가족이 다 먹을 수 있습니다.

그 다음 부식이 필요한데 부식이 해결되어야 식생활을 어느 정도 해결할 수 있습니다. 부식은 간장과 된장, 김치입니다. 간장과 된장으로는 여러 가지 반찬을 만들 수 있습니다. 간장과 된장의 원료는 콩으로, 콩은 두과 식물로서 뿌리에 있는 뿌리혹박테리아가 공기 중의 질소를 고정시켜주므로 비료 없이 다수확이 가능합니다.

콩은 새 피해를 막기 위해 직파 보다 모종을 키워 이식재배를 하는데, 떡잎과 본잎 7개가 나오면 그 위 생장점을 자릅니다(적심이라고 함). 그러면 곁가지에서 꼬투리가 나오게 되고, 거기서 또 적심을 하게 되면 옆으로 40~50개의 가지가 생깁니다. 가지가 많으면 꽃이 많이 달리고 꼬투리가 많이 생깁니다. 콩 꼬투리가 달렸을 때 가물면 물을 줘야 하며 꽃이 필 무렵에는 꼬투리에 물기가 맺혀야 합니다. 인산과 가리를 조금 주면 알맹이가 커집니다.

어떤 작물이든지 생육은 전기와 후기로 나뉩니다. 그래서 꽃이 피기 전에는 영양생장을 하여 몸을 키우고 꽃이 핀 이후에는 생식생장으로 넘어가는데, 각 시기마다 작물이 필요로 하는 비료의 성분이 다릅니다. 전기 영양생장에는 질소질 비료가 필요하며, 후기 생식생장에는 인산과 가리가 효과적이며 다수확을 가능하게 합니다. 배추의 경우에는 결구가 시작되어 속이 아물기 시작할 때가 후기이고, 무는 가는 뿌리에서 볼펜 굵기가 될 때 생식생장을 합니다. 화채류는 꽃이 맺히는 시점을 기준으로 꽃이 피는 생육후기 때 인산과 가리비료가 필요합니다. 콩의 경우는 기름집에서 깻묵을 얻어 액비를 만들어서 주면 좋습니다.

이처럼 먹을거리는 쌀과 콩만 있으면 기본적인 것은 해결이 되는데 논 400평, 밭(콩, 채소, 양념류 포함) 400평 정도면 부족하지 않습니다. 식생활을 해결한다는 의미는 먹을거리를 내 손으로 해결한다는 중요한 의미이기

도 합니다. 먹을 것을 해결하지 못하면 사람의 체면이나 존엄성을 유지하기
힘듭니다.

입을 것

衣 옷은 어떻게 해결할까요? 목화를 심어서 해 입을 수도 없는 형편
이고, 동의하지도 않을 것입니다. 그러나 옷 입는 문제는 꼭 짚고
넘어가야 합니다. 지금 옷장을 한번 열어보면 누구나 10년 동안 옷을 안 사
도 입을 만큼의 양이 있을 겁니다. 이렇게 옷이 많은 이유는 값이 싸기 때문
인데, 그 이유는 석유로 만들기 때문입니다. 하지만 석유가 앞으로 항상 있
지는 않을 것입니다. 앞으로 쓸 수 있는 석유의 매장량은 40~50년 정도라
고 생각됩니다. 석유사업주가 내세운 여러 가지 상황을 다 따져보아도 길어
야 60년이면 고갈된다고 합니다.

그래서 앞으로 10년 뒤면 석유생산량이 점차 줄어서 더 이상 싼 옷을 입
을 수 없을 것입니다. 석유가 언젠가 고갈된다면 이것은 심각한 문제입니
다. 앞서 말한 식량, 에너지, 환경오염 문제를 해결하지 못하고 어떻게 21세
기를 넘어갈 수 있을까 의문이 됩니다. 우리는 다음 세기까지는 살 수 없지
만 후세를 생각하면 심각한 상황입니다.

직접 옷을 만드는 데는 비용이 그리 많이 들지 않습니다. 옷 만들기 강좌
에 참여해서 손수 만들어 보기도 하고, 양 한 마리만 있으면 이불 하나를 만
들 수 있으니 면양을 길러보는 것도 좋습니다. 양털은 지방을 뺀 후에 물레
로 실을 뽑아내서 쓰기도 하는데 시간이 없어서 못할 뿐이지 누구나 할 수
있습니다. 그리고 양털로 만든 이불은 덮고 잘 때 아주 부드럽고 따뜻합니
다.

살 곳

住 집 짓기는 서두르지 말아야 합니다. 귀농해서 바로 집을 짓지 말고, 짓더라도 잘 지어야 합니다. 집을 지을 장소를 정하고 나면 여러 사람의 자문을 얻고, 풍수에 밝은 사람의 도움을 얻어 수맥과 방향을 잘 판단하고, 에너지 절약을 위해서 집의 형태도 깊이 생각해야 합니다. 집 짓는 일은 비용이 많이 들고 한 번 지으면 바꾸기 힘들기 때문에 처음에는 컨테이너로 시작하거나 헌집을 고쳐서 사용하는 것도 괜찮습니다. 컨테이너는 160만 원이면 20평정도 가능합니다. 집은 한 번 지을 때 잘 지어야 하고 나쁜 집은 건강에도 많이 해롭습니다.

제가 포천에 살 때는 7평짜리 황토방을 지었는데 다른 사람의 도움을 거의 받지 않고 직접 방 한 칸 4평과 부엌 3평을 흙벽돌과 나무상자를 이용해서 지었습니다. 난방은 구들을 만들어서 이용하면 비용이 거의 들지 않습니다. 그렇게 150만 원으로 7평짜리 집을 흙으로 지었는데 거기에서 자고 나면 피로가 풀릴 정도로 좋았습니다. 이것보다 싼 비용으로 살 공간을 만든다는 것은 참 어렵지만 아이가 초등학교 들어갈 때까지는 살 수 있습니다. 그 때 사용한 모든 자재는 재활용으로 주워 모았는데, 서까래는 벌목한 것을 줍고 합판과 문틀은 중고로, 벽돌과 시멘트는 새 것으로, 흙을 두 차를 사서 모두 계산하니 150만 원이 들었습니다. 인건비는 직접 지었기 때문에 하나도 들지 않았습니다.

창고와 비닐하우스 정도는 개집이라도 뚝딱거린 경험만 있으면 수월히 지을 수 있습니다. 도시에서는 기능이 없으면 돈으로 해결하지만 농촌에서는 전기, 상·하수도 같은 모든 것을 자기 손으로 해야 합니다. 도시 생활은 돈만 있으면 전화 한 통화로 해결할 수 있지만 시골에서는 만능이 되지 않으면 살기 힘듭니다. 남의 손을 빌려 새 집을 지으려면 평당 150~200만 원 정도 들어야 집을 지을 수 있는데, 그렇게 30평짜리를 지으려면 6천만 원이 듭니다. 그러니 할 수 있는 기능을 익힌 다음 천천히 집을 짓는다면 비용을 훨씬 더 줄일 수 있습니다.

집은 가능한 한 생태적인 에너지를 사용하면 좋은데, 요즈음은 풍력을 이용하거나 태양열 에너지 집을 지으면 충분히 쓰고 남는 에너지는 팔기도 합니다. 바이오매스나 풍력, 태양열 같은 대체 에너지를 생각해 볼 수 있고, 특히 단열을 중시해야 합니다. 내부의 열을 외부로 뺏기지 않고 생태적인 집을 지어서 에너지를 생산하면서 대부분의 문제를 스스로 해결해보려는 생각을 가져야겠습니다.

교육과 의료

教 요즈음은 병이 나면 병원에 돈을 다 갖다 줘야 합니다. 그래서 치료보다는 병에 안 걸리는 것이 더 중요합니다. 병이 안 나면 병원에 갈 일이 없습니다. 의료문제는 해결한다기보다 해소시켜 버려야 합니다. 그렇게 하기 위해서는 식생활이 중요합니다. 저는 유기농 30년을 하는 동안 친척들 병문안 외에는 병원에 거의 가지 않았습니다. 유기농업을 하는 친구들 또한 현대 문명병으로 죽은 사람이 없습니다. 유기농업을 하고, 땀 흘리며 일하고, 스트레스가 없으면 병이 없습니다. 그리고 간단한 병은 침이나 뜸을 익히면 손수 시술할 수 있습니다.

아이들 교육은 도시로 가는 주요 이유입니다. 자녀교육은 우리의 가치관을 바꿔야 합니다. 학력사회에서는 도시의 가치관으로 보면 도시의 교육환경과 대학과정을 거쳐 좋은 직장에 들어가서 대우 받는 것이 좋겠지만 앞으로의 사회는 그렇지 않을 것입니다. 이제는 점점 학력사회에서 능력사회로

가고 있습니다. 대안학교가 늘어나는 이유도 다른 가치관을 중시하고 있다는 이야기입니다. 물론 사회적 교양은 중요하겠지만 산업사회에서 필요로 하는 인간을 만드는 것이 지금의 교육현실이라면, 어떤 것을 버려야 하는지 잘 판단해야 합니다.

자연 속에서 얻는 경쟁력

첫째, 안전성을 우선하여야 합니다. 우리는 식탁 위에 놓여있는 것을 누가 어떻게 생산했는지조차 모릅니다. 중국산은 우리와 위생개념이 달라서 무슨 탈이 날지 모르고, 국산의 경우도 누가 생산했는지 알고 먹는 것이 중요합니다. 현재 쌀은 제초제에 98% 의존하여 생산하고 있는데 그 농약이 땅에 남아서 지하수를 오염시키고 있습니다. 그것의 주성분인 다이옥신 피해는 바로 드러나는 것이 아닙니다. 선진국의 경우는 식량의 질을 철저히 따지지만 우리의 경우 생산방식, 유통과정(방부제, 살충제 따위)과 관리에서 나오는 문제가 보통 큰 것이 아닙니다.

둘째, 고유의 맛과 향이 살아 있는 영양가 있는 것이어야 합니다.

셋째, 맛이 중요합니다. 맛없는 것은 먹기가 힘듭니다. 그것이 가지고 있는 고유의 맛이 있어야 합니다. 과일이 달다고 다 좋은 것이 아니고 당도가 높다고 맛있는 것이 아닙니다. 단맛과 신맛이 적절히 조화된 것이 좋은 맛이며 고유의 맛입니다.

이러한 것은 친환경 농업이어야 가능합니다. 친환경이라는 말은 정부가 만들어 놓은 이름인데 자연농법이건 유기농법이건 행정용어로는 친환경농업이라고 합니다. 친환경농업이라고 하는 것에는 유기재배, 전환기재배, 무농약, 저농약이라는 단계가 있습니다. 지금은 생산기술이 다 전파되어 있어서 충분히 안전한 농산물을 생산할 수 있습니다.

넷째, 강한 생명력으로 오래 살아 숨 쉬는 저장성이 좋아야 합니다.

다섯째, 가능한 한 겉모양도 보기 좋아야 합니다. 처음 유기재배를 할 때는 대부분 모양이 좋지 않습니다.

위와 같이 농산물을 생산한다면 외국의 저가 농산물에 대한 경쟁력을 가질 수 있습니다. 제대로 된 농산물이고, 찾는 소비자가 있으면 얼마든지 내가 만들어 갈 수 있습니다. 전에는 어떤 작물이 돈이 되는지 대충 판단이 가능했지만 수입 개방 이후에는 무엇을 심어야 좋을지 단정할 수 없어졌습니다. 그러나 어떻게 하면 돈을 마련할 것인가를 생각한다면 위의 조건에 맞게 농사를 지어야 합니다. 가격을 시장에 맡기지 않고 내가 가격을 만들고 시장을 만들어 갈 수 있도록 개인의 브랜드가치를 높여야 합니다. 그렇게 보면 귀농을 언제 했는지가 중요합니다.

사람들은 3년 된 귀농자보다 10년 된 귀농자의 농산물이 좋은 것이라고 판단할 것입니다. 유기재배를 한다면 년도가 올라갈수록 당연히 브랜드가치가 높아질 수밖에 없습니다. 자신의 경영이 5년, 10년이 되면 그것이 경력이 되어 전망 있는 농업이 될 것입니다. 맑은 공기 마시며 땀 흘리면서 농사짓는 일, 당나귀와 놀고 꽃과 풀과 함께 자연 속에서 노는 아이들이 결국 큰 자산이 될 것입니다. 콘크리트 속에서 자라는 것과는 천지차이입니다.

내 삶의 주인이 되는 즐거움

농촌에서 유기농업 하는 사람은 많습니다. 그들이 생산하는 쌀이 팔리는 가격을 보면 너무 싸서 원가에도 못 미칩니다. 시장개방이 되면서 쌀값은 현재 17만 원 선인데 농촌과 농업인구의 활동과 문화, 또 그것을 업으로 삼고 있는 사람들의 삶이 유지되려면 지금보다 쌀값이 10배는 되어야 합니다. 그래야 그들의 생활도 안정되고 소비자도 좋은 쌀을 먹을 수 있습니다.

유기재배는 현재 25만 원 정도로 일반 쌀보다는 비싸지만 원가에는 훨씬 못 미칩니다. 50만 원 정도는 되어야 합니다. 우리나라 토지용역비가 너무 비싸기 때문입니다. 현재 평당(포천 관인면의 예 : 10년 전에 5,500평이 1평에 33,000원, 현재 10만 원) 5만 원 이하로 살 수 있는 곳이 거의 없습니다.

그런데 만약 농협에서 담보 대출을 받아서 논을 평당 5만 원에 400평을 사서 쌀을 생산한다고 하면, 금리비용으로만 25만 원이 들고 거기에 약간의 종자값, 논 가는 비용, 이앙기 대여비, 그밖에 농약값, 콤바인 비용, 전기요금 따위 모든 비용을 다 따지면 토지용역비를 포함하여 쌀 한 가마 생산하는데 순수하게 30만 원 정도 들어갑니다. 그러니 25만 원으로는 퇴비비용도 계산이 안 될 정도입니다. 쌀값이 한 가마에 50만 원 정도가 되어야 먹고 사는 것이 유지가 됩니다. 쌀 판매가 농가소득에서는 전체의 60%를 차지합니다. 농촌경제가 얼마나 어려운지 알 수 있습니다.

그러나 멀리 내다보면 농업에는 전망이 있습니다. 내가 삶의 주인이 되는 직업이 무엇일까 생각해 봅니다. 직장에서는 나이와 능력 같은 조건을 견주어 퇴출시키지만, 농사는 내가 쉬고 싶으면 쉬고 일하고 싶으면 일할 수 있습니다. 하고 싶은 일을 즐겁게 할 수 있는 것이 농업입니다. 힘들긴 하지만 그 속에 훨씬 더 즐거운 일이 있습니다.

저는 토종벌을 100통 정도 하는데 굉장히 재밌습니다. 벌의 모습을 보고 있으면 참 재밌습니다. 가끔 집사람이 뭐하냐고 묻곤 하는데 벌통 앞에 있으면 그렇게 됩니다. 소도 70마리를 기르고, 비닐하우스 9동에는 케일을 재배하고 있습니다. 일을 감당하기 어려울 때가 있어서 외국인 노동자를 잠깐 쓰기도 하는데 적절하게 필요한 외부 노동력만 쓰고 있습니다. 아무리 즐거워도 벅찬 일은 너무 지치고 힘이 듭니다.

아침에 매일 소 얼굴을 보면서 먹이 주고 쓰다듬어 주는 일, 면양 먹이 주는 일, 당나귀 먹이 주는 일, 산양 젖 짜는 일, 이것이야 말로 산양과 벌통이 있으니 젖과 꿀이 흐르는 땅이고 풍요의 극치가 아닐 수 없습니다. 힘에 부치기도 하지만 돈으로 살 수 없는 일이고 일이 즐거워서 잠드는 순간까지 재미있습니다.

처음에는 시골에서 자라서 농사가 지겹고 힘들었던 기억도 있어서 그만 두려고 했습니다. 하지만 일본에 가서 강연을 듣고 난 후 농업이야말로 최고의 일이며 경제적 가치뿐만 아니라 인류문명의 중요한 가치가 있다는 생각이 들었습니다. 그렇게 농사를 내 일로 받아들이니 별로 힘들지 않았습니다. 농사 외에 더 즐거운 일이 있다면 그걸 하겠다고 생각했는데 아직까지 주변에 그런 일은 없었습니다.

농업은 돈 버는 일이 아닙니다. 하지만 먹고 사는 일에 적합한 일은 농업입니다. 귀농을 한 후 처음에는 잃는 것도 있어서 한두 번은 의욕을 잃어 힘이 빠질 수도 있습니다. 무모한 것은 나중에 현장에 가서 하는 것이 좋습니다. 그리고 귀농하기 전에는 아는 농가에 가서 단기간 실습을 해보는 것도 좋습니다. 실습을 통해서 정보도 얻고, 판단도 하고, 농업기술도 배울 수 있습니다.

사람은 누구나 때가 있습니다. 때를 분별하는 것은 농업에서 아주 중요합니다. 인생에 있어서도 때가 중요합니다. 농업은 소득이 적고 갑자기 서리가 오면 수확을 못할 수 있습니다. 귀농을 원한다면 생각은 신중히, 결단은 신속히 하길 바랍니다.

귀농, 준비에서 정착까지

─부딪치고깨지며얻은아홉가지 '비결'

이진천 귀농운동본부 사무처장

귀농학교에 다닌 인연이 깊어 사무처 일을 하며 귀농을 준비하고 있습니다. 귀농을 결심한 사람들의 첫마음, 흙을 향한 소중한 마음이 이어지도록 소통하는 역할을 하려고 합니다. 올해 초에 함께 땅을 일굴 아내를 맞아 가정을 꾸렸습니다.

"저 푸른 초원 위에, 그림 같은 집을 짓고, 사랑하는 우리 님과, 한 백 년 살고 싶어. 봄이면 씨앗 뿌려, 여름이면 꽃이 피네. 가을이면 풍년 되어, 겨울이면 행복하네."

귀농을 꿈꾸는 사람들의 한결같은 마음을 멋들어지게 노래하고 있는 국민가요 '님과 함께'의 한 대목입니다. 생각해 보면 얼마나 멋진 일입니까?

사랑하는 님과 함께 소박하게 농사짓고 사는 일이라니! 가던 길을 멈추고 상상해 보아도 가슴이 먹먹해지고 눈물이 날 지경입니다.

그런데 이 노래를 듣고서 마음의 울림에 깊이 공명하는 사람은 소수일 것입니다. 한 발 더 나아가 귀농을 심각하게 고민하는 사람은 더 소수이며, 실제 농사를 지으러 농촌으로 들어가는 사람은 손으로 꼽을 지경입니다. 왜 그럴까요?

귀농은 간단히 말하자면 농農촌으로 돌아가는歸 것입니다. 그러나 여기에는 수많은 오해와 숨겨진 진실, 막막한 두려움과 그럼에도 불구하고 터져 나오는 그리움, 주변의 반대와 또 한편의 격려, 현실적 생존의 문제와 실존적 가치관의 문제 같이 하나하나 확실히 짚어서 튼튼한 징검다리로 만들어야 할 문제들이 너무도 많습니다.

이 글에서는 도시에서 귀농을 준비하는 단계를 포함해서 실제 귀농을 해서 사는 데 필요한 덕목들을 정리해 보았습니다. 이 글은 귀농을 준비하는 사람들을 위한 짧고 부족한 길잡이일 뿐이지만, 귀농이라는 아름다운 꿈이자 냉정한 현실을 내 것으로 만드는 길고 긴 과정에 대한 이정표 역할을 할 수 있다면 좋겠습니다. 어쨌든 수년간의 경험이 녹아든 결과물이고, 귀농을 준비하는 사람들을 향한 애정을 담은 글이기도 합니다.

지금 당장 도시농업을 시작하라

귀농을 하면 백 평이건 만 평이건 간에 무언가를 심고 거두게 됩니다. 도시생활 내내 흙과 멀어진 채로 살다가 농사를 짓겠다고 생각하면 앞길이 막막한 것이 사실입니다. 하지만 씨감자에 재를 묻혀서 심어보고, 결구가 안되는 배추 때문에 애가 타는 심정은 지금부터도 느껴볼 수가 있습니다. 여건을 탓하지 말고 아이들과 주말마다 교외로 나가거나 옥상이 있다면 화분에 고추나 배추를 심을 수 있습니다. 지하철에서 스포츠신문을 보는 것이 아니라 영농서적을 읽을 수도 있습니다. 5평 농사의 풍성함을 만끽해 보는 것은 귀농의 필수조건입니다.

귀농교육을 받고, 원하는 정보를 모아라

도시에서 귀농을 준비하는 순간 귀농은 시작됐다고 할 수 있습니다. 귀농학교에 참여하면 많은 정보와 사람 관계를 얻을 수 있습니다. 간혹 귀농교육을 쉽게 생각하는 분들이 있는데, 직접 부딪쳐 보는 것이 중요합니다.

그런데 농사만큼은 혼자서 할 수 없습니다. 농사는 하늘이 짓는다고 합니다. 하늘도 하늘이지만 또한 이웃의 도움이 없다면 시작하기조차 힘듭니다. 하늘이든 이웃이든 누군가에게 기대지 않고서 농사나 귀농은 어렵습니다. 남의 말에 귀 기울이지 않는 귀농은 고달프기만 합니다.

요즘은 귀농과 관련된 정보나 영농정보가 넘쳐나고 있습니다. 인터넷 덕분에 불과 몇 년 사이에 정보의 홍수에 빠지게 됐지만, 그만큼 옥석을 가리는 일은 힘듭니다. 그 가운데서 내가 원하는 정보는 집중해서 찾아 따로 모아 두는 것이 좋습니다. 정작 귀농을 하면 자료나 정보를 폭넓게 모으는 일이 쉽지 않습니다. 철따라 사는 일만으로도 하루가 모자랄 정도로 바쁩니다. 도시에서 준비한 두툼한 자료뭉치는 분명히 큰 자산이 될 것입니다.

철학적 고민을 가지고 시대와 호흡하라

철학적 고민이라니 좀 생뚱맞을지도 모르겠습니다. 분명히 말하지만 귀농은 단순히 봉급생활자에서 농부로 직업을 바꾸는 것이 아니라 삶의 전면적인 전환입니다. 나와 내 가족의 생활양식이 농촌생활에 맞게 변해가는 과정 속에서 무수한 철학적 고민이 뒤따릅니다. 예를 들어 도시 친구들에게 수확한 감자 한 박스를 팔게 된다면, 아무리 친한 친구라 해도 그 친구는 나의 수고와 땀도 모르고 감자가 알이 작다느니 남아서 썩었다느니 속상하게 하는 이야기를 듣기 십상입니다.

어쩌다 생산을 많이 해서 시장에 내다 팔려고 하면 시장에 비집고 들어가는 일이 얼마나 어려운 일인지, 농민들이 왜 수확철에 더 속이 터지는지를 뼈저리게 느끼게 됩니다. 게다가 수해나 태풍이라도 얻어맞는다면 답이 없습니다. 그럴 때, 쉽사리 포기하거나 주저앉지 않고 내 선택을 믿고 나가려면 준비된 철학, 단단한 가치관이 필요합니다.

글 첫머리에 적은 노래 가사에 나오는 저 푸른 초원도, 그림 같은 집이 서 있을 곳도, 다름 아닌 바로 오늘의 농촌일 수밖에 없습니다. 당연한 이야기이지만 농촌은 농업을 기반으로 합니다. 노래에 나오는 봄 · 여름 · 가을 · 겨울이 순환하는 농업은 WTO 체제 아래에 놓여 있습니다. 귀농이라는 그림을 그리는 도화지는 시공을 초월한 순백의 종이가 아닙니다. 힘겨운 농촌과 무너져 가는 농업, 그 위에다 그림을 그려야 합니다. 이민을 가서 농사짓고 사는 것이 아니라면 지금부터 공부가 필요합니다. 우리의 농업 · 농촌의 역사와 현실, 미래를 고민하되 애정을 가지고 해야 합니다.

도시의 편리함은 잊어라

결론부터 말하자면 귀농해서 도시생활과 같은 경제적 수준을 유지할 수도, 그럴 필요도 없습니다. 자연이 주는 수많은 기쁨도 큰 것이지만 꼭 돈이 아니더라도 생활을 꾸려갈 수 있는 길을 열어 주기 때문입니다. 이런 혜택을 누리기 위해서는 앞서 말한 나름의 철학이 튼실해야 합니다. 도시에서는 모두 돈과 맞바꾸기에 식·의·주와 건강문제, 교육문제에 들어가는 돈이 밑도 끝도 없습니다. 하지만 농촌에서는 다르게 접근해서 풀 수 있습니다. 농촌에서는 내가 스스로 할 수 있는 일이 많습니다. 그 이야기들은 귀농운동본부에서 펴내는 계간지 〈귀농통문〉에 가득하니 자세한 이야기는 줄이기로 하지요.

귀농운동본부에서 일하다보면 '대체 자금이 얼마 정도 있어야 귀농을 할 수 있느냐?'는 질문을 자주 받게 됩니다. 물론 답은 없지요. 그렇지만 굳이 답을 해야 할 때는 '몸 누일 집과 50평 텃밭이면 되지 않겠느냐.'고 합니다. 그 정도를 넘어서 황토집을 짓던가, 시설농사를 하던가, 소를 키우던가 하는 것은 모두 선택사항입니다. 그런데 이렇게 말하면 다들 웃습니다.

도시생활을 고스란히 옮긴 형태의 귀농을 생각하면 자금은 수 억이 필요합니다. 도시에서 바쁘게 일하던 것처럼 농촌에서도 일하려고 한다면 우선 좀 멈추어보라고 권하고 싶습니다. 귀농설계는 귀농지에서 해야 합니다. 물론 도시에서 설계하는 것도 필요하지만, 농촌에서는 새로운 것들이 보입니다. 특히 땅 사는 일, 집 짓는 일은 되도록 천천히 신중하게 하길 권합니다. 귀농은 치킨집 신규창업과는 전혀 다릅니다. 농사짓고 사는 것은 속도와 경쟁이 아니라 느리게 천천히 사는 일입니다. 자금을 많이 들이면 그만큼 바쁘고 고달프게 됩니다.

농사로 돈 벌 수 있다는 생각은 접어라

언론에 간혹 농업을 통한 성공사례가 소개되곤 합니다. 여기에 부디 현혹되지 마십시오. 농사꾼 1~2%의 특별한 사례가 우리 것이 되기는 어렵습니다. 어려운 정도가 아니라 꿈도 꾸지 않는 것이 건강에 좋습니다. 그런 분들의 경우는 엄청난 투자를 했거나 정말 시기적절한 아이템을 선정한 사람인데, 귀농을 하려는 이들은 그 줄의 맨 끝에 서 있다고 할 수 있습니다.

농사는 투기가 아닙니다. 한탕으로 되는 농사는 없습니다. 사실 그런 마음을 가지고 있다면 귀농하지 말라고 말리고 싶습니다. 수십 년 유기농업을 하신 선생님들이 말씀하시길 '돈 버는 작물은 없다. 땀 흘린 만큼 거두고 먹는다는 진리에만 충실하면 된다.'고 합니다. 귀농을 하겠다면 돈 번다는 개념이 달라야 합니다. 자급자족만 할 수 있어도, 좀 거칠게 말하면 '시골에 붙어있을 수만 있어도' 성공적인 귀농이라고 귀농자들은 말합니다.

그래도 미련이 남는다면 이를테면 소를 여러 마리 키우거나 시설작물 같은 것을 해보고 싶다면 천천히 바닥부터 일을 익힌 후에 투자하라고 말하고 싶습니다. 돈 버는 농사는 전문 농사꾼들이 자기 노동력을 최대한 들여서 농사지어도 될까 말까 한 일입니다. 농업은 계산 잘해서 투자만 한다고 되는 일이 아니라 내 땀이 깃들어야 합니다.

농업소득에 관해서 유념할 일은 유통에 관한 문제입니다. 뼈 빠지게 농사를 지어도 제때에 제값으로 팔지 못하면 그만큼 허탈한 일이 없습니다. 그런 면에서 귀농자들은 유리하다고 할 수도 있습니다. 도시에서 살면서 맺은 인연이 있으니까 말입니다. 도시의 연고를 잘 활용하면 되지만 그것이 또 쉬운 일은 아닙니다. 그리고 기존 유통망에 진입하기 위해서는 농민들보다 더 많은 노력을 기울여야 합니다. 작목반에 가입하거나 유기농 생산자로 인정을 받아 생협이나 한살림의 생산자가 되기 위한 조건들을 채우려면 부지런히 노력해야 합니다.

농사로 돈 버는 방법! 그 어떤 작물이든 안전한 농산물을 생산하고, 능력이 있으면 가공을 해서 부가가치를 높이고, 친지든 조직이든 든든한 유통망에 기대라는 말 외에는 더 보탤 말이 없습니다.

농촌에서 직업을 이어가라

귀농을 하면 꼭 농사를 지어야 할까? 아닙니다. 농촌에는 농사꾼만 있는 것이 아닙니다. 귀농한다고 꼭 농사만 지어야 하는 것이 아닙니다. 시골에서 어떤 직업을 가지고 있더라도 10평 채마밭 가꾸는 일은 자연스럽게 하게 됩니다.

만약 부부 중 한 사람이 고정된 수입이 있다면 여러 모로 수월합니다. 실제로 아내는 읍내에서 약사로 근무하고 남편은 농사꾼으로 땀 흘리는 부부들도 있습니다. 그리고 남자들은 지역 내 농업관련 활동을 전업으로 할 수도 있습니다. 영농조합법인이나 생산자공동체의 사무일을 보거나 트럭을 몰고 배송하러 다니는 귀농자들도 있습니다. 그렇게 하면 수입도 수입이지만 지역 정보를 두루 얻을 수 있다는 장점도 있습니다. 여자들은 여성농업인센터 같은 데서 방과 후 아이들을 지도하거나 면사무소에서 계약직으로 농민들 컴퓨터 교육을 하기도 합니다. 여하튼 이런 일들은 농촌에는 젊은 사람이 없어서 도시에서 일해 본 귀농자들에게 유리합니다. 그 외에 농번기에 품을 팔거나 산불감시원 같은 일을 할 수도 있지만 이건 어디까지나 마을의 일원으로 인정을 받아야 가능하고 생활의 보조 수단일 뿐입니다. 그리고 위에 언급한 일들은 얼마든지 기쁜 마음으로 자원봉사 할 수도 있습니다. 하지만 귀농한다면 무엇보다 몇 평 농사이든 내 농사를 짓는 것이 역시 제 맛입니다.

지역 관공서나 조직을 적극 활용하라

현재 귀농을 지원하는 안정된 지원체계는 없습니다. 그래서 스스로 돌파해 나가야 합니다. 시골 면사무소는 도시의 동사무소와 같지만 농촌생활과 깊이 연결되어 있습니다. 면사무소 직원과 통해 놓으면 좋은 지역 정보를 얻을 수 있습니다. 또 농업기술센터의 역할도 무시 못합니다. 도시에서야 가급적 관공서에 안 가는 것이 좋은 일이지만 농촌은 관공서와 친해질수록 좋습니다. 실질적인 귀농자 지원방안은 각 면 단위에서 하고 있으니 속된 말로 자꾸 찔러야 합니다.

그리고 농촌의 특징은 무수한 민간조직이 있다는 것입니다. 웬만한 촌부들은 이장이나 무슨 모임의 회장을 안 해본 분이 없을 정도입니다. 생활과 직결되는 작목반부터 대체 무슨 일을 하는지 알길 없는 동호회까지 오래된 농촌조직들이 많이 있습니다. 이를 잘 활용하면 정착에 도움이 되는 후견인들을 얻을 수 있습니다.

그리고 귀농자들은 붙박이 농민들과 달라서 좋은 교육이 있다면 전국 어디든 달려갑니다. 또 도시에서 살아본 경험 때문에 무슨 박람회니 교육이니 하는 것이 진짜인지 가짜인지 대충 알아볼 수 있습니다. 근래에 모든 군에서 친환경 농업육성을 과제로 삼고 있어서 교육에 많은 투자를 하고 있으니 여기에 잘 참여해서 활용하면 의외의 수확을 얻을 수도 있습니다.

배필을 찾듯이 지극정성으로 귀농지를 정해라

귀농지 선정만큼 막막한 일은 또 없을 것입니다. 심지어 지도를 펴서 눈 감고 찍은 곳을 돌아보았다는 분도 있을 정도입니다. 어디를 어떤 방식으로 다녀야 귀농지를 찾을 수 있을까요?

고향으로 귀농할 수 있으면 좋습니다. 고향을 피하는 이유야 알지만 어떤 면에서 고향은 나를 품어줄 수 있는 곳입니다. 이제 농촌 어르신들의 귀농에 대한 인식도 조금씩 바뀌고 있어서 고향으로 귀농하는 것도 좋은 방법입니다.

아는 귀농자가 있는 지역도 좋습니다. 귀농자의 마음은 귀농자가 알기에 서로 의지할 수 있습니다. 그런데 그 때 주의할 점이 있습니다. 그것은 귀농자라고 해서 나를 도와줄 의무는 없다는 것입니다. 어떻게 하다가 알게 된 귀농자와 함께 마을을 돌아보고 술 한 잔 나눈다면 그것만으로도 감사한 일인데, 당장 내 목표가 급하다고 그런 소중한 인연을 허술하게 생각하고 마는 경우를 많이 보았습니다. 한 번 만난 귀농자와는 자주 안부도 묻고 농산물도 앞장서서 팔아주면서 더 깊이 만나기를 바랍니다. 행여 사귀기도 힘들고 할 이야기가 없을까 하는 걱정은 마십시오. 농사 이야기만큼 사시사철 무궁무진한 주제가 어디 있습니까.

그 외에 몇 가지 요령이 있습니다. 먼저 대상 지역을 최대한 좁히는 것이 좋습니다. 하나의 군을 정해서 집중 공략하십시오. 지역 부동산정보지도 활용하고 면사무소 직원을 잘 만나면 같이 다녀주기도 합니다. 마을 이장을 찾아갈 때는 빈손으로 가지 말고 음료수 한 박스라도 사들고 가고, 그 지역 토박이 농사꾼을 알면 제일 좋습니다. 귀농지를 찾는다고 차를 몰고 다니는 마음이야 절절하겠지만 시골 사람들 눈에는 부동산 투기하려는 사람과 구별되지 않습니다. 그러니 제발, 땅값부터 묻는 것은 도리가 아닙니다. 있는 행세는 하지 말기를 바랍니다.

땅은 우선 빌려서 농사짓기를 권합니다. 마을 어른들은 농사짓는 것을 보고나서야 이 사람이 농사를 짓겠다는 것인지 아닌지를 판단합니다. 그러니 첫해 농사는 정말 열심히 해야 합니다. 잘 하기보다 열심히 하면 됩니다. 그 다음부터는 농지를 빌려주겠다는 사람, 내 땅을 싸게 사라는 사람이 나타납니다. 그리고 어느 정도 지나면 옆 마을 정보도 얻을 수 있습니다.

땅을 사는 일과 집을 짓는 일을 신중히 해야 하는 이유가 여기에 있습니다. 농촌생활 속에서 얻는 정보야말로 살아있는 정보입니다. 또 살면서 어떤 형태로 정착할지 가닥이 서면 농지와 집에 대한 시각이 이전과는 달라질 겁니다.

귀농지를 찾는 일은 배필을 찾는 일처럼 아주 극적인 인연입니다. 노력이라는 필연과 하늘이라는 우연이 맞아떨어져야 합니다. 내 맘에 쏙 드는 귀농지는 없습니다. 직업상 많은 동네를 다녀보았지만 집과 농지와 경치가 어우러진 기막힌 곳은 서너 군데에 불과했습니다. 정들면 고향이라는 말이 있습니다. 정들면 그곳이 최고의 귀농지입니다.

최후 비결, 귀농은 마을 사람이 되는 것이다

귀농을 한 마디로 정의하기는 어렵습니다. 그러나 굳이 정의하자면 마을 사람이 되는 것이라고 할 수 있습니다. 성공적인 귀농의 비결도 여기에 있고, 귀농과 전원생활의 차이도 여기에 있고, 귀농의 최종 목표도 여기에 있습니다. 마을 사람이 되는 것이야말로 귀농의 처음이자 마지막입니다.

마을 사람이 되기 위해서 중요한 점은 몸과 마음이 겸손해야 한다는 것입니다. 그러기 위해서는 애정과 믿음이 있어야 합니다. 농촌이라는 이름 안에 있는 수많은 요소들에 대한 애정과 농민에 대한 믿음이 그것입니다. 사람을 믿지 않으면 귀농이고 뭐고 할 수 있는 일이 없습니다. 흙은 늘 정직해서 내가 땀 흘린 만큼 받을 수 있지만 사람은 그렇지 않습니다. 내가 사람에게 기대고 사람들이 내게 기대는 아름다운 관계를 위한 노력은 꼭 뿌린 만큼 돌아오는 것은 아니기에 힘들지만 그 과정이 귀농입니다.

　귀농! 정말 만만한 일이 아닙니다. 그러나 역설적으로 귀농이 힘든 이유는 귀농이 그만큼 귀貴한 일이기 때문일 것입니다.

농사짓고 집 지을 땅
야무지게 고르기

성여경 귀농운동본부 정책연구소장

소농, 가족농의 정착을 보조하고 지원하는 방향으로 정책이 바뀌어야 농촌에 희망이 생깁니다. 올해부터 이런 정책을 제안하고 방안을 제시하는 역할을 맡게 되었습니다. 진안에서 가족과 작은 농사를 지으며 연구소 일을 하고 있습니다.

귀농을 해서 정착을 하려면 아무래도 집과 농지가 안정되게 확보되어야 함은 두말할 나위가 없습니다. 그러나 귀농을 생각하는 초기부터 땅과 집에 집착하면 귀농은 해보지도 못하고 지쳐서 포기하는 경우가 생기게 됩니다. 바로 이 점 때문에 귀농 초기에 집과 땅을 구입하지 않고 다른 방법을 연구해 보라고 하는 것입니다. 물론 이 때문만은 아니지만 집과 땅은 '부동산' 즉, 움직이기 어려운 재산이므로 한 번 사들이면 즉시 교체하거나 부분적으로 교체하는 것이 쉽지 않기 때문에 신중을 기하자는 것입니다. 그래서 귀농을 생각하고 땅이나 집을 사려고 한다면 다음과 같은 점을 다시 한번 짚어보고 신중히 결정하기 바랍니다.

농지와 주택을 구할 때는 다음과 같은 경우가 있습니다.
- 농지를 구입하여 집도 짓고 농사도 지으려는 경우
- 농지와 집을 따로 구하는 경우
- 집 지을 땅만 구하는 경우

사실 어느 것이 더 좋고 어느 것이 더 나쁘다고 할 수 없으므로 상황에 따라 판단을 해야 합니다. 그리고 무엇보다도 해당 지자체마다 담당 공무원의 기준이 약간씩 다를 수 있으므로 반드시 공무원과 상의하시길 권합니다.

농지를 구입하여 집도 짓고 농사도 짓고 싶다면

우선 농지를 구입해 집터로 전용허가를 받아야 합니다. 전용허가를 받는 것은 그리 쉬운 일이 아닙니다. 현재 농지법으로는 도시민이 농지를 구하기도 어렵고, 더군다나 농지를 전용하여 집을 짓는다는 것은 그리 만만한 일이 아닙니다. 또한 4m 이상의 도로에 접하지 않은 땅은 전용허가가 나지 않으므로 주의해야 합니다.

그러나 방법이 아주 없는 것은 아니므로 땅을 구입하기 전에 해당 지자체와 반드시 상의한 뒤에 판단해야 합니다. 간단하게 전용을 위한 서류와 비용을 살펴보면 다음과 같이 정리할 수 있습니다.

- 농지 전용 허가 신청서

- 사업 계획서

- 피해 방지 계획서

- 시설물 배치도

- 등기부등본

- 전용 예정구역이 표시된 지적도 또는 지형도

그리고 전용허가를 받아서 해당 군청에서 연락이 오면 수수료를 지불하게 됩니다.

수수료 내역

- 수입 증지 : 20,000원(3,500㎡ 이하)

- 면허세 : 3,000~30,000원(면적에 따라 다름)

- 농지 조성비 : 2,060,000원(평당 약 34,000원)

농지와 집을 따로 구한다면

농지와 집을 따로 구입할 때는 우선 농지가 맹지(길이 없는 땅)인지 아닌지를 살펴봐야 합니다. 전용을 하지 않고 농지로만 쓸 경우에도 농로가 지적도에 있는지 없는지, 진입로가 누구의 땅인지를 확인하고 도로로 사용할 수 있는가 확인하고 구입해야 합니다. 또 땅 위에 있는 나무나 농작물들이 누구 것인지, 땅을 구입할 때 포함되는 것인지를 확인해야 하며, 묘지가 있는 경우 묘지의 주인이 누구인지 반드시 확인해야 나중에 해결 방법을 찾을 수 있습니다. 집을 구입할 때도 집터와 건물이 한 사람 명의인지, 건물이 등기가 되어있는지를 확인한 뒤 구입해야 나중에 실수가 없습니다.

사실 여기에 적힌 우려들은 그 마을에 들어가 살면 전혀 문제가 되지 않는 것들이 대부분입니다. 그래서 우선 집을 얻어 마을에 살면서 집과 땅을 천천히 알아보라고 권유하고 싶습니다. 하지만 사정상 따로 구입해야 한다면 농막을 지어야 하는데, 농막은 6평까지 지을 수 있습니다.

국내 건축법에 따르면 소형 주택이라도 수도나 정화조 같은 기반시설을 설치해야 하고, 주거를 목적으로 사용되는 건축물인 경우는 대지가 아닌 곳에 설치할 수 없도록 되어 있습니다. 그래서 농지에는 농지전용 허가나 신고 없이 6평 이하의 농막만 설치할 수 있습니다. 그런 농막의 경우 6평 이하의 목조 방갈로나 컨테이너도 괜찮습니다.

여기서 말하는 농막의 기준은 연면적 합계가 6평 이내여야 하고, 전기·수도·가스 같은 새로운 간선 공급 시설을 설치하지 않아야 하며, 농업생산에 직접 필요한 시설로 농업인이 자기의 농업 경영에 이용하는 토지에 설치가 가능합니다. 그러니까 농업용 기자재를 보관하거나 작업 중 휴식 및 간이 취사시설로 사용해야 한다는 것입니다. 단, 농업인이 농지에 6평 이하의 집을 지을 경우는 전기·가스·상수도 시설과 상관없이 읍·면사무소에 신고하는 것만으로도 주택용으로 사용할 수 있습니다.

컨테이너는 컨테이너 업체에 확실히 알아보는 게 좋고, 가설 건축물이라서 설치 후 읍·면·동사무소에 가설 건축물로 신고하면 됩니다. 하지만 지역별로 관련 조례가 다를 수 있고, 그린벨트 지역의 농지 및 산림지 등지에는 설치할 수 없는 규제가 있기도 하니, 시·군·구청 건축과에 알아본 뒤에 시공 및 설치를 결정하는 것이 좋습니다.

가설 건축물의 유지 기간은 3년 이내이며, 기간이 만료되면 만료일 7일 전에 시·군·구청장에게 신고하면 연장이 가능합니다. 이밖에 기반시설이 없는 6평 이하의 방갈로는 농지전용 없이 농막 개념으로 설치할 수 있습니다.

집 지을 땅(집터)을 구입하려면

주택 마련의 첫걸음이라고 할 수 있는 집터 구입에 자칫 한 가지라도 소홀히 하면 나중에 낭패를 볼 수도 있습니다. 집터를 선정하기 전에 충분한 사전 지식을 가지고 현장 답사를 한다면 부지를 고르는 데 그리 큰 어려움은 없을 것입니다. 그럼 집터 구입에 있어서 유의할 점에는 어떤 것이 있는지 꼼꼼히 챙겨 보도록 하겠습니다.

지적도에 4m 이상의 도로가 있나

집터를 구입하기 위해 현장을 둘러볼 때 흔히 저지르는 실수 중의 하나가 도로를 확인하는 것입니다. 현장에 도로가 있으면 안심하고 그냥 지나치기 쉬운데, 정작 전용허가가 나려면 지적도상 4m 이상의 도로가 있어야 하므로 반드시 지적도를 확인해 봐야 합니다. 아울러 지방도로와 4차선 간선도로와의 거리뿐만 아니라 출·퇴근 때 대중교통수단, 문화시설이나 의료시설과의 연결성도 염두에 두는 것이 좋습니다.

가까운 곳에 병원과 학교는 있나

자녀가 있다면 반드시 교육환경을 따져봐야 합니다. 학교까지 거리나 통학 수단 그리고 교육시설 입지 정도는 고려하여 학교 생활에 별 무리가 없도록 배려해야 즐거운 전원 생활이 될 수 있습니다. 또한 시장이나 병원시설의 위치도 중요한 사항이므로 반드시 확인해서 생활하는 데 큰 불편함이 없도록 해야 합니다.

너무 외진 곳이라면 이웃의 도움 받기 힘들어

주변 경관만을 의식한 나머지 인근 마을과 동떨어진 곳에 집을 짓는다면 불의의 사고나 각종 재난이 닥쳤을 때 도움을 청하기 어렵습니다. 또한 수도나 전기선을 놓을 때 기본 설치 거리를 벗어날 경우 많은 비용을 부담해야 합니다.

전기 가설 비용

– 최종 전봇대부터 200m(기본거리)이면서 5kw 기본 전력일 때 180,400원

추가거리 1m당 삼상일 경우 : 43,000원,

단상일 경우 : 39,000원

기본 전력을 초과할 경우 1kw당 : 64,000원

(예) 500m 떨어져 있으며 단상 5kw를 계약할 경우

– 기본 180,400원

추가금액 : 300×39,000=11,700,000 부가세 포함 : 12,870,000원

따라서 생활 여건과 안전 문제를 고려하여 입지를 선택해야 하며, 마을 사람들과 돈독한 관계를 유지해서 농촌생활에 실패하는 일이 없도록 해야 할 것입니다.

집터가 좋아도 땅이 무르면 소용없어

아무리 좋은 입지를 갖추어도 부지로서 적합한 땅이 아니면 무용지물이 될 수밖에 없습니다. 물빠짐이 너무 좋거나 안 좋은 곳을 피해서 습하지도

않으면서 쉽게 마르지도 않는 터가 적합한 토질입니다. 저지대는 장마철에 침수 우려가 있고, 토질이 습한 경우 집 짓기에 적합하지 않습니다. 또한 경사지를 깎아 만든 부지는 토사 유출로 인한 붕괴 위험이 있으므로 될 수 있으면 피하는 것이 좋습니다. 농지를 매입한 경우는 애초에 물길이 있던 땅이므로 반드시 지반강화 작업을 했는지 꼼꼼하게 살펴야 합니다.

남향 고집할 필요 없이 여건에 맞춰 건물을 앉혀야

예로부터 뒤로 산이 감싸고 아래로 강을 내려다 볼 수 있는 배산임수형의 남향이나 동남향이 좋은 집터로 손꼽혀왔습니다. 이처럼 좋은 향의 땅이라면 문제될 것이 없지만 그렇지 않은 경우라도 굳이 남향만 고집할 필요는 없습니다. 집의 향이 좋은 만큼 값이 비싸게 되어 있으니 지세나 부지의 모양새에 따라 주택을 앉히거나 단열에 중점을 두어 짓는다면 겨울철 추위도 간단히 해결할 수 있습니다.

집터는 겨울철에 제대로 보인다

겨울철은 나무나 식물이 생장을 멈추고 앙상한 뼈대를 드러내는 시기입니다. 따라서 땅이 벌거벗은 모습을 지닌 겨울철에 부지를 고르는 것이 좋습니다. 그때 집터의 모양새를 제대로 볼 수 있을 뿐만 아니라 부지의 경사도까지 한눈에 파악할 수 있기 때문입니다. 여기에 햇빛이나 바람의 세기를 파악할 수 있는 이점도 있습니다.

집 주변에 공장이나 축사가 들어서는지 사전에 미리 확인해야

아름다운 경관과 편리한 입지 여건에 끌려 집을 짓고 나면 막상 생각하지 못한 일들이 벌어질 수 있습니다. 바로 인근에 공장이 들어서고 축사가 생기는 것입니다. 그런 경우 집을 짓기 전으로 되돌리기에는 너무 늦어버려 어찌할 도리가 없는 경우가 많습니다. 그래서 사전에 미리 주변 정보를 입수하고 파악하는 것이 좋습니다.

집터 마련 방법

농촌의 가장 큰 매력이라면 자연의 정취와 손수 텃밭을 일구는 잔재미에 있습니다. 집을 지을 수 있는 땅이 딱히 법령에 정해져 있는 것은 아니지만 그렇다고 아무 곳에나 지을 수 있는 것도 아닙니다. 집을 지으려면 우선 집터를 마련해야 합니다. 집터 마련에는 어떤 방법이 있는지 그 경로를 차근차근 알아보도록 하겠습니다.

대지 구하기

집을 지으려면 대지를 구하는 것이 가장 적당하고 손쉬운 방법입니다. 전용허가나 형질변경 같은 복잡한 인·허가 절차를 거칠 필요도 없으며 농림지역에 비해 토지 취득이 용이한 것도 장점입니다. 주의할 점이 있다면 농가가 있는 대지를 살 경우에 1가구 2주택이 적용되므로 해당 읍·면·동사무소에 건축물 멸실 신고를 한 뒤에 철거해야 한다는 것입니다.

또한 대지를 구입할 때 토지 소유주와 건물 소유주가 일치하는가를 반드시 따져야 하는데, 이는 건물 소유주가 따로 존재한다면 아무리 소유한 땅이라 해도 임의로 집을 지을 수 없기 때문입니다.

대지로 형질 변경하기

준농림지의 논, 밭, 임야를 구입하여 전용허가와 형질변경을 거쳐 대지로 바꾼 뒤에 주택을 짓는 방법이 있습니다. 살고자 하는 지역이나 주택 면적 등의 선택이 자유로운 반면 부지 구입에 따르는 제반 절차와 인·허가를 받는 과정에서 많은 비용과 시간이 들 수 있습니다(지역마다 형질변경의 요건이 다르므로 반드시 읍·면사무소에 알아볼 것).

그런데 주변 경관이나 위치만을 보고 섣불리 부지를 구입하기보다는 인근 마을과의 거리, 의료시설이나 편의시설의 위치 같은 생활 여건을 고려해서 입지를 선택하는 것이 좋겠지요.

농가 고치기

젊은층의 도시유입과 이농현상으로 농촌에는 꽤 쓸만한 농가가 많습니다. 이런 농가를 사서 원하는 구조로 개·보수하는 것도 좋은 방법입니다. 농가는 처음부터 대지이기 때문에 인·허가 비용이 안 드는 것도 큰 장점입니다. 단, 구입 전에 반드시 토지 소유주와 실제 명의자가 같은지 확인해야 합니다.

그린벨트 안에서 집짓기

건축이 엄격하게 제한되는 그린벨트는 만만찮은 시세 형성과 함께 관련 규제가 많아 까다로운 편입니다. 그러나 도시계획 구역 안에 있으면서 자연환경이 잘 보존되어 있어 주변 경관과 주거 여건이 매우 뛰어납니다. 그린벨트 안에서는 집을 신축할 수 없는 것이 원칙이지만, 1회에 한해 기존 건축물의 증축 내지 개축이 가능한데, 여기에는 헌집을 사서 증·개축을 하거나 이축권을 사는 방법이 있습니다.

• **헌집 증·개축하기** | 낡은 집을 샀을 경우 건축 가능한 주택의 규모는 그린벨트 내의 거주 기간에 따라 약간씩 다릅니다. 그린벨트로 지정되어 있다

면 이전부터 살고 있는 원주민은 기존 주택을 3층 이하 건평 90평(300㎡)까지 증·개축이 가능하고, 5년 이상 거주자는 70평(232㎡)까지만 주택을 지을 수 있습니다. 이때 원주민이 지은 90평 중 30평은 직계 비속에 한하여 자녀 분가용으로 분할 등기도 가능합니다. 그러나 그린벨트에 들어가 처음으로 집을 지으려는 사람은 그린벨트 안의 기존 주택을 구입했을 경우에 한해 60평(200㎡)까지 집을 지을 수 있습니다.

• **이축권을 사서 신축하기** | 처음부터 살고 있던 주택의 주변 환경이 열악해진 경우 다른 지역으로 옮겨 지을 수 있는 권리를 이축권이라 합니다. 이축권의 대상으로는 도로개설 같은 공공개발 사업으로 집이 철거되거나 상습수해지역으로 이전이 불가피한 경우, 그린벨트로 지정되기 전에 다른 사람의 땅을 임대해 집을 지었으나 토지 소유주가 재임대를 거부해 불가피하게 집을 옮겨야 하는 경우가 이에 해당합니다. 이러한 경우 이축권을 구입하여 원주민 이름으로 증·개축하거나 이축을 한 뒤 자신의 명의로 소유권을 이전하면 주택을 가질 수 있습니다. 사전에 해당 시·군에 이축 대상 여부를 확인해야 합니다.

택지 분양받기

한국토지공사나 지방자치단체에서 개발한 택지를 분양받거나 개발업체가 매입해 개발한 택지를 분양받는 방법도 있습니다. 이런 택지는 살기에 편리하도록 제반 환경이 잘 갖추어져 있지만 비싼 편입니다. 택지를 분양받더라도 대지화되기 이전의 것이라면 명의 변경이 되지 않으므로 대지화된 필지인지 반드시 확인해야 합니다.

완공 후 세대별 분양 등기 가능 여부, 토지 소유권 이전 가능 시기 및 전용면적 확인과 공유면적 구성 및 소유권리 관계를 확인해봐야 합니다.

동호인 단지

직장 동료나 친구 혹은 같은 일을 하는 사람끼리 동호인 단지를 구성하여 사는 형태입니다. 의식이나 생활 수준이 서로 맞는 구성원들이 모여 살기 때문에 공동체의식을 키우기 쉬울 뿐만 아니라 낯선 곳에 대한 불안감도 적습니다. 시공사를 선정한다 하더라도 직접 건축 방식이라 많은 비용 절감 효과가 있습니다. 반면 부지 선정 및 개발 과정에서 난관에 맞닥뜨릴 수 있으며 의견 조정이 안 되어 갈등이 생길 수도 있습니다. 부지 구입시 건축 및 형질 변경이 가능한지 반드시 확인해야 합니다.

| 2 | 유기농으로 자급하기

살아나는 내 밭의 생태계

안병덕 농부. 경기 벽제. 귀농운동본부 공동대표

20여 년 동안 해 온 직장 생활을 접고 2001년부터 경기도 벽제에서 농사를 짓고 있습니다. 환경연합 에코생협 이사장 일도 함께 보고 있습니다.

  우리의 주식인 쌀은 거의 논에서 생산되지만 그 밖에 우리가 먹는 대부분의 작물은 밭에서 생산됩니다. 우리나라 경지 면적의 60% 이상이 논일 정도로 쌀농사가 중요하지만 과수를 포함해 우리가 먹는 농산물의 가짓수로 보면 우리의 먹을거리는 모두 밭에서 나온다 해도 지나친 말이 아닙니다. 밭에서는 이렇게 다양한 작물을 키우기에 논보다 생태계가 훨씬 다양하고 복잡합니다. 밭의 흙 속에는 물뿐만 아니라 공기가 있고, 많은 유기물과 각종 미생물, 벌레, 두더지까지 살아, 물을 댄 논 속의 흙보다 훨씬 복잡한 생태계를 이루고 있습니다. 그래서 밭농사는 땅심(지력)을 키우고, 그 위에 여러 작물을 어떻게 어우러지게 하느냐가 중요한 열쇠가 됩니다.

그런데 그동안 관행적으로 해온 일반 밭농사는 이러한 밭농사의 생태계 유지에 별 관심을 두지 않았습니다. 작물에 필요한 양분은 화학적으로 만들어 넣고, 병충해가 있으면 농약으로 해결하며, 풀조차 제초제로 제거하면 그만인 것으로 생각했습니다. 농사를 생태계 속에서 서로 어우러지는 생명체를 가꾼다고 생각하기보다는 작물의 성장에 필요한 원료를 투입하고 손질하여 원하는 물건을 생산해내는 공장의 공정처럼 여긴 것입니다. 그렇지만 밭의 생태계를 무시한 이러한 농사법은 우리가 잘 알다시피 먹을거리의 안전성을 위협하였고 질을 떨어뜨렸습니다. 화학 비료로 버무린 땅은 생명력을 잃고, 잡초와 병해충을 죽이려고 농약을 뿌려대는 악순환을 낳아 농사의 지속가능성이 문제로 떠오르게까지 되었습니다.

좋은 흙은 좋은 거름이 만든다

생태적 밭농사에서는 일반 관행농과 달리 거름이 아주 중요합니다. 식물은 광합성으로 탄수화물을 만들어 에너지로 쓰고 저장도 하지만, 많은 영양요소들은 흙 속에서 뿌리로 흡수합니다. 광합성에 필요한 햇빛과 이산화탄소는 자연 속에 넘쳐나고 물 또한 자연이 내려 주고 있습니다. 하지만 뿌리로 받아들이는 영양소는 식물로 흡수되어 이것을 먹는 생명체의 몸으로 들어가니, 땅은 점점 영양소를 뺏겨 척박해집니다. 사람이 밭에 거름을 되돌려 주어야 하는 까닭이 여기 있지요.

그런데 관행농에서 주로 쓰는 화학 비료에는 작물이 필요로 하는 모든 양분이 들어있지 않고, 비료의 3요소라고 하는 질소 · 인산 · 가리만 들어있습니다. 그래서 칼슘, 마그네슘, 황이나 미량 영양소 들은 점점 모자라 균형이 맞지 않게 됩니다. 또 화학 비료는 유기물 형태가 아니라 대부분 작물이 직접 흡수할 수 있는 무기질 상태의 영양소입니다. 그래서 유기물을 먹는 미생물이 살 수가 없고, 미생물 없는 흙은 죽은 흙이 되고 맙니다. 화학 비료 자체는 독이 아니라지만 그 결과는 독약을 주는 것과 다름없습니다. 당장은 작물이 잘 자랄지 몰라도 결국에는 땅을 죽게 만들고, 작물을 병들게 만듭니다.

생태적 밭농사에서는 사람이나 가축의 배설물, 음식물 찌꺼기, 퇴비 들을 밭으로 되돌려 주니, 유기물이 밭에 가득해 이것을 먹고 자란 미생물이 흙을 좋게 하고, 흙 속의 생태계가 살아나게 합니다. 흙이 좋다는 것은 흙 알갱이들 사이사이에 틈이 있다는 말입니다. 이런 흙은 물빠짐이 좋으면서도 물을 오래 머금고 있고, 공기를 적절히 함유해서 뿌리가 잘 자랄 수 있도록 하여 작물이 건강하게 자라도록 합니다.

그런데 유기질 거름이라 하더라도 영양소가 골고루 갖추어진 거름으로 만들어야 합니다. 즉, 볏짚이나 풀 따위로 만든 퇴비는 질소질이 부족할 수 있어서 축분이나 깻묵 그리고 인산 성분이 많은 쌀겨 따위를 섞어서 부족한 비료 성분을 보충해 줄 필요가 있습니다. 반대로 질소질이 많은 거름은 볏짚이나 풀, 낙엽을 섞어서 거름을 만들어야 작물에 영양도 공급하고 흙에 이로운 거름이 될 수 있습니다. 이렇게 좋은 거름으로 키운 작물은 화학 비료로 키운 작물보다 많은 영양소와 미네랄을 함유하고 있어 맛도 좋을 뿐만 아니라 우리의 건강을 지켜주는 역할을 하게 됩니다.

그런데 요즘 유기질 거름이라고 파는 부산물 비료는 여기 들어간 축분이 성장호르몬제와 항생제로 길러진 가축의 분뇨라서 유기농사를 위한 거름으로 쓰기에는 문제가 있다고 합니다. 생태적 밭농사에서는 자기 밭의 토양 상태를 알아서 적합한 거름을 직접 만들어 줘야 질소 과다나 거름 성분이 부족하지 않은 흙이 되게 하고 땅심을 올리는 비결이 될 것입니다.

철따라 섞어짓고 돌려짓기

생태적 밭농사는 흙 속의 생태계뿐 아니라 땅 위에도 여러 가지 작물과 각종 생명체가 어우러지는 종의 다양성을 이루게 됩니다. 생태계가 건강하면 종이 다양해지고 종이 다양하면 생태계가 건강해진다고 말할 수 있습니다. 실제로 벼농사에서 다수확 품종과 재래 품종을 섞어서 심기만 해도 병충해가 많이 줄어든다는 사례가 중국에서 있었다고 합니다. 자연 생태계는 다양한 종들이 상호 협력과 경쟁 속에서 조화를 이루고, 그 속에서 각 개체는 건강하게 커 갑니다. 즉 건강한 생태계에서 자라는 작물은 각종 병해충의 위협이나 경쟁에서 스스로 살아남으려고 제 맛과 향을 제대로 드러내게 됩니다. 고추가 고추의 매운 맛을 지니고 들깨가 고유의 향을 내며 상추가 흰 즙을 분비하는 본연의 깊은 맛을 내게 되는 것입니다.

예전에는 농사가 생활의 바탕이어서 집에서 먹을 다양한 작물을 누구나 길렀습니다. 그런데 상업농에서는 보통 효율성과 생산성을 높인다는 구실로 한 가지 작물을 대량으로 심는 단작을 합니다. 이러다보니 종의 다양성은 사라지고 병해충의 확산이 쉬워져 병충해에 취약하게 되었습니다. 더구나 화학 비료에 길든 작물들은 병해충을 이길 능력을 잃게 되어 농약을 쓰지 않고는 농사를 지을 수 없는 나쁜 고리에 걸려들고 말았습니다. 영양도 좋아지고 덩치도 크지만 병원을 들락거리는 허약한 우리 아이들과 같은 처지지요.

그래서 생태적 밭농사에서는 밭에 다양한 작물을 심는 섞어짓기(혼작)를 권합니다. 서로에게 도움이 되는 작물을 섞어 심는데, 옥수수와 고구마처럼 햇볕을 찾아 하늘로 올라가는 것과 땅으로 뻗어가는 것을 같이 심을 수도 있고, 벌레가 양파 · 마늘 · 대파를 싫어하는 것을 이용해 토마토와 대파를 같이 심거나 고추밭에 들깨를 심기도 합니다.

한 작물을 심어 수확하고 그 뒤에 다른 작물을 심는 것을 돌려짓기(윤작)라고 하는데, 이것을 잘 이용하면 노동력과 밭의 효율성을 높일 수 있습니다. 뿐만 아니라 병충해를 줄이고 계속 한 가지 작물만 심었을 때 생기는 특정 영양 요소의 결핍을 막아 줍니다. 고추나 감자 같은 가지과의 경우는 이어짓기(연작)를 하면 역병 같은 병충해가 잘 생깁니다. 이렇게 섞어짓기와 돌려짓기를 잘 하면 농사의 효율성도 높이고 작물도 더 튼실해져서 어느 정도 병충해를 줄일 수 있습니다.

물론 섞어짓기나 돌려짓기를 하더라도 적지적작適地適作이라 하여 그 지역의 환경 특성에 맞는 작물을 잘 선택해야 병충해가 훨씬 줄어들게 됩니다. 오미자를 예로 들면, 전북 무주, 진안, 장수의 해발 400~600m 지역에서 자생한다고 하는데, 이는 이 지역이 오미자가 자라기에 적합한 환경이기 때문일 것입니다. 오미자를 해안가 지역에서 재배하기가 불가능한 것은 아니지만 병충해가 많고 품질이 떨어진다고 합니다. 사과 하면 대구, 배 하면 나주 하던 특산지의 의미가 여기에 있는데, 이렇게 기후와 토질에 적합한 작물을 키우는 것이 보다 생태적인 여건이 될 것입니다.

그런데 요즈음은 토마토나 오이 같은 여름 작물도 비닐하우스 재배로 철 없이 사시사철 나오고 있습니다. 제철이 아닌 때에 작물을 키우려면 작물이 자라기에 적합한 환경을 인위적으로 만들어 줘야 하는데 거기에는 한계가 있습니다. 보통 비닐하우스에서는 온도 조절 시설을 해서 작물이 자라기에 적합한 온도를 맞추어 줍니다. 그러나 작물은 온도 말고도 제철만큼의 햇빛도 필요하고 제철에 나는 여러 가지 벌레나 풀 들과 어우러져 자라야 하는데 그렇지 못하니 제대로 된 생육이라 하기에는 무리가 있습니다.

토마토만 하더라도 여름 한철에는 햇빛을 받으면 꽃 핀 뒤에 45~50일 정도면 완숙이 되는데 겨울철 비닐하우스에서는 80일 정도나 걸린다고 합니다. 또 겨울에는 수정을 도와주는 벌이나 나비가 없으니 많은 농가에서는 생장조절제란 호르몬제로 이를 해결합니다. 제철 과일이 좋다는 말도 있지만 제철에 작물을 키워내는 적시적작適時適作 역시 생태적 밭농사에 있어 중요한 문제입니다.

풀과 더불어

생태적 밭농사에 있어 중요한 또 한 가지는 잡초라고 하는 풀을 어떻게 관리하느냐 입니다. 농사를 '풀과의 전쟁' 이라 할만치 농사꾼과 풀은 앙숙이지요. 사실 풀은 농사를 짓는 땅에서 오랜 기간 사람과 싸워 왔기에 사람의 보호 속에서 자라온 작물보다 훨씬 강한 생명력을 지녔습니다. 사람들이 없애려고 애쓴만큼 종자 번식력도 강해지고 성장 속도도 빨라지고, 쉽게 눈에 띄지 않도록 작물과 비슷한 모습으로 진화한 셈입니다. 또한 잡초는 뿌리가 뽑힌 상태에서도 물기만 있으면 되살아나기도 하는 강한 환경 적응력을 키워왔습니다.

이런 풀이 크게 자라버리면 햇빛을 가려서 작물의 생육에 지장을 주고 아울러 양분과 수분을 빼앗아 갑니다. 또 풀은 타감물질을 만들어 작물 생장을 억제하기도 하고 병해충을 번식시키기도 합니다. 그래서 예로부터 '농사는 김매기 한 번이 거름 다섯 번 주는 것보다 낫다'는 얘기까지 나오게 되었습니다. 실제로 풀을 내버려두면 고구마나 옥수수 같은 경우는 일부 수확이 가능하지만, 대부분의 작물은 10~20%로 수확량이 줄어 농사를 망치게 되고 심하면 뿌린 양만큼 거두기도 힘들게 됩니다.

대부분 농가는 제초제로 김매기를 대신합니다. 고단한 김매기를 하지 않고 푹푹 뿌려만 주면 풀들이 깡그리 타죽어 버리니, 제초제가 농민을 중노동에서 해방시킨 획기적인 제품인양 홍보하기도 합니다. 하지만 제초제는 일반 농약보다도 강한 독성을 지닌 데다 흙에 남아 먹을거리의 안전성을 크게 위협하며 환경호르몬 등은 생태계를 교란하고 있습니다.

제초제와 함께 밭에서 풀을 제압하기 위해 비닐을 씌우는(멀칭) 방법도 널리 쓰고 있습니다. 이것 역시 효과가 커서 관행농은 말할 것도 없고 유기농에도 이 방법을 많이 쓰고 있습니다. 원래 밭을 덮는 것은 초생 재배라 하여 잡초 억제와 토양 침식 방지, 수분 유지, 지온 조절, 토양 전염성 병균이나 튀긴 흙탕물로 오염되는 것을 막는 목적이 있습니다. 예전에는 볏짚이나 보릿짚, 풀 따위를 사용했는데 요즘은 비닐을 주로 사용하고 있습니다.

비닐 멀칭은 제초 효과와 함께 보온·보습의 효과가 있어서 여름 작물의 경우 20% 정도 증산 효과까지 있다고 합니다. 하지만 비닐을 제때 걷지 않아 밭이 비닐 조각투성이가 되어 농사에 오히려 해를 끼치기도 하며, 함부로 버린 비닐이 농촌 환경을 오염시키는 골칫거리가 되어 있습니다.

비닐 멀칭이 작물이 자라는 데 이롭기만 한 것도 아닙니다. 비닐이 땅의 숨통을 막아 작물의 뿌리 생장을 방해하기도 하기 때문입니다. 여름철에는 비닐 속의 온도가 너무 높고 일교차가 심해져서 작물 생장에 무리를 주게 됩니다. 또 비닐 멀칭을 하면 북주기를 할 수 없습니다. 북주기는 작물 주변의 흙을 긁어 뿌리 근처로 모아주는 것으로써 말 그대로 작물의 생육을 북돋아 주는 것입니다. 감자의 경우 북주기는 땅속줄기를 길게 해 주어 자연스레 수확량을 늘릴 수 있고, 김매기와 함께 북주기를 하므로 작물을 건강하게 키우게 됩니다.

비닐 멀칭이 생산량의 증대 효과가 있다지만 이로 인해 병충해에 취약한 면을 보이기도 합니다. 작물은 피복되지 않은 상태가 자연스럽고 상대적으로 어려운 환경에서 튼튼히 자랄 수 있으며 이럴 때 병충해 역시 잘 이겨냅니다.

많은 농부들이 풀을 없애려고 애를 많이 쓰지만 풀은 작물이 자라는 데 나쁜 영향만 주는 것이 아니고, 토양 유실을 막고 습기를 유지하는 좋은 면도 있습니다. 또 작물은 풀과 경쟁하면서 더 강하게 크고 생물 다양성을 이루어서 그만큼 작물의 성장 환경을 좋게 만들어 줍니다. 밭에서 풀을 완전히 없애려는 것은 필요 이상의 노력이며 적당한 선에서 풀과 공생하는 것이 작물에게도, 농부에게도 좋을 수 있습니다.

생태적 밭농사에서 제초는 풀을 완벽하게 제거한다는 의미보다는 작물 생육에 지장이 없을 정도로 풀을 관리하는 것입니다. 이를 위해서 나름의 풀 관리 요령이 필요합니다. 그리고 풀이 좀 나더라도 비닐보다 볏짚이나 낙엽 정도로 덮어 주는 것이 작물의 생육에 좋은 효과를 주며, 이것이 번거롭다면 신문지 같은 종이로 덮는 것을 생각해 볼 수도 있습니다. 멀칭을 하지 않더라도 풀이 아직 어릴 때 긁어 주면 일찌감치 풀을 제압할 수 있고, 작물을 심기 전에 밭을 갈아서 풀이 늦게 나오도록 하여 작물이 먼저 자라 풀을 이기도록 하는 것도 효과적입니다. 또 자운영이나 호밀 같은 녹비 작물을 심어 땅을 거름지게 하면서 이들의 타감작용을 이용하여 잡초의 발아를 억제시키는 방법도 있습니다.

풀과의 전쟁은 사람만 치르는 것이 아니라 작물과 함께 치르는 것이 작물을 위해서도 좋습니다. 생존 경쟁에서는 힘 센 개체가 먹을 것을 먼저 차지하여 약한 것이 도태되듯이, 작물을 풀보다 우위에 있게 만들면 풀을 제압하기가 훨씬 수월합니다.

제초제와 함께 문제가 되는 것이 병충해 방제에 쓰는 농약입니다. 지금의 관행농사는 병약한 다수확 품종을 화학 비료에 의지해 대량으로 심으니 병해충에 취약할 수밖에 없습니다. 이러한 상태에서 농약을 사용하니 일시적으로는 효과가 있을지 모르나 근본적인 해결 방법이 될 수 없지요. 더구나 병해충의 천적까지 제거하여 생태계가 더 깨지고 그래서 더욱더 농약에 의존할 수밖에 없는 농사가 되어버리고 말았습니다. 요즈음에는 대부분의 농부들이 농약 없이 어떻게 농사지을 수 있냐고 반문할 정도니까요.

그렇지만 밭의 생태계를 살리고 작물을 건강하게 키운다면 병충해를 좀 입더라도 관행농과는 달리 수확이 일부 감소될 뿐 어느 정도의 수확은 충분히 할 수 있습니다. 생태적인 농사에서는 병해충도 자연의 일부이므로 풀과 마찬가지로 이들을 완전히 제거하려고 애쓰는 것이 아니라 이들이 창궐하지 않도록 잘 관리하여 피해를 줄이면 됩니다. 앞에서도 말했듯이 섞어짓기나 돌려짓기를 하는 것, 좋은 흙에서 좋은 거름으로 작물을 건강하게 키우는 것, 병충해가 생기더라도 목초액이나 효소액으로 작물의 건강을 돕고 병충해 증식을 억제하는 것도 다 병해충 관리 방법입니다.

콩 세 알을 심는 마음

생태적 밭농사에서는 이런 구체적인 농사법도 중요하지만 이에 앞서 농사를 짓는 농부의 바른 마음, 즉 바른 농심을 갖는 것이 기본입니다. 근래들어 농심이 물질 중심의 사고에 묻혀 자기 먹을 것과 내다 파는 농산물을 달리 키우는가 하면, 생명의 가치에 대한 인식이나 이를 존중하는 생각이 많이 줄어들었음을 볼 수 있습니다. 사실 화학 비료 대신 퇴비를 주고 농약과 제초제를 안 쓰는 친환경 인증을 받았다 하더라도 바른 농심을 지니지 않는다면 생태적 밭농사라 하기에는 미흡한 측면이 있습니다.

유기질 거름이라고 해도 생산량을 늘리려고 거름을 많이 주다 보면 밭은 질소 과다가 되어 작물에 나쁜 영향을 줄 뿐 아니라, 환경 오염으로 이어져 관행농 농부들로부터 비난을 받기도 합니다. 실제 유기농으로 작물을 키우더라도 거름을 너무 많이 주면 작물은 비만으로 자랄 수 있으며 이는 건강한 상태가 아닙니다. 사람도 소식을 해야 건강하다고 하는데 작물에 거름을 많이 주면 크게 키울 수 있을지는 몰라도 허우대만 껑충한 작물이 되어 병충해에 취약하고 품질이 떨어지기는 마찬가지입니다. 또 유기농을 하면서도 생산량 증대를 위해 밀식을 하고 천연 제재라지만 병해충 예방을 위해 각종 약제를 쓴다면 이 또한 바람직한 농사 방법은 아닐 것입니다.

생명체를 키운다는 사실을 머릿속에 두고 자식 키우는 것 같은 아끼는 마음으로 하지 않는다면 영농 방법만 개선되었다 뿐이지 근본적인 변화라고 보기는 어렵습니다. 실제 농사에 있어서 작물이 자라는 데는 농부의 정성이 많은 역할을 합니다. 부모가 아이를 키울 때 단지 먹을 것만 주는 것이 아니라 사랑을 주는 것이며, 이러한 부모의 애정이 자녀의 성장에 많은 영향을 줍니다. 작물도 농부의 발자국 소리를 듣고 자란다고 합니다. 식물에게도

인지 능력이 있으며 작물을 키우는 사람의 마음가짐에 따라 식물이 반응한 다는 것은 이미 밝혀져 있습니다. 작물에게 애정을 가지고 보살필 때 작물 이 더욱 튼튼하게 잘 자라며 병충해에도 강해지고 잡초와의 경쟁에서도 이 길 수 있을 것입니다.

예로부터 농부에게는 '콩 세 알을 심는 마음'이 있었습니다. 콩 세 알을 심는 것은 한 알은 새에게, 또 한 알은 벌레의 몫으로 두고, 나머지 한 알에 서 사람이 먹을 것을 거둔다는 의미인데 여기에는 자연과 함께 하고 나눈다 는 마음이 있습니다. 유기농을 하면서 자연 속의 다른 생명체와 나눌 줄 모르고, 나아가 이웃과 나눌 줄 모른다면 이 또한 생태적 농사라 할 수 없을 것입니다. 생태적 농사란 이처럼 자연과 작물과 사람이 함께 어우러져야 합 니다. 옛날에는 농사에 두레라 하여 공동체 의식과 나누는 마음이 있었습니 다. 그것이 농사가 수천 년을 이어온 힘이라 생각됩니다.

생태적 밭농사가 보릿고개 넘기기 힘들었던 옛날의 농법을 의미하는 것 이 아닙니다. 농사 지식이 계속 쌓이고 각종 농자재가 개발되며 농사 기술 도 발전하는데 전통 농법을 따른다고 옛날과 같을 수는 없습니다. 생태적 밭농사란 이렇게 발전된 지식과 기술을 잘 활용하여 오히려 예전보다 밭의 생태계를 잘 북돋고, 밭과 작물과 풀과 벌레가 어우러진 선순환형의 지속가 능한 농사가 되게 하고, 나아가 건강한 먹을거리를 생산하는 것입니다. 생 태적 밭농사가 힘든 농사가 아니라 수월한 농사가 되어 널리 보급될 수 있 도록 많은 연구와 경험을 축적하여 더욱 발전시켜 나가야 할 것입니다.

흙에서 뒹굴며 배운다

귀농운동본부 편집부

살아있는 밭 만들기

이랑식 밭 만들기를 기본으로 하겠습니다. 이랑에는 평이랑과 좁은 이랑
이 있습니다. 평이랑은 폭이 넓어 작물을 두 줄로 심는 밭을 말하고, 좁은
이랑은 폭이 좁아 작물을 한 줄로 심는 밭을 말합니다. 이랑식 밭은 물빠짐
을 좋게 하려고 만드는 것이라서 경사가 적당하여 물빠짐이 좋은 밭은 이랑

을 만들지 않기도 합니다. 고랑은 물빠짐만이 아니라 사람이 다니는 길이면서 일을 하는 작업 공간 역할도 합니다.

밭을 만들 때 제일 중요한 일은 '거름 넣기'입니다. 작물을 심기 전, 밭 만들 때 넣는 거름을 밑거름基肥이라 합니다. 거름의 주재료는 똥과 풀입니다. 똥은 질소질 거름의 대표이며, 풀은 녹색비료綠肥라 해서 탄소질 거름의 대표입니다. 질소질 거름은 작물이 몸체를 키우는 데 꼭 필요한 영양소라면 탄소질 거름은 종합영양제라 할 수 있습니다. 탄소질만 남은 마른 풀은 질소질인 똥과 결합하여 거름의 효과가 오래 가도록 하는 구실을 합니다.

질소질은 유익한 미생물의 먹이가 되고, 탄소질은 미생물의 연료이자 서식처가 되어 둘이 적당하게 섞여 있어야만 유익한 미생물이 많이 증식할 수 있습니다. 미생물은 질소질 거름과 탄소질 거름을 분해하여 작물이 먹을 수 있는 영양분으로 만들어 주는 역할을 하기 때문에 미생물이 살아있는 흙에서 작물이 잘 자랍니다. 질소질만 있으면 먹을 것만 잔뜩 있어서 미생물이 비만으로 배가 터져 죽고, 탄소질만 있으면 미생물이 먹을 것이 없어서 탄소질을 분해하지 못합니다. 탄소질은 미생물에 의해 분해되어 접착제 성분이 되는데, 이것이 흙 알갱이들을 덩어리지게 하여 떼알의 흙을 만듭니다.

떼알이란 낱알(홑알)의 흙 알갱이들이 더 크게 뭉쳐진 것이어서 틈새(공극)가 많은 것이 특징입니다. 이 틈새 때문에 흙은 세 가지 성격을 갖게 되는데, 고상固相 · 액상液相 · 기상氣相이 그것입니다.

고상이란 고체로 된 흙의 원재료를 말하고, 액상과 기상이란 틈새로 만들어진 빈 공간을 말합니다. 가물 때는 그 빈 공간에 공기가 많아져 기상이 커지고, 비가 많이 올 때는 물을 많이 머금어 액상이 커지는 일종의 저수지 역할을 합니다. 틈새 벽면에 코팅된 것처럼 붙어있는 유기물은 5~10%가 적당합니다. 또한 틈새는 잔뿌리가 뻗는 공간이 되고, 더불어 미생물이 사는 공간이 됩니다.

이런 떼알의 흙을 만들어주면 흙은 이른바 살아있는 생명체와 같이 됩니다. 말하자면 환경의 변화에 능동적으로 대처할 줄 아는 능력을 갖추게 되는 것입니다. 앞서 말한 저수지 역할이 그 첫 번째이고, 많은 유익 미생물의 서식처가 되어 작물과 식물이 그에 의존해 살 수 있게 해주는 것이 두 번째이며, 겉흙 위 아래로 많은 생명들이 먹이사슬을 잇게 하여 뭇생명들에게 삶의 터전이 되어 주는 게 세 번째입니다.

흙을 살아있는 떼알의 구조로 만들기 위해서는 밭을 만들 때 어떤 작업을 어떻게 해야 할까요? 우선 탄소질과 질소질 거름이 균형을 이룬 좋은 퇴비를 넣어 주고, 그 다음은 흙을 갈아엎는 쟁기질이 중요합니다. 쟁기질의 기본 원리는 속흙과 겉흙을 바꿔 주는 것입니다. 속흙과 겉흙을 바꿔 주면 속흙의 광물질이 품고 있는 미량의 다양한 무기질 영양소를 끌어올려 주고, 겉흙은 속으로 들어가 속흙까지 부드럽게 해줍니다. 이렇게 쟁기질은 딱딱해진 흙을 부드럽게 해주는 효과가 있습니다. 쟁기질로 흙 속까지 공기와 영양과 미생물을 넣어주어서 뿌리가 깊게 뻗을 수 있는 공간을 만들어 줍니다.

쟁기질은 사람이 손으로 할 때는 호미나 쇠스랑, 괭이로 하고, 좀 더 큰 면적에서는 쟁기로 하는데 기계 쟁기도 나와 있습니다. 그러나 요즘 흔히 기계로 하는 로터리 작업은 주의해야 합니다. 기계가 흙을 너무 곱게 갈아서 오히려 떼알 구조를 파괴하기 때문입니다. 그렇게 되면 당장은 흙이 밀가루처럼 고와지지만 비가 한번 오고나면 푹석 주저앉아 시멘트처럼 아주 딱딱해집니다.

좋은 날 좋은 마음으로 씨 뿌리기

파종의 기본 정신은 세 알 심기에 있습니다. 새와 벌레를 무조건 내치기보다는 그들과 어우러져 함께 살려고 했던 조상들의 지혜를 엿볼 수 있지요. 한편으로는 작물이 어릴 때는 서로 힘을 합치기도 하고 경쟁도 하면서 자라야 더 잘 자란다는 경험에서 그렇게 하기도 했을 겁니다. 그런데 요즘은 매와 같은 맹금류 천적이 없다보니 새가 많아져서 세 알만 심으면 새가 다 먹어치우곤 합니다. 그래서 좀 더 많이 심거나 심하면 그물을 치기도 합니다.

씨앗을 넣고 흙을 덮을 때는 씨앗 두께의 두세 배를 덮습니다. 가물 때는 깊게 심어서 씨앗이 마르지 않게 하고, 습기가 많을 때는 얕게 심어서 씨앗이 썩는 것을 막습니다. 가뭄이 심할 때는 파종하고서 물을 뿌리고 싹이 날 때까지 적어도 이틀에 한 번은 물을 줘야 합니다. 가뭄이 심하지 않을 때는 씨앗이 스스로 싹을 틔우고 자라도록 놔두는 것도 좋은 방법입니다.

파종하기 제일 좋은 때는 비 온 다음입니다. 씨를 심고 비가 오면 씨가 비에 쓸려가거나 공기에 노출될 수 있습니다. 그래서 비오기 전에 심어도 좋은 것은 종근을 심는 감자처럼 종자가 커서 비에 피해를 입지 않는 것들입니다. 또한 모종도 비오기 전날에 심으면 좋습니다.

심는 간격은 작물이 다 자랐을 때를 염두에 두어야 합니다. 무엇이든지 씨앗이나 종근은 작물에 비해 아주 작습니다. 작은 것만 생각하면 빽빽하게(베게) 심게 되는데, 이렇게 하면 나중에 자라면서 서로 부대끼고 통풍이 되지 않아 병해충이 많이 생기게 됩니다.

파종은 항상 헛골에 합니다. 고랑(골)은 물빠짐이 주된 역할이지만, 헛골은 물빠짐보다 종자를 심는 곳이어서 '헛' 이란 접두사가 붙습니다. 헛골은 두둑 위에다 만드는 것으로 바닥이 반드시 고랑보다 높아야 합니다. 고랑보다 높지 않으면 헛골에 물이 고여 작물이 썩기 때문입니다. 나중에 작물이 한 뼘만큼 자라면 헛골과 헛골 사이의 둑을 무너뜨려 북주기를 하면서 동시에 김매는 효과까지 얻을 수 있습니다. 그런데 신문지나 비닐로 흙덮개를 씌운 경우에는 헛골을 만들 수 없으므로 두둑에다 심습니다.

씨 뿌리는 방법에는 점뿌리기(점파), 줄뿌리기(선파), 흩어뿌리기(산파)가 있습니다. 점뿌리기는 콩 종류나 옥수수 감자처럼 종자가 크거나 포기가 큰 경우에 좋고, 줄뿌리기는 열무나 알타리 상추 쑥갓 얼갈이배추 등 잎채소가 좋고, 흩어뿌리기는 조나 수수 같이 잡초를 이기며 위로 자라는 작물일 경우가 좋습니다.

종자는 보통 열매 속에 맺힌 씨앗으로 번식하는 것과 뿌리로 번식하는 종근이 있습니다. 대개는 씨앗으로 번식시키는 경우가 많은데, 종근으로 번식하는 것으로는 감자, 마늘, 쪽파, 고구마, 토란, 야콘 따위가 있습니다. 이 중에서 고구마는 다른 것과 번식 방법이 조금 다른데, 고구마를 심어서 싹을 틔운 다음 그것을 따로 떼어내어 모종을 길러서 옮겨 심습니다.

튼튼한 모종으로 키우기

모종은 씨앗이나 종근을 밭에 직접 파종(직파)하지 않고, 비닐하우스에서 따로 파종하여 어느 정도 자라면 본밭에 옮겨 심는 것을 말합니다. 벼의 모를 키워서 옮겨 심는 모내기가 대표적입니다.

이와 같이 따로 힘을 들여서 모종을 키워 옮겨 심는 이유는 여러 가지가 있습니다. 몇 가지만 꼽자면, 첫째는 생육 기간을 늘려 작물을 충분히 자라게 할 수 있습니다. 특히 열대성 작물인 고추 같은 경우 따뜻한 비닐하우스에서 모종을 기르면 두 달 정도 생육 기간을 늘릴 수 있습니다. 벼도 마찬가지입니다. 둘째는 좋은 환경에서 키워서 발아율도 높이고, 건강한 모종을 길러내어 작물을 건강하게 키울 수 있습니다. 배추 같은 경우 어릴 때 극성스럽게 달려드는 벌레의 공격을 막아주어 모종을 건강하게 키울 수 있고, 콩 같은 경우는 씨앗을 쪼아 먹는 새의 공격을 막아줄 수 있습니다. 셋째는 모종을 옮겨 심다보면 곧은 뿌리가 잘리게 되는데, 이런 단근斷根을 거치면서 작물은 더 힘을 내어 잘 자라게 됩니다. 고추나 벼가 대표적입니다.

모종을 키우려면 상토가 좋아야 합니다. 상토는 모종이 자라는 일종의 인큐베이터 같은 곳입니다. 그래서 상토는 균이나 잡초 씨가 없는 깨끗한 흙이어야 합니다. 시중에서 파는 상토는 화학 약품으로 소독을 해서 깨끗하기는 하지만 좋은 미생물까지 다 죽였기 때문에 좋다고만 할 수는 없습니다. 유익 미생물은 작물에게 영양도 주지만 그 자체가 병원성 세균의 천적 역할을 하기 때문에 빈대 잡기 위해 초가삼간 태운 꼴이지요.

다음으로 상토는 물빠짐이 좋아야 합니다. 습기가 많으면 세균이 꼬이고 해충이 달려듭니다. 그러나 너무 물빠짐이 좋으면 모종이 말라 죽을 수 있습니다. 아침저녁으로 하루에 두 번만 물을 주어도 마르지 않는 정도가 좋습니다.

마지막으로 상토에도 밑거름을 넣어야 하는데, 반드시 완숙된 퇴비를 주어야 합니다. 완숙되지 않은 거름을 넣어 주면 암모니아 가스가 생겨 모종이 타 죽습니다.

이런 조건으로 상토를 만들려면 우선 깨끗한 흙을 구해야 하는데, 제일 좋은 것은 산의 흙입니다. 산도 침엽수보다는 참나무 같은 활엽수가 많은 곳이 좋습니다. 겉흙 10㎝ 정도를 걷어내고 속의 흙을 채취합니다. 근처에

산이 없다면 밭의 흙을 써야 하는데, 이럴 때는 30㎝ 이상 파서 깊은 곳의 흙을 채취해야 합니다.

상토의 물빠짐을 좋게 하려면 모래나 마사토를 섞어야 하는데, 진흙의 점도를 보고 모래의 양을 정합니다. 보통은 진흙의 1/3이면 적당한데, 진흙에 모래가 어느 정도인가에 따라 조금 줄이거나 더해 줍니다.

다음으로 꼭 넣어야 할 것이 숯가루입니다. 숯가루는 탈취, 항균뿐만 아니라 거름으로도 그 몫을 톡톡히 합니다. 숯가루는 종묘상 같은 데서 참나무 숯가루를 살 수도 있는데, 좀 정성을 들이면 왕겨를 이용해서 간단하게 만들 수도 있습니다.

흙과 모래와 숯가루의 비율은 3:1:1이 적당합니다. 그리고 이 전체에 10%쯤 완숙된 퇴비를 넣어주면 상토 만들기는 끝입니다.

모든 모종을 키울 때 이렇게 정성들여 상토를 만들 필요는 없습니다. 고추나 배추처럼 병해충에 약한 것들 위주로 좋은 상토를 만들고, 그렇지 않은 것은 보통 밭의 흙으로 상토를 만들어 키워도 상관은 없습니다. 그런 작물로는 들깨나 콩이 대표적입니다.

모종을 잘 키우려면 보온도 필수입니다. 특히 고추나 오이, 토마토처럼 열대성 작물의 생육 기간을 늘리기 위해서는 아주 중요합니다. 요즘은 비닐하우스에서 전열선을 상토 밑에 깔아 키우는 게 보통이지만 전자파 문제를 생각해 볼 때 전통 농법으로 하는 것도 작물을 건강하게 키우는 좋은 방법입니다.

전통 농법은 쌀겨와 볏짚을 물에 적셔 띄워서 발효열을 이용하는 것입니다. 상토를 깔 모판을 10㎝ 깊이로 판 다음, 볏짚을 꽉 채우고 볏짚을 다 덮을 정도로 쌀겨를 충분히 뿌려줍니다. 그리고 축축해지게끔 물을 뿌려주고 다시 흙을 발로 다지며 덮어줍니다. 그 위에다 상토를 5㎝ 쯤 깔고 모종을 키우면 됩니다. 특히 고구마 순을 틔울 때는 깻묵을 띄웁니다. 깻묵은 질소질 영양이 풍부해서 발효열이 높게 올라갑니다. 그러나 암모니아 가스가 많이 나오므로 다른 모종을 키울 때는 절대 쓰면 안 됩니다.

모종을 키울 때는 병해충 예방이 제일 중요한데, 상토를 깨끗이 만들면 병해충이 덜 오지만 그래도 모종이 자랄 때는 발생하기 마련입니다. 이 때 농약 대용으로 쓰는 것이 목초액입니다. 목초액은 나무를 태워 생기는 연기를 액화시킨 물로 강산성에다 휘발성이 강한 톡 쏘는 냄새 때문에 병해충을 예방하는 효과가 큽니다.

목초액은 반드시 물에 희석해서 써야 합니다. 원액을 쓰면 제초제 역할을 하며, 100배~200배로 쓰면 농약 역할을 하고, 500배~1000배로 쓰면 거름 역할을 합니다.

농약 대용이면서 거름 역할을 하는 것으로는 액비液肥도 있습니다. 액비는 말 그대로 액체 비료인데, 들깻묵이나 참깻묵을 물에 담가 우려낸 물입니다. 액비 또한 반드시 완숙된 것을 써야 합니다. 완숙된 액비는 미생물 제재나 다름없습니다. 이 미생물들이 모종 잎사귀에 달라붙으면 막을 형성하여 병해충의 외부 공격을 막아 줍니다.

목초액은 휘발성이 강해 일시적인 효과를 주지만 액비는 살아있는 미생물이라 지속적인 효과를 냅니다. 여기에 빨래비눗물을 섞어 주면 효과가 더 오래 지속됩니다. 하지만 화학적으로 만든 가루비누를 쓰면 좋지 않습니다.

모종을 옮겨 심는 시기는 떡잎이 나오고 속잎(본잎)이 네다섯 장 나왔을 때가 적당합니다. 모종을 옮겨 심을 무렵 일기예보를 잘 듣고 있다가 비오기 전에 심으면 좋습니다. 모종 심기는 구멍을 파고 물을 가득 채운 다음, 모종을 심고 흙을 덮어 주면 됩니다.

스스로 자라도록 북돋아 가꾸기

작물 가꾸기에서 제일 중요한 것은 풀매기입니다. 풀은 항상 작물보다 빨리 자라며 생명력이 강합니다. 그냥 놔두면 작물이 풀에 치여 제대로 자라지 못합니다.

풀매기 다음으로 중요한 것은 솎아주기입니다. 파종할 때 줄뿌리기나 흩어뿌리기를 하면 빽빽하게 자라 나오는데, 그러면 처음에는 서로 협동하고 경쟁하며 잘 자라지만 어느 정도 크면 서로 부대껴 자라지 못하므로 꼭 솎아 주어야 합니다.

다음으로 해야 할 작업이 북돋아주기(북주기)입니다. 북주기는 포기 주변의 흙을 긁어모아 둔덕을 만들어 주는 것으로, 작물이 쓰러지지 않게 하고, 수분을 지켜 주며, 뿌리에 산소 공급을 돕는 효과가 있습니다. 북주기를 하면 풀매기가 절로 됩니다. 호미나 괭이로 슥슥 흙을 긁으며 북을 주면 자연히 풀이 뽑혀 나가니까요.

북주기와 풀매기를 아주 쉽게 하는 방법으로는 앞의 파종 때 얘기했듯이 헛골에다 작물을 심는 것입니다. 헛골에 심으면 헛골과 헛골 사이는 자연히 둑이 됩니다. 헛골에 심은 작물이 한 뼘 정도 자라면 둑에도 잡초가 자라는데, 이때쯤 호미나 괭이로 둑을 무너뜨리면서 풀도 매고 북도 주는 거지요. 그래서 일일이 손으로 풀을 뽑을 필요가 없습니다. 둑을 무너뜨릴 때는 한 번에 다 하지 말고 두 번에 걸쳐서 할 요량으로 합니다. 그렇게 하고 나면 작물이 심어진 헛골이 둑이 되고, 잡초가 자랐던 둑이 골이 되면서 위치가 바뀌게 됩니다.

풀매고 북을 주고 나면 웃거름을 줍니다. 밑거름을 충분히 주면 웃거름을 주지 않아도 될 것 같지만, 되도록 밑거름은 약간 모자란 듯 주는 게 좋습니다. 사람도 한 번에 많이 먹으면 체하듯이 흙도 한 번에 많은 거름을 주면 좋지 않습니다. 거름을 단계적으로 주면서 흙이 충분히 소화할 시간을 주는 것이 좋습니다. 웃거름으로는 오줌이 구하기 쉽고 좋습니다. 풀매고 북을 주면 작물 사이에 골이 생기므로 웃거름 주기도 좋은데, 웃거름은 되도록 작물에 닿지 않게 주어야 하기 때문입니다.

배추는 병해충이 많기 때문에 모종을 옮겨 심고 나서 자리를 잡을 때까지는 예방에 신경을 써야 합니다. 모종 키울 때처럼 액비와 목초액을 물로 희석해서 효과가 나타날 때까지 계속 줍니다. 액비는 5배로 희석하고, 그 물에 1/200의 목초액을 타서 분무기로 뿌려 줍니다. 하루나 이틀에 한 번씩, 세 번에서 다섯 번 정도 주면 효과가 있습니다.

고추나 가지, 토마토, 오이, 호박 같은 것은 지주를 세우고 끈으로 묶어서 쓰러지지 않게 합니다. 고추와 가지는 서너 포기당 지주 한 개씩을 박아 줍니다. 고추 지주는 종묘상에 가면 살 수 있습니다. 끈은 지그재그로 묶는데 더 자라면 한 번 더 묶어 줍니다.

토마토나 오이, 호박은 긴 지주로 삼각대를 만들어 묶어야 합니다. 토마토는 크게 자라는데다가 열매가 무겁고, 오이나 호박은 넝쿨을 길게 뻗고 열매도 무겁기 때문에 튼튼한 지주를 세워야 합니다. 오이나 호박은 넝쿨을 너무 멀리 뻗지 않도록 끈으로 유인해서 묶어 줍니다.

작물이 어느 정도 자라면 꼭 순지르기(적심摘心)를 해야 합니다. 순지르기는 작물의 생장을 억제하여 영양분이 열매에 집중되도록 하는 방법입니다. 그냥 놔두면 열매 맺을 생각은 않고 자기 몸만 계속 키우려고 합니다. 순지르기는 순과 꽃대를 잘라 주는 경우(마늘, 감자)도 있고, 넝쿨손을 잘라 주는 경우(오이, 호박, 수박, 참외)도 있으며, 곁가지를 잘라 주기(고추)도 하고, 겨드랑이 순을 잘라 주기(토마토)도 하고, 첫 열매를 따 주기도 합니다.

그리고 바닥으로 기어가는 넝쿨 같은 경우(고구마)는 땅에 닿은 마디마다 뿌리를 내리기 때문에 넝쿨 포기를 들쳐서 뿌리를 내리지 못하도록 합니다.

가을에 김장농사로 배추를 심으면 된서리가 오고 나서 보온을 위해 끈으로 포기를 묶어 줍니다. 이것을 배추 속이 잘 차라고 하는 것인 줄 알고 날이 따뜻한데도 묶는 사람이 간혹 있는데, 이러다간 오히려 배추 속이 썩거나 진딧물 같은 해충을 더 불러 모으는 부작용을 낼 수 있습니다.

거두기, 갈무리, 저장하기

거두기도 작물마다 다른데, 특히 작물에 맞게 거두는 시기를 잘 맞춰야 합니다. 너무 일찍 수확하면 열매가 덜 영글고, 늦게 수확하면 열매가 망가질 수가 있습니다. 참깨나 들깨 종류는 늦게 거두면 알곡이 다 떨어질 수가 있고, 콩도 늦으면 깍지가 벌어져 알곡이 떨어지기 쉽습니다. 벼도 늦게 거두면 알곡이 너무 말라 금이 가서 맛이 떨어집니다.

작물을 키우는 것도 중요하지만 갈무리도 그에 못지않게 중요합니다. 갈무리를 못하면 그동안의 고생이 헛고생이 되지 않겠습니까.

알곡을 거두는 곡식들은 탈곡을 해주어야 하는데, 대표적인 것이 도리깨질과 키질입니다. 바닥에 넓고 깨끗한 천막을 깔고 도리깨나 막대기로 두드려가며 알곡을 텁니다. 이렇게 하면 알곡은 검불과 함께 뒤섞이게 되는데, 이것을 키질로 가리는 것을 까부른다고 합니다. 키질만이 아니라 체로 치기도 하고, 바람을 이용해 가리기도 합니다. 탈곡하는 도구 중에는 탈곡기도 있고, 옛 농기구로는 홀태도 있습니다.

갈무리의 또 중요한 작업이 말리기입니다. 특히 고추 말리는 일은 아주 힘든 작업입니다. 기계 건조기에다 말리면 쉽지만 대신 맛이 떨어집니다. 태양초를 하려면 비닐하우스에 말리는 것이 좀 더 쉽습니다. 쉽게 말리기 위해서 고추 배를 가르는 경우가 많은데, 이것도 맛이 떨어집니다. 가능하면 통째로 말리는 게 좋습니다. 통째로 말리려면 햇볕만으로는 아주 어렵습니다. 비닐하우스에다 또 새끼 비닐하우스까지 만들어서 찌면 가능합니다. 이때 약간 숨구멍을 열어 놓는 것이 중요합니다. 그렇지 않으면 말 그대로 고추가 쪄져서 맛을 버릴 수 있습니다.

　말리기는 중요한 갈무리 작업입니다. 고추나 벼처럼 뜨거운 햇빛에 말리는 것도 있고, 반대로 바람이 잘 통하는 밝은 그늘에 말리는 것도 있습니다. 감자는 햇빛을 받으면 파래져서 맛이 떨어집니다. 무청 시래기도 되도록 밝은 그늘에서 겨우내 말려야 영양 손실이 적고 맛이 잘 듭니다.

　갈무리 가운데 마지막으로 중요한 것이 저장입니다. 잘 거둬서, 잘 다듬고, 잘 말렸으면 이제는 오래가도록 잘 저장해야 합니다. 제일 좋은 저장고는 토굴입니다. 2~3미터 정도의 깊이로 땅을 파서 저장고를 만들면 그만한 것이 없습니다. 무나 배추처럼 한겨울 임시로 보관할 정도면 50㎝ 깊이로 파서 묻어 두어도 됩니다. 이때는 따로 숨구멍을 만들어 짚단으로 막고, 그를 통해 꺼내 먹을 수 있게 해야 합니다. 생강 같은 것은 화분에 흙과 함께 켜켜이 담아 두는 것도 좋습니다. 양이 적으면 냉장 보관도 괜찮은 것 같습니다.

제철에 먹는 음식, 두고두고 먹는 음식

우리 나라처럼 농경문화가 발달한 곳에서는 음식도 일종의 저장 방법이라고 할 수 있습니다. 대표적인 것이 김치와 장입니다. 발효 음식은 오래 저장할 수도 있지만 음식 맛을 깊게 해주며, 발효를 통해 영양을 높여 주고, 항균성이 뛰어난 발효균을 먹게 되니 건강에도 좋습니다.

또다른 좋은 저장 방법은 묵나물입니다. 햇빛을 받으면 영양소가 더 만들어지기도 하고 맛도 더 좋아진다고 합니다.

농사를 지어 밥상을 자급하면 제철 음식을 먹을 수 있는 장점이 있습니다. 요즘 외식 문화가 발달하면서 대부분의 음식이 철이 없어졌습니다. 철을 잃어버린 음식은 반드시 문제가 생기기 마련입니다. 또한 농사를 지어 자급 생활을 하다보면 고기 단백질 섭취가 줄게 됩니다. 고기 단백질은 가장 조심하며 적게 먹어야 할 음식입니다. 단백질은 몸에 필요한 필수 영양소이지만 반대로 분해되면서 암모니아 가스 같은 독가스가 나와 독이 되기도 합니다. 단백질은 사람도 좋아하지만 병원균도 좋아하기 때문에 필요한 만큼 먹는 절제 습관을 들여야 하겠습니다.

건강한 똥이 맛있는 음식으로

건강한 음식을 먹으면 건강한 똥을 쌉니다. 서울 사람 똥은 거름으로도 쓰지 못한다는 말이 있습니다. 거름으로 쓰지 못할 리는 없겠지만 그만큼 건강하지 못한 똥이라는 얘기입니다. 하지만 고기 과잉 섭취에 인스턴트 음식, 술과 담배와 커피에 찌든 똥이니 좋은 똥일 리 없습니다.

똥은 흙에서 왔기 때문에 반드시 흙으로 돌려보내야 합니다. 지금처럼 수세식 변기를 통해 물로 버리면 똥은 오염 물질로 전락합니다. 똥을 거름으로 만들어 흙으로 돌려보내면 똥은 다시 건강한 작물로 재탄생하게 됩니다.

똥을 거름으로 만들려면 반드시 풀이 필요합니다. 앞에서 말한 질소질 거름인 똥을 탄소질 거름인 풀과 섞어야 제대로 된 거름이 만들어집니다. 그렇게 똥을 거름으로 만드는 장치가 바로 뒷간입니다. 우리 뒷간처럼 훌륭한 똥 발효 장치도 드물 것입니다.

대표적인 우리 뒷간으로는 잿간식과 푸세식이 있습니다. 잿간식은 똥과 오줌을 분리하는 방식인데 똥은 재나 왕겨에 섞어 발효시키고, 오줌은 따로 발효시킵니다. 발효 방식으로는 이 방법이 제일 과학적입니다. 똥은 공기를 좋아하는 호기 발효를 시켜야 하고, 오줌은 공기를 싫어하는 혐기 발효를 시켜야 합니다. 성격이 다른 이 둘을 섞어버리면 발효가 아주 길어지고, 관리를 잘못하면 구더기가 끼고 병원균의 온상이 됩니다.

이 둘을 섞어놓은 푸세식 뒷간도 좋은 퇴비간입니다. 관리를 잘못하면 더러운 공간이 되기도 하지만, 통풍을 좋게 하고 볼일을 보고 나서 재나 왕겨나 낙엽을 덮어 주면, 악취도 덜하고 구더기도 끼지 않습니다. 푸세식 뒷간이 좋은 것은 오줌과 똥을 섞었기 때문에 질소질이 아주 풍부한 거름이라는 점입니다. 이렇게 똥오줌을 모으면서 한편에선 풀을 열심히 모아 나중에 둘을 섞어 놓으면 훌륭한 두엄 거름이 됩니다. 영양이 좋고 아주 독해서 억센 풀들을 삭하는 데에는 이만한 재료도 없습니다.

이렇게 만든 밑거름을 내년에 쓸 밭에다 뿌려서 밭을 만들면 다시 풍요로운 일 년 농사가 기다려지니, 돌고 도는 농사만큼 우리의 삶도 돌고 돌며, 돌고 도는 행복한 인생을 누릴 수 있습니다.

하늘과 땅의 마음으로

강대인 농부. 전남 강진. 정농회 회장

1979년부터 홀로 환경농업을 시작해 하늘과 땅의 기운이 벼에 깃들도록 하는 생명의 벼농사법을 연구하고 실천해왔습니다. 1995년에야 비로소 국내 최초로 유기재배 품질인증을 받았습니다. 지은 책으로 「강대인의 유기농 벼농사(들녘)」가 있습니다.

벼를 자식처럼 키우는 농사

옛말에 '작물은 농부의 발소리를 들으며 자란다'고 했습니다. 작물은 자기를 키워 주는 농부를 알아봅니다. 작물도 자기를 공격하는 적을 알아보고 주변 동료들에게 경계 신호를 보내고, 자기에게 좋은 조건이 주어지면 좋아

할 줄 압니다. 그러니 부모처럼 자기를 아껴 주는 농부를 알아본다는 것은 당연한 일입니다.

그래서 수확을 많이 하는 농부보다는 벼를 건강하게 키우는 농부가 아비다운 농부입니다. 그런 자식 같은 벼들에게 항상 아비인 농부가 곁에 있음을 알려주기 위해 저는 논에 갈 때마다 박수를 치며 논둑을 둘러봅니다. 한 군데만 돌아보지 않고 논 전체를 한 바퀴 돕니다. 옛날엔 저도 대충 한쪽만 둘러보곤 했는데, 나중에 보니까 자주 들른 곳이 확실히 잘 자란 것을 알게 되었습니다. 벼가 농부의 발소리를 듣는다는 조상들의 말이 그렇게 실감날 수 없었습니다.

무릇 농사는 기술로만 짓는 게 아닙니다. 농사는 하늘과 땅이 짓는 것이고, 사람의 기술이란 아주 일부에 불과합니다. 기술보다는 하늘과 땅의 마음을 이해하고 벼와 하나된 마음을 익힐 줄 알아야 합니다. 자식 대하듯 온갖 정성으로 벼를 대하다 보면 벼가 무엇을 필요로 하는지 알 수 있습니다. 옛말에 초상집 다녀오고 나서는 파종하는 것이 아니라 했습니다. 초상집에 다녀온 우울한 마음이 볍씨에게 좋을 리 없습니다. 특히 부부싸움하고 나서 풀을 매는 것은 어떨지 몰라도 파종하는 법은 아닙니다.

종자로 쓸 볍씨는 되도록 낫으로 베고, 볍씨를 훑을 때에도 홀태로 하든가 직접 손으로 하는 게 좋습니다. 콤바인으로 강타해버리면, 어릴 때 받은 충격이 사람에게 평생 가듯이 볍씨도 그에 충격을 받아 평생 약하게 자라고 병에 걸리기도 쉽습니다.

사람도 어머니의 사랑이 담긴 밥을 먹고 자라야 인격을 고루 갖출 수 있다고 했습니다. 비행 청소년들이 대개 어릴 때 인스턴트 음식을 먹고 자란다는 말도 다 그런 이유 때문일 것입니다. 마찬가지로 벼를 키우는 농부의 마음이 찌들어 있다면 그 벼가 건강하게 자랄 리 만무합니다. 농약을 치지 말아야 하는 이유도 거기에 있습니다. 독한 농약을 마셔가며 일하는 농부의 마음이 고울 리가 있겠습니까. 의성醫聖 히포크라테스도 음식으로 고치지 못하는 병은 의사도 못 고친다고 했습니다. 그런데 그런 먹을거리가 이미 오염되어 있다면 그것은 우리의 몸과 마음을 망치는 독약이 되는 것입니다.

대안 농업으로서 유기농업

농약과 화학 비료에 의존한 근대 농법은 수확량 면에서는 농업 혁명을 이룩했습니다. 1970년대에 우리 논을 지배했던 통일벼가 전형적입니다. 하지만 문제는 그 다음에 찾아왔습니다. 농약과 화학 비료에 의해 땅이 죽어버린 것입니다. 수확량은 많았지만 병충해에는 약해져 농약을 많이 쳐야 했고, 그 악순환이 쌓여 이제는 더 이상 생산량 증대조차 불가능해졌습니다. 자연은 사람이 원하는 모든 것을 주지 않습니다.

벼로 말하면, 수확량과 질이 동시에 다 좋을 수는 없는 것입니다. 맛이 좋으면 수확량이 적고, 수확량이 많으면 맛이 떨어집니다. 물론 수확량이 우선은 아닙니다. 판매만이 목적도 아닙니다. 농부에게는 자식 같은 생명들이기에 그것을 식구들이 감사한 마음으로 먹고, 또 함께 나누는 이웃들이 행복하면 그뿐입니다.

그러나 사람들은 유기농으로 농사를 지으면 수확량이 적다고 합니다. 유기농이 관행농보다 생산량이 적기는 하지만 그렇다고 그것이 고정된 사실일 수는 없습니다. 농약으로 죽은 땅이 다시 살아나면 수확량은 관행농 못지않은 결과를 냅니다. 더 나아가서는 관행농으로는 도저히 쫓아올 수 없는 결과를 낼 수가 있습니다.

농약으로 땅이 오염되어 있다면 아무리 비료를 많이 주어도 한계가 뚜렷합니다. 오히려 나중에는 수확이 더 줄어듭니다. 반면 유기농으로 땅이 살아 있다면 그 한계는 별 의미가 없어지고 맙니다.

흙을 살리는 여덟 가지 정성

화학 비료에만 의존해 작물을 재배해온 토양의 경우 대부분은 유기질 함량이 매우 낮습니다. 낮은 유기물 함량을 높이자고 일시에 많은 유기물을 논에 넣기보다는, 2~3년 동안 꾸준히 유기농업을 실천해야 좋은 논토양을 만들 수 있고 또한 안전합니다. 제가 수 년간 실천하고 있는 논토양 관리 방법을 정리하면 다음과 같습니다.

생 볏짚을 최대한 활용합니다

생 볏짚은 콤바인으로 수확한 날이나 그 다음날, 즉시 논에 넣고 갈아엎습니다. 이렇게 하면 볏짚이 그대로 땅에서 썩으면서 양분과 유기질이 풍부해집니다. 적어도 10a(300평)당 1~1.5t의 퇴비 효과가 있습니다. 그러나 갈아엎는 시기가 늦을수록 효과가 적다는 것을 명심해야 합니다.

생산된 부산물은 논에 모두 되돌려 줍니다

수확한 벼를 도정하게 되면 왕겨, 등겨 따위의 부산물이 나옵니다. 대부분 쌀 가공은 미곡종합처리장에서 처리되기 때문에 이런 부산물을 구하는 것이 쉽지는 않지만 반드시 구입해서 논에 되돌려주는 것이 좋습니다. 이밖에도 가을에 쌀겨를 10a(300평)당 300kg 정도 넣고 로터리를 쳐줍니다. 보통 10a에 쌀이 600kg 생산된다고 할 때 정미하면 쌀겨가 100kg 정도 나오므로 모자라는 것은 따로 구하든가, 아니면 계분으로 보충하면 됩니다. 이로써 밑거름 효과를 내는 모든 거름이 완성됩니다.

녹비 자원을 활용합니다

논에 자운영을 심는다든지, 자운영 재배가 잘 안 되는 곳은 호밀이나 보리를 심어 꽃이 필 때쯤 갈아엎으면 지력이 많이 향상됩니다. 자운영이 잘 자란 곳은 화학 비료를 사용하지 않아도 벼가 잘 자랍니다.

광물질을 넣습니다

맥반석, 제오라이트, 게르마늄 같은 미량 성분이 들어있는 광물질 분말을 4~5년 주기로 넣어 줍니다. 10a(300평)당 120~150kg을 넣어 주면 작물에 미네랄 같은 부족한 성분을 공급해 줄 수 있습니다.

숯을 넣습니다

숯은 VA균근균을 활성화하고, 미생물의 집이 되어 줍니다. 먼저 논에 30m 간격으로 1m 깊이의 구덩이를 파고, 참숯 40kg에 물 40ℓ를 부은 다음 흙으로 덮습니다. 숯은 매년 넣을 필요가 없으며, 평생 한 번만 하면 됩니다. 이렇게 하면 음이온이 발생하여 벼가 쾌적한 환경 속에서 잘 자라게 됩니다. 또 잘 발효된 퇴비에 숯을 10% 정도 넣어 주면 미생물의 활동이 활발해집니다.

배수시설을 손봅니다

저습하거나 물 빠짐이 나쁜 논은 따로 배수시설을 해야 합니다. 농지구획

정리로 논의 모양이 많이 변했습니다. 그런데 구획이 커지다 보니 물빠짐이 안 좋은 논이 많습니다. 이런 논들은 속도랑 물빼기(암거배수)를 해야 하는데, 방법은 구멍을 곳곳에 뚫어놓은 유공관을 묻어 부직포로 덮고 그 위에 왕겨, 흙 순서로 덮어 주는 것입니다. 제 논도 길이가 140m나 되는데, 속도랑 물빼기를 한 뒤부터 물 관리가 편해졌고, 논 상태도 마음대로 조절할 수 있었습니다.

논둑은 30㎝ 이상 높입니다

논둑을 높이는 것은 심수深水 재배를 하기 위한 방법이기도 하지만, 미생물 서식처를 제공하기 위한 것이기도 합니다. 5년에 한 번씩 논둑 흙을 논 바닥으로 환원하면 많은 미생물을 쉽게 공급할 수 있습니다. 논두렁 조성기를 이용하면 됩니다.

겨울에도 물을 채워 철새가 날아들게 합니다

일모작 논일 경우 담수 가능 지역은 일석이조의 효과를 얻을 수 있습니다. 제가 사는 곳은 청둥오리가 겨울을 나는 지역이라 겨울이면 논에 날아든 청둥오리의 배설물로 유기질 공급 효과가 높고 잡초도 잘 자라지 않습니다. 청둥오리가 날아올 수 있는 지역에서는 매우 효과적입니다.

유기농 벼농사 짓기

소독과 싹 틔우기

먼저 마른 볍씨를 60℃ 물에 10~15분 정도 열탕 소독하거나, 65℃ 물에

7분간 담급니다. 찬물에 현미식초 60배액과 백초액(산야초와 해초류로 만든 발효액) 100배액을 섞어서 다시 12시간 동안 담가둡니다. 이렇게 12시간 간격으로 담갔다가 건져 놓기를 볍씨가 비둘기 젖가슴처럼 톡 튀어나올 때까지 하며, 날씨가 추울 때는 싹과 뿌리가 나올 때까지 합니다.

상토

풀씨가 없는 산의 흙에 맥반석(상토 한 경운기당 맥반석 20kg 정도)과 왕겨 훈탄(흙의 1/3)을 섞습니다.

씨앗 넣기

씨앗을 넣는 날은 음력 1~16일 사이가 좋습니다. 초상집에 다녀온 뒤에는 하지 않습니다. 또한 씨앗을 넣을 때는 기쁜 마음으로 백 배 천 배 결실을 얻도록 축복한 뒤에, 300평에 4~6kg 기준의 씨앗을 육묘 상자 40장에 드물게 파종합니다.

모판에 넣기

모판은 전날 땅을 잘 골라서 물을 넣어 두었다가 당일 만드는데, 그 위에 육묘 상자를 놓고 넓은 판자(35×65cm)로 지그시 눌러 모판과 상자가 잘 밀착되도록 합니다. 비닐로 씌운 모판은 환기를 위해 불에 달군 깡통으로 90㎝ 간격으로 구멍을 내주고, 5~6일 후 30㎝ 간격으로 구멍을 더 내어 밤과 낮의 기온차가 25℃를 넘지 않게 관리합니다. 특히 밤에는 기온이 10℃ 이하로 떨어지지 않도록 하고, 낮의 온도는 30℃ 이상 올라가지 않게 하는 저온 육모가 제일 좋습니다. 이때 부직포를 사용하면 좋습니다.

본답 준비

벼를 베고 난 가을에 10a(300평)당 천보효소 2kg, 쌀겨 20kg, 생계분 300kg 또는 건계분 100kg, 우분·돈분은 400~500kg 정도를 뿌리고 땅을 갈아 둡니다. 그리고 3월 말~5월 초에 두세 번 5~10cm 정도로 로터리하여 초기 잡초를 제거합니다. 이때 맥반석은 300평당 100kg을 뿌리고, 모내기 전에 쌀겨 250kg을 넣어 줍니다.

모내기

모의 잎이 3엽기~4엽기일 때, 모내기 하기 2~3일 전 모판에 백초액 500 배액을 잎에 뿌립니다. 따뜻한 날을 골라 길게 기른 모를 적게 심습니다. 모는 40~45일(관행농에서는 30~35일) 키우고, 한 포기당 2~3주로 심으며, 평당 포기 수는 지력에 따라 가감하되 될 수 있으면 여유를 두고 심는 것이 좋습니다.

물 관리

모내기 뒤 약 한 달간 깊은 물 관리를 계속하는데, 두 번째 잎의 잎귀葉耳 (줄기에서 갈려나간 부분) 밑까지 댑니다(처음엔 3~5cm까지 댔다가 나중엔 10~15cm까지 댄다). 이로써 초기 잡초는 억제되고 벼 포기가 퍼지는 분얼은 천천히 하게 됩니다.

본답 관리

무無비료로 출발한 벼라서 모내기하고 한 달 정도는 벼가 크지도 않고 노랗게 되어 있는데, 이 벼야말로 건강하게 자라며 또한 뿌리가 양분을 찾으러 깊게 뻗습니다.

영양 생장에서 생식 생장으로 전환하는 교대기에는 많은 인산이 필요합니다. 그래서 이삭이 패기(출수) 40~45일 전(8월 10일 출수한다면 6월 말경)에 쌀겨 20kg과 발효 계분 또는 깻묵 20kg을 뿌려 줍니다.

이삭이 패기 7일 전 마지막 끝잎이 다 나왔을 때는 쌀겨 20kg과 발효계분 10kg을 뿌려 주고, 이삭이 팬 뒤에는 칼슘과 백초액을 잎에 뿌려 줍니다. 이렇게 하면 벼 잎의 수명이 길어지고 탄소 동화 작용이 활발해져서 밥맛이 월등히 좋고 영양이 많은 쌀이 됩니다.

병충해 방제

도열병, 문고병 같은 병해에는 현미식초, 백초액, 칼슘 300~500배액 정도에 목초액을 섞어서 뿌립니다. 그리고 혹명나방이나 벼멸구에는 현미식초, 백초액, 마늘유, 소주를 150~200배액으로 뿌립니다. 여기에 목초액을 더해도 좋습니다.

예방을 위해 벼가 자라는 동안 300~500배 백초액을 4~6번 뿌려 주면 벼는 여물 때까지 생생하여 쭉정이 없는 알곡이 열립니다.

제초 방법

바른 농사를 지으려면 첫째도 풀매기요, 둘째도 풀매기입니다. 경종하는 방법으로는 논을 가을에 갈아놓고, 봄에 2~3번 정도 로터리를 쳐서 초기 잡초를 잡고, 모낸 뒤 7일째 기계와 손으로 한 번, 다시 10일 뒤 한 번이면 마무리됩니다.

오리로 제초하기도 하는데 효과가 아주 좋습니다. 모낸 후 4~7일 사이에 부화한지 2주일 정도 된 새끼 오리를 300평 기준으로 20~30마리 넣고 벼와 함께 크도록 하는데, 그러려면 외적의 침입을 잘 막아 주어야 합니다. 밤에는 오리를 우리 안에 넣고 낮에는 방사하는 방법을 사용합니다.

또 다른 방법으로는 왕우렁이를 이용하는 것이 있는데, 이 방법은 논을 고르게 해서 모내고 7일 뒤에 새끼 우렁이를 300평당 5~8kg 정도 논 가운데에 뿌려 주면 됩니다. 우렁이는 물꼬를 따라 잘 도망가기 때문에 망사로 막아 주고, 황새 등의 피해를 조심해야 합니다.

그 밖에 모낸 직후 쌀겨를 300평당 70~100kg 정도 뿌리면 제초 효과가 좋고, 종이 멀칭을 이용하는 방법도 있는데 이 때는 벼 육묘를 잘 해야 합니다.

건조와 저장

벼는 수분이 15% 정도 되도록 햇볕이나 건조기로 말리는데, 건조기를 이용할 경우에는 35℃ 내외의 저온 건조해서 보관해야 맛있는 쌀이 됩니다.

도시농업

지금 당장 똥을 모으시오

안철환 농부. 경기 안산. 귀농본부 도시농업위원

안산 바람들이 농장에서 도시농부들과 신바람 나게 농사를 짓고 있습니다. 목발을 짚고 밭을 누비는 모습도 놀랍거니와 종횡무진 달리는 시원한 입담 또한 놀라워 도시농업 전도사로 인기가 높지요. 지은 책으로 「도시농부들 이야기」(소나무), 「주말농사, 텃밭 가꾸기」(들녘) 들이 있습니다.

저는 도시농업을 모든 사람이 농부로 사는 길이라 봅니다. 농자천하지대본農者天下地大本이라 했습니다. 이는 농사(농부)야말로 천하에 제일 큰 근본이라는 말인데, 그것이 단지 먹을거리를 생산하기 때문이라고 보지는 않습니다. 생명의 근원인 흙을 살리고, 녹색을 가꾸어 지구의 사막화를 막는 파수꾼이기 때문이라고 생각합니다. 그런데 그런 근본의 일을 단지 직업으로서 농업인만이 할 수 있겠습니까? 아니, 생명의 근본인 흙을 떠나서 살 수

96 귀농길잡이

있는 사람이 몇이나 될까요. 옛날에는 임금도 개인 밭이 있었다고 합니다. 또한 공부하는 선비도 공부만 하다보면 도깨비가 될까봐 자기만의 일터인 텃밭을 일궜다고 합니다.

도시농업? 주말농장?

　도시농업이라고 하면 주말농사를 달리 부르는 말 정도로 생각할 지도 모르겠습니다. 하지만 나와 내 가족이 먹을 깨끗한 먹을거리를 여가를 이용해 직접 기른다는 주말농사에서 한 발 더 나아간 것이 도시농업입니다. 내 가족을 위하는 마음을 넘어서 땅과 벌레, 생태계 전체를 보지 않으면 주말농사 또한 이기적인 소비의 하나가 되고 맙니다. 그래서 더 책임있는 농사꾼의 자리에 서자는 것이 도시농업입니다.

　제가 운영하고 있는 도시텃밭은 마을사람이 운영하던 주말농장이었습니다. 옆에 있다 보니 거기에서 주말농사를 짓는 사람들을 자세히 볼 수 있었습니다. 그 농장에는 항상 쓰레기가 널려 있었습니다. 농사도 짓기는 했지만 주말마다 와서 고기 굽고 술 먹는 분위기가 지배적이었습니다. 그러다가 여름 장마가 지나면 밭은 잡초로 밀림이 되어버렸습니다. 가을에 김장 농사 하는 사람들은 고작해야 두세 사람만 남더군요. 그뿐이 아닙니다. 그 조그만 땅에서 농사를 지으면서 비닐을 깔거나 농약과 화학 비료까지 주는 것을 보았습니다. 물론 시장에서 파는 것보다야 적게 주겠지만, 좀 더 노력한다면 손으로 직접 벌레를 잡을 수도 있는데 말이죠.

　솔직히 말하면 저희 농장에도 몰래 약주고 요소 비료 주는 사람이 있는 것 같습니다. 그런데 그런 경우는 대부분 회원의 부모님이 오셔서 그렇게 하십니다. 교육도 제대로 받지 못한 그 회원은 바빠서 나오지를 못하고, 유기농법으로 하는 농장이라는 말은 들었지만 당신들 먹을거리가 당장 벌레에 공격당하니 다급한 마음이 앞섰을 테지요.

그러나 대부분의 회원들은 2~3년 정도 지나면서 이제 농부의 자태를 갖춰갑니다. 오히려 저는 프로보다 진정한 아마추어가 더 아름답다는 말을 회원들로부터 배웁니다. 프로야 밥 먹고 하는 일이 그것이니 좋든 싫든 해야 하지만 아마추어야 얼마든지 게으름을 피울 수 있는데도 그러지 않습니다.

저희 회원들은 주말이면 교인들이 교회를 가듯이 농장에 옵니다. 일주일의 스트레스를 밭에 와서 풀고 또 한 주일을 살아갈 힘을 밭에서 얻어가는 것 같습니다. 어쩌다 바쁜 일로 빠지기라도 하면 평일에 퇴근하고 들렀다 갑니다. 그 회원들이 이제 밭에 올 때면 학생들이 가방 메고 등교하듯이 오줌을 들고 오고, 음식물 찌꺼기도 가져옵니다. 아직 그 수는 적지만 똥까지 받아오는 분도 있습니다. 그것도 아파트에 사시는 분이 말이죠. 저희 밭에 똥을 냄새나지 않게 받는 뒷간이 있는데, 그걸 아파트에다 적용을 한 것입니다. 그 중에는 자가용이 없는데도 버스를 타고 똥을 가져오는 분도 있습니다. 5리나 되는 거리를 그걸 들고 농장까지 걸어옵니다. 물론 냄새가 새지 않게 단단히 밀봉을 해서 가져오지요.

밥상 자급, 거름 자급

도시농업을 저는 모든 사람이 농부의 삶을 살아가는 길이라 했습니다. 왜 농부의 삶을 살아야 할까요? 그것이 근본적인 삶이어서 그렇기도 하지만, 자립적인 삶이기 때문에 더욱 그렇습니다. 우리는 밥상 자급률 높이기를 큰 과제로 삼고 있습니다.

우선 김치와 김장 자급을 실천합니다. 올해는 대부분의 회원들이 김장을 자급할 수 있을 것 같습니다. 그것도 완전 100% 유기농법으로 키운 것으로 말이죠. 이제는 양념 자급까지 시도하고 있습니다. 작년에도 일부 회원들은 마늘 농사를 성공적으로 지었습니다. 올해는 더 많은 회원들이 마늘을 심었습니다. 양념의 대표라 할 마늘과 양파는 겨울을 나야 하는 것이기 때문에 꽤나 어려운 농사라고 할 수 있습니다.

작년에는 벼농사도 시도했습니다. 1/3밖에 성공하지 못했지만 소중한 경험이었습니다. 내년에 다시 한 번 시도하려고 합니다. 그러나 귀농본부 도시농업 농장의 하나인 경기도 군포 농장에선 올해 벼농사를 성공적으로 마쳤습니다. 우렁이를 넣어 제초하는 우렁이 농법으로 했지요.

밥상 자급보다 더 근본적인 것은 거름 자급입니다. 거름을 자급하지 않고 남의 것을 돈 주고 사다가 농사를 지으면 반쪽짜리 자립이라 생각합니다. 지금까지 대부분은 제가 거름을 구해다 주었습니다. 그런데 올해부터는 직접 거름을 만드는 회원들이 점점 늘어나기 시작했습니다. 오줌을 그냥 쓰는 것은 웃거름으로는 괜찮은데 밑거름으로 쓰려면 퇴비화 과정을 거쳐야 합니다.

요즘 유행하는 웰빙의 근본적인 문제도 거기에 있습니다. 남의 거름이 얼마나 깨끗하게 만들어질지 장담도 못할뿐더러 내가 싼 똥은 오염물질로 버리면서 깨끗한 것만 먹겠다고 하니 참으로 이기적이 아닐 수 없습니다. 어디 그것뿐입니까? 사다 먹는 웰빙 식품이 내 입까지 들어오는데 얼마나 많은 석유를 낭비하고 매연을 뿜어대는지요. 그래서 진정한 자급은 밥상이 아니라 거름에 있다는 것입니다.

똥을 거름으로 만드는 것은 흙을 살리는 지름길입니다. 농사를 짓다보면 흙을 살리는 기쁨이 얼마나 큰지 알게 됩니다. 저희 회원들도 처음에는 흙 속에서 감자가 나오고 고구마가 나오는 것에 그저 신기해했습니다. 저도 처음에는 그랬습니다. 그런데 햇수가 계속될수록 작물을 살리는 농사보다 흙을 살리는 농사야말로 더 큰 기쁨을 준다는 것을 알게 되었지요. 그래서 회원들에게도 흙 살리는 농사를 열심히 강조했습니다. 그러자 작년과 올해에 걸쳐 거의 죽은 땅이나 다름없는 밭을 회원들이 온 정성을 다해서 살아있는 옥토로 바꾸어 놓았습니다. 그리고 그 기쁨을 누구보다 잘 알게 되었지요. 그런 땅을 주인이 회수하겠다고 하여 모두들 가슴 아파하고 있습니다. 이번 일로 남의 땅에서 유기농업을 하는 한계를 절실히 깨달았습니다.

저는 농사를 지을수록 작물을 재배하는 게 아니라 약초를 재배하는 느낌을 많이 받습니다. 완전히 유기농법으로 하여 작물이 스스로 갖고 있는 생명성을 한껏 품고 있기 때문입니다. 옛말에 김치가 불로초고, 밥이 불사약이라 했습니다. 음식으로 못 고치면 약으로도 못 고친다 했습니다. 그런데 저는 그것보다 농사짓는 과정 그 자체가 약이라 생각하곤 합니다. 직장을 다니는 저희 아내는 퇴근 후에 피곤한 몸을 이끌고 밭에 옵니다. 밭에서 풀 매는 걸 제일 좋아합니다. 쪼그려 앉아 풀을 매며 맡는 흙냄새며 풀냄새가 너무 좋다는 것이죠. 삼림욕이 따로 없습니다. 몸에 좋다는 음이온과 피톤치드가 다 그 속에 있는 셈입니다.

지금 바로 여기에서

흙을 살리는 과정 자체가 어떻게 보면 나를 살리는 길이라는 말을 하고 싶었습니다. 그런데 흙을 살리려면 내 똥을 살려야 한다는 말을 더 하고 싶은 거지요. 똥을 물에다 버리면 똥도 죽고 자연도 죽습니다. 그러나 똥을 흙에다 버리면 똥은 귀한 자원으로 부활합니다.

며칠 전 똥으로 거름 만드는 걸 보고 싶다고 서울의 한 어린이집에서 아이들이 놀러왔습니다. 아이들에게 똥으로 만든 거름을 코에다 가까이 대고 냄새를 맡게 했습니다. 아이들은 똥 냄새가 하나도 나지 않는 걸 그저 신기해하기만 했습니다. 똥거름에서는 아주 풋풋한 흙냄새만 풀풀 날 뿐이었습니다.

살아있는 흙에는 좋은 미생물이 많습니다. 흙이 좋다는 것은 나쁜 세균을 죽이는 천연 항생물질을 내뿜기 때문입니다. 그런 흙에는 병이나 해충이 별로 없습니다. 흙을 살리려면 좋은 거름을 만들어 주어야 하는데, 중요한 건 좋은 걸 먹고 싸서 잘 발효시키는 것이지요. 발효를 시키면 좋은 유산균과 효모균들이 많이 생깁니다. 이놈들이 얼마나 강력한지 우리 나라에는 김치 때문에 사스라는 병이 들어오지 못했다고 하지 않습니까.

이렇게 흙을 살리고 내 몸을 살리고, 더불어 맛있는 먹을거리도 먹을 수 있는 농부의 삶을 왜 사람들은 외면을 하는지 저로서는 참으로 이해하기 힘듭니다.

흙을 살리는 농사는 지구의 사막화를 막는 길이라고 했습니다. 그러나 아무 농사나 다 그런 것은 아닙니다. 저는 벼와 콩 농사가 그 가운데 으뜸이라 봅니다. 벼와 콩이 지구를 지킨다는 것이죠. 벼가 자라는 논이 얼마나 많은 물을 담고 있는지 아십니까? 그 물이 사막화를 막는 것입니다. 지하수를 보존하고 산림과 숲을 보존하는 힘이 거기에서 나옵니다. 콩을 많이 먹으면 단백질을 고기로 보충하지 않아도 되기 때문에 고기를 얻으려는 축산으로 인한 숲의 파괴를 막아줍니다.

그래서 벼와 콩의 반대편에 있는 게 밀과 목축입니다. 밀농사는 물을 가

두지도 않을 뿐더러 모자란 단백질을 고기로 채우는 문화를 만들었습니다. 그래서 밀과 목축을 하는 곳에는 반드시 사막화가 뒤따릅니다. 지금은 밀과 목축만이 아니라 대량생산 방식의 상업적인 관행농과 공장형 축산이 사막화를 촉진합니다. 참 안타까운 일이 아닐 수 없습니다.

　나를 위해서만이 아니라 지구를 위해서, 우리의 후손을 위해서, 농부의 삶을 즐겁게 선택해야 합니다. 하지만 모든 사람이 한꺼번에 지금 하고 있는 일을 놓아버리고 시골로 다 내려갈 수는 없는 일입니다. 지금 살고 있는 현장에서 농부의 삶을 사는 것으로 시작을 해야지요. 저는 그것이 도시농업이라 생각합니다.

도시농업의 세계 지도

이창우 서울시정개발연구원 연구위원

환경정책 연구 개발을 맡고 있습니다. 자연과 조화를 이루는 생태도시로 나아가기 위한 연구와 함께 시민단체에서 전문 위원으로도 활동하고 있습니다. 외국의 사례와 연구 성과를 나누고 싶어 시민 강의에도 열심히 뛰어다닙니다.

  주말 여가 시간을 주말농장이나 도시텃밭에서 보내는 사람이 늘고 있습니다. 서울 시내에만 총면적 5만 8천 평에 45개의 주말농장이 있는데, 어린이 자연학습장이나 가족 여가 공간으로 인기가 높습니다. 옥상, 베란다 또는 마당에 상추, 고추, 파를 심고 정성스레 가꾸는 사람들의 모습이 쉽게 눈에 들어옵니다. 놀고 있는 동네 빈 땅을 텃밭으로 일구는 사람도 있습니다. 이렇게 도시에서 농사짓는 모든 행위를 도시농업이라 합니다.

서울뿐 아니라 세계 여러 도시에서 도시농업에 대한 관심이 높아가는 것은 우연의 일치가 아닙니다. 도시에서 넓은 토지를 차지하는 대학병원, 군부대, 공원과 그 주변 지역은 도시농업에 적당한 땅입니다. 샌프란시스코의 군사시설 부지, 카메룬의 공항, 마닐라 대학 구내, 리마의 몇몇 병원, 자카르타의 경마장, 상파울루의 고압 송전선 아래 부지, 방콕의 궁궐 안에도 텃밭이 있습니다.

아파트 베란다는 물론이고 단독 주택 옥상에서도 채소를 가꿀 수 있습니다. 미국 샌디에이고의 주택 옥상에서 약초가 재배되고, 인도 델리의 주택 발코니에서 누에가 자라며, 캐나다의 맥길 대학 건물 옥상의 채소밭에서는 도시농업의 장단점을 알아보는 실험도 있었습니다.

유엔의 한 조사에 따르면, 전 세계 도시 주민이 소비하는 음식의 약 1/3이 도시 안에서 생산된다고 합니다. 이 정도 수치라면 지구상의 8억 명 도시농업 종사자 가운데 2억 명이 상업 목적의 농민이고 나머지는 자신이 직접 먹기 위해 농사를 짓는다고 보면 됩니다.

세계의 많은 중앙 및 지방정부들이 도시농업의 장점에 주목하고 이를 활성화하기 위해 노력하고 있습니다. 아래에서 도시농업의 국제적 동향을 대륙별로 나누어 살펴보겠습니다.

그린 게릴라의 습격 | 북미

미국에서는 과일의 79%, 채소의 69%, 낙농 제품의 52%가 대도시권 지역에서 생산됩니다. 이미 1980년대에 보스턴에서는 보스턴 '도시농민협회'가 만들어졌고, 뉴욕에는 '그린 게릴라'와 같은 도시농업 단체가 생겼습니다. 뉴욕에는 현재 700~800개소에 이르는 도시농업지가 있으며, 미국 전역에 약 200만 명의 도시농업 경작자가 있습니다.

캐나다 토론토에 있는 도시텃밭의 일종인 동네 정원community garden의 수는 1991년에 50개소였다가 2001년에는 122개소로 10년 사이에 2배 이상 늘었습니다. 토론토의 한 시민단체는 창고 옥상을 이용하여 양배추와 특용 채소를 길러 시장에 내다팔아 상당한 수익을 올리고 있습니다. 밴쿠버의 래리 캠프벨 시장은 2003년 11월에 도시농민협회 창립 25주년을 기념하여 11월을 '도시농민의 달'로 선포한 바 있습니다.

세계 도시농업의 수도 아바나 | 남미

브라질 아마존 지역에 있는 벨렘 전체 가구의 1/3은 채소와 약용 식물, 가축을 직접 기릅니다. 쿠바의 수도 아바나에서 소비되는 농산물의 90%는 도시 내부나 인근에서 생산됩니다. 아바나는 세계 도시농업의 수도라 불립니다. 1999년 쿠바에서는 인구 1인당 매일 과일과 채소를 평균 215g 생산했는데, 아바나·시엔푸에고스·산크티 스피리투스와 같은 도시에서는 쿠바 보건부에서 정한 목표치인 1인 1일 300g 이상을 생산하고 있습니다. 이 농산물들은 전국 10만 4,087개소의 도시텃밭에서 생산되고 있는데, 도시텃밭은 파티오(스페인식 안뜰) 텃밭, 화분, 주택과 도로 사이에 있는 시민농원 같은 다양한 형태를 보입니다. 2003년 현재 쿠바의 파티오 텃밭 구획수는 30만 개가 넘는데, 쿠바 정부는 앞으로 50만 개 이상의 파티오 텃밭을 조성하여 주로 과일을 재배한다는 목표를 세웠습니다. 2002년 말 현재, 면적이 1만 8,000ha가 넘는 쿠바의 도시농업은 농업 노동자, 경작용 화단 조성 벽돌공, 행상인, 허브 가공업자, 퇴비 생산업자를 포함하여 16만 명의 새로운 고용을 창출하는 효과를 거두었습니다.

1959년 쿠바 공산혁명 이후 쿠바 정부는 충분한 음식 섭취를 기본 인권으로 받아들였지만 1980년대 중반에 이르러서도 식량 자급률은 50%를 넘지 못했습니다. 1989년 베를린 장벽 붕괴에 따른 당시 소련의 원조 삭감, 1993년 허리케인으로 인한 사탕수수 농작물 피해, 1990년대 초 미국의 경제 봉쇄 등으로 식량 위기에 처한 쿠바는 1990년대부터 도시에서의 식량 생산을 장려하기 시작했습니다.

시민들은 노는 땅을 이용해 작물을 경작하거나 가축을 기르고, 테라스나 마당에서 뿐 아니라 심지어 통을 이용해 농작물을 길렀습니다. 1989년 이전만 하더라도 쿠바의 수도 아바나에는 도시농업이 없었습니다. 국가에서 식량을 배급하므로 먹을 것을 시민 스스로 재배할 필요가 없었기 때문입니다. 하지만 1990년대 초의 식량 위기로 도시의 모든 토지가 경작되었는데, 쿠바 농업부 내의 공지가 텃밭으로 경작되기까지 했습니다.

정부의 적극적 정책 의지뿐 아니라 유엔이나 옥스팜Oxfam 같은 국제 구호기관의 기술과 재정 지원이 쿠바의 도시농업 발전에 기여하고 있습니다. 1993년에 대규모 국영 농장들을 소규모로 나누어 노동자가 경작할 수 있게 하는 법을 제정하고, 1994년에 121개 농민 시장을 열어 농산물 거래를 허용하는 조치를 취한 것도 쿠바의 도시농업 발전에 기여하였습니다. 쿠바 정부가 만든 도시농업 발전 계획에는 도시농업 경작지 이용도 제고, 도시농업 기술 지도, 도시농업 연구 개발 투자, 영세농에 농기구 등 자재 공급, 농산물 판로 개척 같은 부문별 계획이 포함되어 있습니다.

아바나 시정부는 시내에서 농사를 지을 경우 화학 비료나 농약 사용을 금지하는 조례를 제정했습니다. 주민에게 나쁜 영향을 미치거나 수질오염 우려가 있는 곳에서는 가축 사육을 금지하는 규정도 있습니다. 하지만 아바나 시 외곽 지역에서는 광범위하게 축산업이 이루어지고 있는데, 토끼를 기르는 곳이 700군데가 넘으며 6만 3천 두의 돼지와 17만 마리의 새가 사육되고 있기도 합니다.

그러나 쿠바 도시농업에 장밋빛 미래만 있는 것이 아니며, 해결해야 할 과제도 있습니다. 우선 생활 용수가 부족하기 때문에 수돗물을 농업용으로 사용하는 것을 제한해야 하는 문제가 있습니다. 도시농업 경작지는, 사람이 많이 밟고 다녀 흙이 딱딱해졌거나, 자갈이 많거나, 토양 영양분이 부족한 경우가 많아 퇴비와 같은 유기질 비료가 많이 필요하다는 문제도 있습니다. 거의 한 종류의 작물만 재배하기에 작물 품종이 다양하지 못한 문제도 안고 있습니다.

쿠바의 도시농업은 원래 환경보전 목적과는 거리가 있었습니다. 하지만 최근 들어 도시농업의 생태적 측면이 강조되고 있습니다. 아바나 시청의 도시계획과와 도시농업과는 공동으로 농사짓는 데 적합한 토지를 배분하는 토지이용계획을 수립하기도 했습니다. 쿠바의 도시농업은 체계적인 관리로 나대지 녹화, 지하수 함양, 대기질 개선, 도시경관 개선 같은 긍정적인 환경보전 효과를 거두고 있는 것으로 평가됩니다.

영국의 임대형 텃밭 얼로트먼트 | 유럽

유럽에서 도시농업이 가장 발달한 나라는 독일입니다. 19개 지역 협회와 1만 5,200개 개별 협회가 가입된 독일 여가정원 연합회는 총 150만 명의 회원을 두고 있습니다. 독일에는 소정원법이 있어 도시텃밭 경작을 법적으로 보장합니다. 면적 4만 7천ha에 140만 구획에 이르는 독일의 소정원은 19세기 초반 의사 슈레버가 환자 치유를 돕기 위해 고안한 것으로, 최근 들어 소정원의 환경보호 효과가 관심을 끌고 있습니다. 이외에도 자신의 집 정원에서 텃밭을 가꾸는 독일인의 수는 수백만 명에 이릅니다. 특히 베를린에는 제2차 세계대전 직후 20만 개의 소정원 구획이 있었는데, 지금도 8만 개에 달합니다.

영국의 브리스틀, 뉴캐슬, 런던 등지에서는 임대형 텃밭인 얼로트먼트allotment와 주로 저소득계층 거주 지역의 유휴지를 이용한 공동체 활성화 프로그램인 동네 정원community garden, 또는 가축을 포함한 텃밭 공간이 커피숍이나 공방과 결합한 도시농장city farm 등 다양한 형태의 도시농업이 있습니다. 수백 년에 걸쳐 발달해온 영국의 얼로트먼트는 1970년대와 1980년대를 거치면서 도시 생태계 보호 차원에서 새롭게 주목받고 있으며, 많은 시민들이 얼로트먼트를 임대받기 위해 몇 년씩 기다립니다.

한때 영국 전체에 걸쳐 구획수가 50만 개에 달했던 얼로트먼트가 현재는 30여만 개로 줄긴 했지만 여전히 인기는 대단합니다. 현재 영국에는 약 60개의 도시농장이 있습니다. 런던 대도시권 지역 면적의 약 10%를 차지하는 농지에서 천 명의 양봉업자를 포함하여 약 3만 명의 얼로트먼트 경작자들이 농사일을 합니다. 런던 대도시권 지역 주민에게 필요한 채소와 과일의 1/5 정도는 지역 내에서 생산해서 충당할 수 있다고 합니다.

덴마크 코펜하겐의 많은 주민들은 도시 외곽에 있는 텃밭을 경작하며, 네덜란드 헤이그의 어린이들은 도시에서 농사짓는 경험을 하고 있습니다. 러시아 상트페테르부르크의 5백만 시민 가운데 50% 이상은 뒤뜰, 지하실, 옥상, 집근처 빈 터, 또는 도시 외곽의 다차(러시아식 시골별장)에서 농작물을 기릅니다. 포르투갈의 수도 리스본에서는 도로변 또는 도시 확산 과정에서 생긴 자투리 농지에서 채소, 꽃, 포도 따위를 기릅니다.

탄탄한 법률로 지원하는 일본 시민농원 | 아시아

　베트남 하노이에서는 채소의 80%, 돼지고기, 닭고기, 민물고기의 50%, 계란의 40%가 도시 내 또는 인근 지역에서 생산됩니다. 중국 상하이에서는 채소의 60%, 돼지고기와 닭고기의 50% 이상, 우유와 계란의 90% 이상은 도시 내에서 공급됩니다. 중국 전체 도시 주민이 먹는 채소의 85%는 도시에서 생산된다고 합니다. 태국 방콕의 경우 겨자, 시금치, 상추와 같은 채소의 거의 대부분이 도시 내에서 경작됩니다. 인도의 캘커타, 인도네시아의 자카르타 등지에서도 광범위하게 도시농업이 행해집니다.

　특히 일본의 도시농업이 활발한데, 일본에서는 주말농장이나 도시텃밭 형태의 도시농업을 시민농원市民農園이라고 부릅니다. 도시 주민이 여가 생활이나 먹기 위해 소규모 농지를 이용하여 채소나 꽃을 기르는 농원이 시민농원입니다. 장소, 개설 주체, 기능에 따라 구민농원, 레크리에이션농원, 레저농원, 취미농원으로 불립니다. 숙박 여부에 따라 당일형과 체재형으로 나누고, 도시지역 시민농원인 도시형과 도시주민이 농촌지역 시민농원을 이용하는 농촌형으로 구분합니다. 2002년 말 현재 일본 전국에 2,819개소의 시민농원이 있으며, 구획수로는 15만 555개에 이릅니다. 전국 시민농원 가운데 지방자치단체가 개설한 시민농원이 70%가 넘습니다. 전국의 시민농원 총면적 930ha 가운데 거의 60%에 이르는 528ha가 도시지역 시민농원입니다.

　주말농장 형태의 시민농원은 1965년부터 시작되었는데, 1975년에 이르러 도시민이 일종의 계약 방식으로 농지를 시민농원 용도로 이용할 수 있게 되었습니다. 이후 좀 더 안정적으로 임차 방식의 농지이용을 원하는 사람들이 증가했기 때문에 1989년에 '특정농지 대부에 관한 농지법 등의 특례에 관한 법률'이 제정되어, 지자체나 농협이 소규모 농지를 단기간 일정 조건하에 이용자에게 빌려줄 수 있게 되었습니다.

1990년 6월 마침내 '시민농원 정비촉진법'이 제정되어 농지뿐 아니라 휴게시설을 포함한 전반적인 시민농원 정비가 가능하게 되었습니다. 2002년에는 도농교류 농원 정비사업이 국고보조사업으로 되어 시민농원 지도자 육성과 시민농원 정비사업이 추진되었습니다. 2003년 이후 새로운 형태의 생태관광으로 시민농원이 발전하고 있으며, 유휴농지 활용 시민농원이나 어린이 농원 개설 등 다양한 활동이 벌어지고 있습니다.

일본의 시민농원 이용 면적을 보면, 1구획 당 50㎡ 미만이 전체 시민농원의 70%, 50~100㎡가 20% 정도 차지하고 있습니다. 이용 기간은 2년 미만이 60%, 2~3년이 20%입니다. 이용 요금은 시민농원 시설의 설치 상태에 따라 다른데, 연간 5만 원 미만이 50%, 5~10만 원이 30% 정도 됩니다. 이용 요금이 무료인 곳도 전체 시민농원의 10% 정도 됩니다.

농지 유휴화가 점점 심각해지고 있어 일본 정부로서도 유휴 농지를 이용한 시민농원을 장려하고 있는 가운데, 자연과 접촉하고 싶어 하는 시민이 점점 늘어 일본에서 시민농원의 인기는 계속 높아갈 전망입니다.

케냐, 탄자니아, 우간다 | 아프리카

아프리카 케냐와 탄자니아에서는 도시 가구의 2/3가 농업에 종사합니다.

특히 케냐의 나이로비, 잠비아의 루사카에서 도시농업이 활발합니다. 우간다의 캄팔라 시에서는 도시 면적의 50% 정도가 농업용으로 사용되며 주민의 1/3이 농사를 짓고 있어, 도시에서 소비되는 식량의 40%, 축산물의 70%를 도시 내 생산으로 채우고 있습니다.

세계 곳곳에서 선진국, 후진국, 대도시, 중소도시 가릴 것 없이 도시농업이 활발합니다. 자연 교육, 환경 보호, 공동체 활성화, 여가 선용, 건강 유지, 식량 제공, 공한지 재이용 등 도시농업의 목적도 점점 다양해지고 있습니다.

우리 나라 도시농업을 활성화하기 위해, 우선 개발 위주의 틀에서 벗어나 환경친화적 사고를 바탕으로 도시계획 체계를 재편성해야 합니다. 환경보전 중심, 시민 위주의 새로운 지속가능한 도시계획체계 없이 도시농업은 활성화될 수 없습니다.

도시텃밭은 도시 생태계를 유지하고 보호해 줍니다. 공한지 상태로 내버려둘 때보다 표토 유실을 줄이고 도시의 물 순환에 도움을 줍니다. 공장과 주택지 사이, 도로와 주택 사이에 있는 도시텃밭은 공기를 정화하고 소음도 방지합니다.

도시텃밭은 동식물 서식처 역할도 합니다. 도시농업은 음식물 쓰레기 재활용, 자원 재이용, 수송에너지 절감, 화석연료 사용 자제와 태양 에너지 이용 측면에서 도시 내 물질 순환과 에너지 순환에 기여합니다. 이렇게 도시농업은 다양한 환경보전 효과가 있습니다. 자연과 인간을 철저히 분리하는 현대 도시계획의 한계를 극복하면서 생태도시를 만들어가는 데 도시농업은 중요한 출발점이 됩니다.

| 3 | 경제작물로 자립하기

햇볕은 쨍쨍 고추들은 자란다

이우성 농부. 충북 괴산. '흙살림연구소' 출판홍보실장

'흙살림연구소'에서 월간 신문 〈흙살림〉을 만들며 취재하고 농사도 짓고 있습니다. 평생 농사만 짓고 사는 게 꿈인데 현실을 외면할 수 없어 시작한 신문 일이 이제 주업이 되는 것 같아 두렵기만 합니다. 세상에서 가장 신나는 일은 역시 농사 짓는 일 같습니다.

탄저병은 우리 고추밭을 비켜가지 않았다. 노지에 심은 고추는 아예 시커멓게 주저앉았다. 고추를 한 번 따고 밭에서 뽑아내는데 남편은 울었다. 땀이 줄줄 흘러 보이지 않았지만 나는 남편의 눈물을 보았다. 고춧대가 바람에 흔들리지 않도록 말뚝에 묶어준 줄을 끊어내고 시커멓게 달린 고춧대를 뽑아내는 남편의 발걸음은 황소처럼 느릿느릿했다.

농작물을 잘 가꾸지 못한 데 대한 미안한 마음을 삭이느라, 아내에게 눈물을 감추느라 더 천천히 걸었는지 모른다. 뽑아낸 고춧대를 매실나무 밑에 쌓아놓고 가을배추를 심는다. 고추를 뽑아낸 자리에서 가을배추는 잘 살까? 나비처럼 가녀린 배추모를 옮겨 심으며 기도한다. 어서어서 자라서 남편의 시린 가슴을 채워줄 노란 배추 속을 기대하며 흙을 살살 덮어준다.

이렇게 상처만 있을 것 같은데 또 다시 시작한다. 고추대신 가을에 김장배추가 한 아름 우리 품에 안길 때 지난 여름 이야기를 하며 웃을 수 있을 것이다.

여름이 지나면 하루 햇볕이 반나절로 뚝 잘린다. 쫀득쫀득 고추가 말라가는데 한나절 햇살이라도 도망가지 못하게 꽁꽁 묶어두고 싶다.

– 아내가 쓴 일기 중에서

작년에는 유난히 고추 농사가 힘이 들었습니다. 3년차 징크스를 겪는 것인지, 제가 너무 나태해졌는지 많이 반성하고 있습니다.

처음 심고 나서는 진딧물 때문에 몸살을 앓았습니다. 일일이 손으로 쓰다듬고 은행잎을 갈아 뿌려주기도 하며 애를 태웠건만 어린 고추는 제대로 자라지 못했습니다. 성장이 더딘 만큼 수확량도 많지 않았습니다. 그런데 고추 수확을 하면서 깜짝 놀랐습니다. 유난히 진딧물 때문에 고생한 곳에서 주렁주렁 빨간 고추가 엄청나게 열린 것입니다. 고추 스스로 그 힘든 어려움을 이기고 작은 키로는 벅찰 정도로 많은 고추를 달고 발갛게 웃고 있었지요.

우리 작은 아이 "온통 빨갛네!"를 연발하며 신나게 고추를 땄습니다. 참 고마운 일이지요, 참 갸륵한 일이지요. 식물도 스스로 어려움을 이긴 만큼 더 건강하고 튼실한 '극복의 기쁨'을 저에게 주니 말이지요.

작년 역시 농약과 화학 비료를 한 방울도 주지 않았습니다. 흙을 나쁘게 하고 작물이 싫어하고 사람에게도 좋지 않기 때문입니다. 저는 친환경농산물 인증을 받지 않았습니다. 저 스스로를 지키고 자연을 생각하는 마음가짐만 있으면 되지 제 3자의 규율은 형식이라는 생각 때문입니다.

저는 우리 가족이 정성들여 지은 건강한 고추와 고춧가루가 조금씩이나마 제가 아는 분들의 식탁에 올라가는 것만으로도 큰 보람을 느낍니다. 햇살·바람·비·별빛·바람이 주는 풍성한 축복을 받으며 건강하게 자란 고추를 보내 드릴 수 있어서 저희도 기쁩니다. 아직은 초보 농사꾼의 서툰 발걸음이지만 건강한 땅을 만들고 건강한 식탁을 만들어야 사람도 더 건강해진다는 믿음으로 묵묵히 이 발걸음을 쉬지 않으려고 합니다.

정성으로 모종 키우기

귀농 4년, 첫 해는 '흙살림'에서 고추 농사일을 배웠고, 둘째 해는 스스로 노지에서 고추와 다른 작물을 키우면서 작물의 성장을 지켜보고, 3년째는 비가림 하우스에서 고추 농사를 지어 작년까지 두 해째 지었습니다. 처음부터 농약과 화학 비료를 한 방울도 주지 않았습니다. 그러니 더 많은 노력이 필요했습니다. 모종을 심고 일주일에 한 번씩 생선 아미노산, 맥반석, 키토산, 빛모음 광합성균, 활인산(유산균) 등 미생물 영양제를 주면서 작물을 튼튼하게 자라도록 북돋고, 벌레나 병에는 현미식초나 목초액, 미생물 약제를 뿌려 주면서 모두 수확하기를 바라지는 않았습니다. 주인의 갸륵한 마음이 통했는지 절로 잘 크는 고추가 고맙기만 합니다.

밭이 네모반듯하지 않아서 하우스 300평과 노지 100평 정도에 고추를 심습니다. 고추 씨 뿌리기는 2월 초순에 했습니다. 하우스 첫 해는 노지 품종인 왕대박이라는 품종을 썼는데 너무 키가 크게 자라 두 번째 해는 조향이라는 품종을 썼습니다. 올해는 노지에만 심을 거라 상아탑이라는 종자를 선택하고 무비료 모판흙(상토)을 주문해 썼습니다. 유기재배 농가는 부엽토에 잘 발효된 거름이나 지렁이 똥을 넣어 모판흙을 만들어 씁니다.

스티로폼 상자에 흙을 넣고, 촉을 틔운 고추씨를 흩뿌리고 흙을 덮은 뒤 물을 흠뻑 뿌려 줍니다. 발아율은 85% 정도 됩니다. 온상하우스에 전열을 깔고 씨앗을 키웁니다. 일주일 뒤부터 싹이 나오는데 약 한 달이 지나면 옮겨 심을 수 있는 정도까지 자랍니다. 옮겨심기는 3월 5일쯤 합니다. 36공 포트에 무비료 모판흙을 채우고 꼬챙이로 구멍을 낸 뒤 고추 모종을 한 포기씩 손으로 일일이 포트에 심습니다. 이때쯤에는 고추의 잔뿌리가 나오기 시작합니다. 잔뿌리가 많은 것이 알찬 고추가 될 것입니다.

옮겨심기가 끝나면 평평한 온상하우스에 차례차례 배열을 하고 광합성 세균과 유산균을 흠뻑 줍니다. 아침저녁 기온차가 심하기 때문에 하우스 안에 활대를 꽂고 비닐을 한 겹 덮고 부직포를 다시 덮어 줍니다. 이때부터는 아침저녁으로 온상 관리를 철저히 해야 합니다. 일주일에 한 번 정도 효모 배양액과 광합성 세균, 유산균을 물뿌리개로 뿌려줍니다. 마르지 않게 관리해야 하며 추운 날은 일찍 덮어주거나 환기에 신경을 써야 합니다. 모판 상태에서 진딧물이 생기는 경우도 있는데 이때는 님오일(님나무에서 추출한 기름)을 200배로 물에 희석해 뿌려주었습니다.

본밭은 4월 초순부터 만듭니다. 지난 해에 고추를 수확하고 하우스에 물을 흠뻑 준 뒤 호밀을 뿌려두었는데 꽤 키가 자랐습니다. 이쯤이 이삭이 패기 전이지요. 그 위에 1년 이상 부숙된 소똥(무농약 볏짚을 먹고 자란 소 똥)을 4톤 정도 실어오고 쌀겨도 한 차 받아 뿌렸습니다. 균배양체 퇴비도 1평에 2kg 정도 골고루 뿌리고 경운기로 로터리를 쳤습니다. 호밀도 그대로 갈려서 퇴비, 흙과 함께 섞입니다. 하우스에는 두 줄로 세 골을 만들어 심게 되므로 이랑을 넓게 해야 합니다. 이랑 하나의 너비가 1m는 됩니다. 거기에 관수 시설을 하고 검은 비닐로 멀칭합니다. 이렇게 밭을 만들어 모종을 심을 때까지 보름 정도 토양을 안정시킵니다. 하우스에는 보통 4월 중순부터 심기 시작하는데, 저는 좀 늦게 5월 5일에 심었습니다.

병해충을 이기는 고추 가꾸기

해마다 맞는 어린이날은 고추 심는 날입니다. 작년에도 어김없이 가족 모두 밭으로 가 고추를 심었습니다. 아이들의 순수한 손길과 마음이 어울려 고추에도 그 고운 숨결이 이어질 것으로 믿습니다. "잘 커다오." "우리 밭에 온 걸 기쁜 마음으로 환영한다." 큰 아이, 작은 아이 입을 모아 고추와 대화하며 굵은 땀방울 흘리며 정성껏 고추를 심습니다.

한참을 심고 있는데 하나둘 이웃하는 흙살림 젊은 친구들이 거들어 주러 나타납니다. 이웃한 귀농 부부도 아이 손잡고 점심으로 먹을 메밀국수를 바구니 한가득 해 가지고 품앗이 하러 달려옵니다. "이웃 잘못 만나 내가 고생이여." 하면서도 연신 웃음을 잃지 않습니다.

언제 심나 했는데 모두들 한 가지씩 일을 맡아 뚝딱 순식간에 다 심었습니다. 누가 무엇을 하라고 일을 나누지 않아도 절로 됩니다. 비닐집 한 켠 자투리땅은 아직 제대로 이랑을 만들지도 못했는데 마저 하자며 달려들어, 또 뚝딱 이랑 만들고 비닐 씌우고 구멍 파고 물 주고 고추 심고 북 주고 다듬어 고추 심기가 다 마무리되었습니다.

"땀 흘리지 않고서야 어찌 산다고 말할 수 있으랴!" 목청껏 부르며 신명을 울리고, "오늘은 어린이날, 고추들은 자란다." 불만 섞인 작은 아이 노랫가락도 우리 모두를 흐뭇하게 합니다. 땀 흘리고 밭에 풀썩 주저앉아 묵은 김치와 먹는 막걸리 한 잔. 내장을 훑는 시원함이 통쾌합니다.

고추의 간격은 40cm 정도로 보통 심는 것보다 넓게 띄우고 두 줄로 심습니다. 400평에 2,500포기 정도 들어갑니다. 일주일 뒤부터 고추 골 너비로 말뚝을 박고 그물망을 씌웠습니다. 그물망은 고추가 자라는 걸 봐가면서 4단이나 5단까지 씌웁니다.

농약, 화학 비료 없이 고추농사 짓는 것은 무엇보다 어렵습니다. 젊은 친구들이 서울서 내려와 힘들다는 고추농사를 농약 없이 짓는다 하니, 이웃 할아버지들이 "농약 없인 농사 안 돼." 혀를 끌끌 차며 걱정하는 눈빛으로 지나가도 초보 농부인 우린 용감히 무농약 고추농사에 도전했습니다.

참 손도 많이 갑니다. 한여름 고추밭에 퍼질러 앉아 고추를 따자면 한증막이 따로 없습니다. 말뚝 박고 줄 매고 튼튼히 자라라고 미생물 액비를 만들어 일주일 간격으로 주고, 현미식초, 목초액, 소주, 막걸리로 병충해를 잡습니다. 그런데도 병과 벌레들은 한없이 고추를 못살게 굽니다. 농사 기술이 없어 죄 없는 고추를 죽일 때는 도려내는 듯 가슴이 아립니다.

고추 심은 지 일주일 만에 진딧물이 잔뜩 왔습니다. 처음에는 「세상에 나쁜 벌레는 없다(민들레)」는 책에서 감명 받은 것이 있어 아침마다 진딧물과 대화를 하기도 했습니다. 세상에 한 번 나왔으니 꽃이라도 피우라고 고추 주변의 냉이꽃도 뽑지 않고 두었습니다. "진딧물아, 냉이꽃으로 가주었으면 좋겠다."고 말했더니 아내가 배꼽을 잡고 웃습니다.

며칠 두고 보자니 도저히 안 되겠습니다. 진딧물의 온상이던 주변의 냉이꽃을 모두 뽑았습니다. 그리고 포기마다 잎 뒤에 숨어있던 진딧물을 손으로 잡기 시작했습니다. 하루는 금왕에서 피부과 전문의 의사선생이 일을 도우러 왔습니다. "부처님오신날 이렇게 살생해도 되는 겁니까?" 하면서도 땀을 흘리며 한 잎 한 잎 쓰다듬듯 진딧물을 함께 잡았습니다. 고추 한 포기 한 포기마다 손길이 미친 셈입니다. 쓰다듬으며 속으로 병 없이 잘 견디고 무럭무럭 잘 자라라고 인사해 주었습니다. 다행히 다음날 잎들이 더욱 푸른빛을 내며 잘 자랍니다.

이웃 할아버지가 "어제는 왜 고추 잎들을 쓰다듬고 있었냐?"고 물어옵니다. 손으로 진딧물을 잡았다고 말씀 드렸더니 "난 또 이상한 농법도 다 있구나." 생각했답니다. 이렇게 좌충우돌 고추농사를 합니다. 좀 나아진 농사 기술을 바탕으로 소중한 고추의 생명을 내가 모자라 죽이는 일 없이 자연스럽게 키웠으면 하는 바람이지만, 마음먹은 대로 되지는 않습니다.

꽃 피면 아침마다 살살 흔들어주어 수정이 잘 되도록 도와주고 고랑에 풀 매고, 일주일에 한 번 영양제 액비를 줍니다. 액비는 광합성 세균, 유산균, 당밀, 효모 배양액, 일라이트, 혈분으로 만들었습니다. 한 번 주는데 400평에 물 2톤 정도가 들어갑니다. 그 물에 50배 정도로 희석해 액비로 주었습니다. 고추 심으면서 담아놓은 깻묵 액비를 200배로 희석해 질소질을 보충해 주기 위해 함께 뿌려 주었습니다. 고추 순이 나올 때쯤에는 고추 순을 나물해서 먹고 일부는 효소를 담아 역시 고추 잎에 뿌렸습니다.

6월 말쯤에는 시들시들 말라 죽는 역병이 생깁니다. 다른 곳보다 2주 이상 빨리 온 것 같습니다. 서둘러 등짐을 지고 시든 포기는 뽑고 그 자리를 목초액 100배로 소독했습니다. 다행히 크게 번지지는 않았습니다. 이때부터는 일주일에서 열흘 간격으로 생선액비, 목초액, 칼슘제, 맥반석, 키토산, 현미식초, 잎살림 시리즈를 잎 앞뒤에 고루 뿌려주었습니다. 6월 중순부터는 웃거름을 한 달 간격으로 줍니다. 한 번 줄 때마다 균배양체를 헛골에

20kg짜리 10포 정도를 뿌렸습니다.

햇살에 고추 말리기

7월 말부터는 고추를 따기 시작합니다. 장마가 지나면서 노지에 심은 고추에서는 탄저병이 생깁니다. 현미식초나 잎살림을 뿌리지만 걷잡을 수 없습니다. 눈물을 머금고 9월 초순 이후에 이미 많이 번진 노지의 고추밭을 정리하고 배추와 무, 알타리를 심었습니다.

수확한 고추는 그늘에서 하루 이틀 숨을 죽였다가 건조기에 55℃로 하루 정도 삶습니다. 환기를 시키고 또 하루 정도 돌리면 눅눅한 정도가 됩니다. 그 고추를 다시 빼서 비워놓은 집 앞 도로 가나 창고하우스 바닥에 깔고 햇볕에 말립니다. 이렇게 하는 것을 반태양 건조라고 합니다.

건조기로 영양소가 파괴되지 않을 적당한 온도로 반만 말린 고추는, 집 앞 도로 위에서 비닐 명석을 깔고 며칠을 더 말리면 잘 마른 상태가 되고 빛깔도 더 곱게 납니다. 햇살이 이토록 귀하게 여겨질 때도 없습니다. 사람이든 식물이든 햇빛을 받아 자기 몸을 소독해야 합니다. 햇살의 자양분을 많이 받아야 이롭듯 결 고운 햇살이 그리운 옛애인 같습니다.

동네 어르신들께서 한 마디씩 거듭니다. 농사 잘 지었다고 칭찬해 주시고, 이렇게 깨끗한 고춧가루 먹는 서울 사람들 좋겠다고 용기를 줍니다. 금쪽같은 고추를 하나도 버릴 수 없어 희게 변한 것들은 꼭지를 따고 가위로 다듬어서 물행주로 닦습니다. 드디어 방앗간에서 고운 고춧가루로 쏟아져 나오자 방앗간에 모인 할머니들이 양근(햇볕으로 말린 것)이냐고 묻습니다. 정말 기분이 좋습니다.

우리의 사랑을 받고, 이제 우리와 특별한 인연이 된 소비자들의 밥상에서 더욱 사랑받을 행복한 고추로 변한 모습에서 그동안 흘린 땀의 대가가 나오는 것 같아 흐뭇합니다.

이 지역에 잘 맞는 작물, 가장 많이 필요한 양념, 많이 지어본 작물이라 선택한 고추농사는 하면 할수록 힘들고 어렵습니다. 몇 년 더 해봐야 나름대로 고추농사에 눈을 뜰 수 있을 것 같습니다. 작년을 바탕으로 올해 고추농사를 지었듯이, 올해를 바탕으로 내년엔 더 잘 지을 수 있을 것 같은 예감이 듭니다.

고춧값으로 사먹는 감자탕 맛

작년엔 초기 성장이 좋지 않아 재배면적 400평 정도에 고춧가루가 600근 정도 나왔습니다. 다행히 친구, 친지들의 주문량이 많아 모두 팔아서 700만 원 정도 수입을 올렸습니다. 농자재 값으로 150만 원 들어갔습니다.

첫 판매금액이 손에 들어왔습니다. 아내와 나는 너무 기뻐서 아이들 손잡고 감자탕 외식을 하면서 그동안 힘들었던 과정을 되새겨 보았습니다. 지나온 길, 땀방울 떨어져 땅속으로 스며들어 유기질 비료가 되듯 우리의 꿈도, 몸도, 키도 부쩍 자라 내일은 더 큰 희망과 삶의 철학으로 이어질 것을 믿습니다. 그 길 위에 언제까지나 변함없이 햇살 떨어져 우리를 키우고 작물을 키우고 우리의 발걸음 앞에 함께 하니 얼마나 좋은가요.

내년에는 더 나은 모습과 생각이 담긴 고추 재배기를 적을 수 있다면 또 얼마나 좋을까요. 주변에 힘든 일 마다하지 않고 함께 땀 흘려주는 이웃들이 있기에 더욱 용기가 납니다.

엄지손가락만한 내 유기농 약초들아!

추성수 농부, 경북 봉화

저희 가족은 2001년 3월 8일 청정 봉화 지역으로 귀농하였습니다. 지금은 벌써 6년차 농부가 되어가는군요. 저희 부부와 올해 스물두 살, 열일곱 살 된 아들 둘 모두 학교를 그만두고 농부의 길을 선택하여 온가족이 함께 즐거이 농사를 짓고 있습니다. 저희 가족의 이야기는 http://cafe.daum.net/pulcheonji 풀천지 카페로 오시면 살펴볼 수 있습니다.

우리 가족이 산 좋고 물 맑은 청정 봉화 지역으로 귀농한 지 어느덧 5년입니다. 요즘 같은 정보의 홍수 시대에 웬만한 귀농 이력쯤은 쉽게 찾아볼 수 있을 것입니다. 무엇을 조심해야 하는지, 어떤 방법이 더 좋은지, 누구의 도움을 받아 어디로 갈지, 준비하는 사람들끼리 손쉽게 정보를 주고받는 세상입니다. 그러나 여전히 불안감은 사라지지 않고, 갈 곳 없는 마음에 다시

한 번 귀농 교육에 매달려 보기도 하고, 선배 귀농인들을 찾아 전국을 헤매게 됩니다. 물론 '돌다리도 두드려 보고 건너라'는 말처럼 충분한 준비를 하는 데 시비를 걸 순 없지만, 손발이 할 일을 머리로 하려다 보니 금쪽같은 세월만 보냅니다.

5년을 땅에 엎드려 농사를 지으며 우리 가족은 후회 없이 행복했습니다. 유기농이란 무엇일까? 유기농 약초농사는 어떤 것일까? 이런 답쯤이야 턱하니 내놓아야 멋들어질 일이겠지만, 어떤 방법으로든 즐겁게 실행해 보지 않으면 절대로 알 수 없는 일입니다. 다만 우리 가족이 5년 동안 겪은 농사 경험담을 소개함으로써 작은 도움이 되길 바랄 뿐입니다.

좌충우돌 초보 약초 농사꾼

이곳 봉화 지역은 1,000m의 고산지대로, 평평해 보여도 해발 500m에 육박하는 곳이 대부분입니다. 남한의 시베리아로 불릴 정도로 추운 곳이며, 일교차가 커서 약초의 산지로는 세계에서 으뜸이라 할 만합니다. 귀농 첫해에 주변 지역의 농사를 살펴보니 사과 과수원이 의외로 많았고, 수만 평을 기계로 밀고 인력을 동원하여 배추·무 농사도 짓고, 논농사나 특용 작물도 더러 하고 있었는데, 젊은 사람이 거의 없는 산골 마을이라 대부분 5천 평 이내의 밭에서 감자와 콩, 고추 그리고 약초를 해마다 돌려가며 재배하는 실정이었습니다.

귀농 첫 해, 철저한 자급자족 원칙 아래 한눈팔지 않고 우리 먹을거리를 모두 밭에 심기로 했습니다. 쌀을 빼고 맨땅에다 참 많이도 심었습니다. 그러면서 주변의 약초 농사짓는 곳을 구경하게 되었습니다. 약초는 이른 봄

찬바람 속에 심고, 늦가을 찬바람 속에서 캡니다. 약초가 밭에서 향기를 뿜으며 여기저기에서 쑥쑥 자라면 가을에 포크레인으로 뿌리째 캐서 흙을 털고 낙엽송으로 웅장하게 만든 건조대에 가득 널어 말리는 모든 과정들이 마냥 신기했습니다.

귀농 첫 해에 겁도 없이 토종벌을 시작했다가 실패한 쓰라린 경험이 있어서, 약초농사는 시험 삼아 몇 뿌리 얻어다 흉내만 내볼 심산이었습니다. 당귀 어린잎을 처음 먹었을 때의 향긋하고 달콤한 기억이 떠올라 동네 어른들께 당귀 모종을 조금만 얻고 싶다고 부탁을 드렸더니, 바로 강활이 조금 남았으니 갖다가 심으라고 연락이 왔습니다. 반가운 마음에 달려가 보니 웬걸 몇 천 뿌리나 되었습니다. 조금 얻는다는 것이 몇 천 포기 농사가 되고 만 것입니다.

시골 생활에서 절대 잊지 말아야 할 원칙은 공짜는 없다는 것입니다. 지금 돈을 지불하지 않으면 두고두고 갚아야 합니다. 손사래 치시는 어른 손에 시세대로 몇 만 원을 쥐어 드리고, 밭으로 모시고 와서 그 어른의 감독 아래 퇴비도 없는 맨땅에다 손쟁기로 골을 타고 심었습니다.

울며 겨자 먹기로 강활을 심었으니, 이번엔 당귀를 심기로 했습니다. 똑같은 실수를 반복하지 않기 위해 강활 사건(?)을 과장되게 설명하며 눈곱만큼만 있으면 된다고 다짐을 해 두었습니다. 다음날, 윗밭 형님이 심다가 조금 남았으니 걱정 말고 갖다가 한 쪽에 심으라고 하시기에 부리나케 달려가 보니 어제 돈을 치른 강활의 두 배가 넘었습니다. 속 모르는 그 형님은 저에게 술까지 권하며 동생이 필요하대서 다른 데 안 팔고 일부러 남겨 둔 거라며 생색까지 냈습니다. 꼼짝없이 두 배의 돈을 치르고 투덜거리며 당귀를 심었습니다.

귀농 첫 해 백 년만의 가뭄을 만나고, 그 다음해에는 우리 골이 생긴 이래 가장 큰 비를 만났으니, 비닐도 깔지 않은 밭에서 약초들이 풀하고 얼마나 씨름을 했겠습니까. 밭에 심어 놓은 당귀와 강활은 저절로 야생이 되었고, 늦가을의 풀을 헤치며 약괭이로 캐 보니 어떤 것은 죽어 있고, 어떤 것은 자라다 말고, 어떤 것은 그대로인 것을 보고 기가 막혔습니다.

동네 약초는 한 뿌리가 팔뚝만 한데, 우리 약초는 엄지손가락만 했습니다. 어쨌든 싹싹 긁듯이 캐다가 남들 하듯 건조대도 만들어서 열심히 털어 말려 놓았습니다. 아무도 보지 않았으면 좋겠는데 지나가는 사람마다 들러서 내년에는 꼭 비료 뿌리는 걸 잊지 말라고 한소리씩 하고 갔습니다. 이렇게 첫 번째 유기농 약초농사는 비싼 수업료만 치르고 경험을 얻은 것으로 만족해야 했습니다.

귀농 2년차의 고비를 넘기고 귀농 3년차를 맞으면서, 다시 약초농사에 전의를 불태웠습니다. 그동안의 경험으로 약초농사의 성공 여부는 약초 모종에 달려 있음을 알게 되었습니다. 수십 년 동안 약초 농사를 지은 분들도 모종값을 줄이려고 산에서 씨앗도 채취하고 밭에서 직접 씨를 받기도 하는데, 자칫 잘못하면 꽃대가 올라와 뿌리를 쓸 수 없게 되는 것이 많아져 고스란히 일 년 농사를 망칩니다. 작년의 실패 아닌 실패를 거울삼아 이번에는 미리 좋은 모종을 골고루 얻어 두었습니다. 강활은 작년에 눈을 떼어 겨울에 묻어 둔 우리 종자로 충분했고, 주변에서 당귀도 조금, 천궁·방풍·고본·백지 종자도 얻고, 바야흐로 약초 농사꾼이 되어 갔습니다. 틈틈이 밀가루 반죽하듯이 만들어 놓은 좋은 퇴비를 아낌없이 밭에 깔고(양이 얼마되지 않아 시늉만 냈을 뿐이지만), 정성스레 골을 타서 정확히 잘 심고, 일 년 내내 매달려서 고추밭 다음으로 풀도 잘 맸습니다.

늦가을이 되자 이웃 밭들은 팔뚝만한 약초를 캐느라 포크레인 소리가 요란했습니다. 올해는 우리도 조금 낫겠지 하는 기대를 품으며 큰애와 괭이로 조심스레 캐기 시작했습니다. 그래도 아직 야생에 가까웠습니다. 좋아해야 할지 슬퍼해야 할지 복잡한 심정이었지만 애써 즐거워하며 전부 캐서 일일이 흙을 털고(이 작업이 결코 만만치 않다), 공들여 만들어 놓은 투명 건조장에 가리대를 설치하고 널어놓았습니다. 3년째 농사를 지어 보니 농사는 되는 것 같은데, 아직 땅이 살아나지 않았는지 모든 농사가 시원찮았습니다.

유기농 약재 시장의 희망

건조되는 약초를 바라보며 장고에 들어갔습니다. 몇 십 년 전 이곳 봉화 춘양 지역에서 약초를 처음 시작했을 무렵, 약초 한 다발을 지고 장에 나가면 쌀 한 가마를 지고 올만큼 약초는 귀한 대접을 받았다고 합니다. 그 뒤 장사꾼들의 투기 대상이 되면서 한두 사람의 대상大商이 몇 십 억을 동원하여 약초를 싹쓸이하고 가격을 장악하는 바람에 가격 등락이 심해져 애꿎은 농민들만 제값을 못 받게 되었습니다. 해마다 손해를 보니 점점 타산이 맞지 않아 약초 농사를 포기할 지경에 이르렀는데, 올해 겨우 값이 조금 오르는 것 같습니다. 비싼 비료를 쏟아 부어 아무리 농사를 잘 지어도 장사꾼만 제 몫을 챙겨 가는 건 갈수록 더합니다.

산야초 쪽으로 지평을 넓혀 건강한 삶을 이끌어 보려는 목표가 있던 우리는 약초농사를 포기하고 싶지 않았습니다. 그래서 결국 중간 유통을 거치지 않고 직접 유기농 약초를 인정하고 써 주는 한의사를 찾아야겠다는 결론에 도달했습니다. 그리하여 친지를 통해 한의원을 운영하시는 교수님과 연락이 되어 주섬주섬 견본을 챙겨서 서울로 올라갔습니다.

무지렁이 촌놈이 한의학 박사님께 점심 대접을 받으며 유기농 약초 샘플을 내밀었습니다. 겸손하신 박사님께서 처음 보셨는지 "아! 당귀, 강활, 천궁, 백지, 고본, 방풍이 이렇게 생긴 거군요." 하셨습니다. 이 땅의 한의사들은 약초의 모양도 모른 채 병원 의사들의 뒤만 열심히 쫓아가고 있습니다.

한의사들이 너무도 편리해진 세상 속에서 장사꾼들과 웃으며 만나다 보니 야생 약초도 사라지고, 유기농 약초도 발붙일 틈이 없어졌습니다. 비료로 덩치만 키운 국내산 약초와 방부제 범벅이 된 수입산 약초로 환자에게 처방해야 하는 잘못을 알지만, 삶과 교육이 철저히 분리된 현실이 주는 낭패감과 도시의 온갖 편리가 맞물려서 바로잡기 힘든 현실이 되었습니다. 약재상을 소개시켜 주어 혹시나 하는 기대를 안고 가보니, 유기농 약초의 기반이 전무한 상태에서 유기농 약초가 대접을 받기에는 사회의 고질적인 병폐가 너무 깊음을 느꼈습니다.

그래도 희망을 일구는 이들이 있어, 우리 약초를 살리려고 하는 뜻있는 젊은 한의사를 만나게 되었습니다. 아침마다 푸른 하늘과 맑은 숲을 쳐다보며 눈을 청소하고 환자들을 대한다는 젊은 한의사는 비료로 덩치만 키우거나 온갖 방부제로 범벅이 된 약재들의 폐해를 통감하고 있었습니다. 그리고 아직은 한약재로 유기농 약초를 전혀 쓰지 않다 보니 가격이 부담되지만 사비를 털어서라도 유기농 약재를 지키자는 고마운 격려까지 받을 수 있었습니다. 흐뭇한 마음으로 올해 농사지은 유기농 야생 약초를 내려놓고 내년 약초 농사를 기약했습니다. 그 뒤부터 여름이면 뜻있는 한의사들이 우리 밭에 들러 현장 견학도 하고, 농촌의 현실도 듣고, 약초 얘기도 하고, 겨울이면 약초를 싣고 서울로 올라가 함께 모여 망년회도 하며, 우리가 약초를 지키고 보존하자는 결의를 다지게 되었습니다.

아직은 어렵고 힘들지만 차근차근 의지를 가지고 열심히 하면 저변이 넓어지리라 기대하며 노력하고 있습니다. 작년부터 땅도 좋아져서 올해는 어려움 속에서도 모든 농사가 제법 됩니다. 해마다 퇴비의 양을 늘리니 약초도 모양이 잡혀 비로소 야생을 탈피하고 유기농 약초가 되었습니다.

유기농 약초를 살리기 위해서 지역의 특성에 맞는 약초를 살리는 노력은 물론, 어려운 여건이지만 유기농 약초 농가들에게는 저변을 확대해야 하는 임무가 있다고 생각합니다. 기존 전문 농사꾼들까지도 비료와 농약을 쓰지 않고 좋은 약초를 생산하게 하려면, 모범을 보이며 이끌어 갈 수 있는 의식 있는 유기농 약초 농사꾼들이 앞장을 서야 할 것입니다.

정부도 뜻있는 한의사들의 노력으로 약초농사에 심혈을 기울일 전망입니다. 중국이 우리나라 몇 배의 땅에서 유기농 약초농사를 한다고 하지만 사계절 기후 차이가 거의 없어 약초의 효능이 우리와 비교가 되지 않습니다. 사계절이 뚜렷하고 일교차가 커야 좋은 약초가 나오니 이곳 봉화나 강원도를 잘 활용하면 미래의 농촌에 희망이 될 수 있을 것입니다. 또, 한 가지 반가운 점은 한의사들도 약초뿐만 아니라 온갖 잡초와 풀들을 비롯하여 우리가 항상 먹는 음식물들이 모두 훌륭한 약이 될 수 있음을 깨닫고 널리 알리기 시작했다는 것입니다. 머지않아 유기농 약초 시장이 유기농가들의 긴밀한 관계 속에 굳건히 자리를 잡아 나가게 될 것입니다.

약초 농사는 아직 막연한 호기심만 가지고 덤비기에 만만치 않은 일입니다. 진정 땅을 사랑하고 살리는 일에 최선을 다하며, 우리의 약초를 지키고 보존하는 일이 우리 모두를 살리는 일이라는 사명감에서 출발해야 될 일입니다. 하지만 현실적으로 농가의 생계 문제가 시급하고, 기술적으로 기후 조건에 따라 지역 차이가 아주 심하므로 함부로 의지만 가지고 덤비기에는 넘어야 할 산이 높기만 합니다. 그러나 약초 농사는 생명을 살리는 일입니다. 눈앞의 소득 작목에 사활을 걸어야 하는 것이 농촌의 현실이지만 약초를 살리면 생명이 살고 우리 모두가 살 수 있습니다.

약초 농사 짓기

약초의 개념은 딱 꼬집어 '이거다' 라고 규정짓기가 힘듭니다. 생명 있는 모든 것은 나름의 약성藥性을 가지고 있기 때문입니다. 산과 들에 널려 있는 산야초만 해도 그 종류는 헤아릴 수 없을 정도입니다. 원래 한의학은 옛 선인들의 민간요법을 집대성한 학문입니다. 초근목피로 연명하던 시절에도 조상들은 먹을 것, 못 먹을 것, 약이 되는 것을 구별하여 자연과 하나되는 삶을 살아왔습니다. 서양의 근대 문물이 유입되면서 서양 의학을 지나치게 믿으면서 조상의 슬기로운 지혜들이 묻혀 왔습니다. 최근 들어 서서히 도시 문명의 폐해가 드러나고, 서양 의학의 한계가 밝혀지면서 전 세계적으로 동양 의학을 다시 찾게 되니, 약초의 중요성이 널리 알려지고 더불어 약초 시장이 빠르게 퍼질 전망입니다.

그럼 유기농 약초농사와 일반 농사의 차이점과 약초의 종류와 재배 방법에 대하여 우리 지역에서 주로 재배하는 몇 가지를 예로 들어 간단하게 살펴보기로 하겠습니다. 우리 지역에서는 미나리과 약재들인 당귀, 강활, 백지, 방풍, 고본을 비롯하여, 천궁을 주로 합니다.

당귀

당귀는 가장 널리 쓰이고 그만큼 많이 재배하는데, 참당귀로도 불리는 토당귀와 일당귀(왜당귀 또는 갯당귀)가 있습니다. 농민들은 병해를 많이 타는 일당귀를 기피하여 주로 토당귀를 많이 심습니다. 일부에서는 조혈 작용이 뛰어난 일당귀를 심자는 움직임도 있으나 아직 대부분의 농민들은 토당귀를 재배합니다. 당귀의 뿌리 부분은 치질, 빈혈, 산후 진정, 통경, 강장, 진통, 이뇨, 간질, 정혈, 치통 등에 치료약으로 널리 쓰이고, 어린잎은 나물로 먹고, 생뿌리는 술을 담기도 하고, 잘게 썰어 대추와 함께 차를 만들어 놓으면 향긋한 건강 한방차가 됩니다. 오가피나 엄나무 같이 손쉽게 구할 수 있는 약재들과 당귀를 가마솥에 넣고 오리나 닭으로 탕을 끓이면 두 말할 필요 없는 강장 보양탕이 됩니다.

당귀는 주로 일교차가 큰 중·북부 산간 고랭지의 물 빠짐이 좋은 모래 찰흙에서 재배합니다. 따뜻한 지방에서도 재배할 수 있는데 꽃대가 많이 생겨서 좋은 당귀를 생산하기 어렵습니다. 이어짓기를 하면 병충해가 많아지고, 수량이 눈에 띄게 떨어지므로 콩이나 감자 같은 화본과 식물과 돌려짓기를 해야 됩니다. 가을 또는 이른 봄 노지에 두둑이나 모판을 만들어서 5cm간격으로 파종하여 일 년 동안 모를 키운 뒤, 다음해 4월 상순에서 하순 사이 밭에 옮겨 심어 가을에 수확합니다. 가을에 땅이 얼기 전에 파종하면 겨우내 얼었다 녹았다를 반복하며 싹이 잘 터서 모종이 잘 만들어집니다.

봄에 파종할 때는 3월 말쯤 흐르는 물에 삼 일 이상 담가 두어 종자를 둘러싸고 있는 발아 억제물을 제거한 뒤, 마르지 않게 보관했다가 7일 안에 파종합니다. 이때 거름을 많이 주면 강한 모종이 약한 모종을 죽이므로 거름을 많이 주면 안됩니다. 봄에 옮겨 심을 때 너무 큰 모는 꽃대가 올라올 가능성이 많으니 심지 않고 그냥 버립니다. 모종을 심는 방법은 45cm 정도의 이랑을 만들고, 18cm 정도 간격으로 모를 놓고 노두(뿌리에서 싹이 나오는 머리 부분)를 덮을 정도로 흙을 긁어 올려 덮어 줍니다.

약초는 대개 병에 강하므로 어떤 농약이나 화학 비료도 주지 말고, 풀매는 시점을 잘 맞추어 부지런히 풀을 매야 합니다. 퇴비는 모종을 심기 보름 전에 듬뿍 넣어 갈아 주고, 어느 정도 자라면 웃거름을 줍니다. 가을에 입이 누렇게 시들면 뿌리째 캐어 뿌리 윗부분을 잘라 내고, 흙을 잘 털어 물로 깨끗이 씻어 미리 만들어 둔 건조대에 모양을 잘 잡아 널면 두 달 안에 다 마릅니다. 보통 이 상태로 팔기도 하지만 경우에 따라서는 절단기로 잘게 썰어 파는 경우도 있습니다.

파종하고 2년이 지나면 수확하는데, 그대로 놔둘 경우 3년째가 되면 꽃대가 올라와 약으로 쓸 수 없게 됩니다. 2년째 꽃대에서 채취한 종자는 꽃대가 올라오는 경우가 많은데, 3년째 꽃대에서 채종 하면 거의 꽃대가 올라오지 않습니다.

강활

강활은 남강활과 북강활로 나뉘는데, 남강활로 불리는 것은 토종 토강활이고, 북강활은 개량종입니다. 남강활은 만져 보면 단단하고 몸통이 작으며 발이 많습니다. 흔히 강활은 발이 약이라고 합니다. 그리고 북강활은 무르고 몸통이 커서 수확량이 많습니다. 그래서 남강활은 농민들이 꺼려서 사라지고 있고, 북강활은 여름을 지나면 색깔이 변하는 단점이 있지만 수량이 많아서 대부분의 농민들이 좋아하는 품종입니다.

강활의 모종 채취는 당귀와 다른데, 지난해 가을에 강활의 몸통에 붙어 있는 눈을 떼어 겨우내 땅에 묻어 놓으면 얼었다 녹았다 하면서 봄에 싹이 나옵니다. 심고 키우는 요령은 당귀와 비슷합니다. 그리고 당귀와 마찬가지로 꽃대가 올라오지 않은 뿌리만 약재로 쓰며, 습기가 많은 땅에서 잘 자랍니다. 강활은 정유精油를 함유하고 있으며 주로 감기약으로 쓰는데, 해열,

진통, 진경, 백절풍, 중풍, 치통, 신경통, 두통 등의 약재로 쓰입니다. 독성이 강해서 당귀처럼 함부로 쓰지 않는 것이 좋습니다.

천궁

천궁도 토천궁과 일천궁으로 나뉘는데, 토천궁은 경북에서 일부 재배됐지만 수량이 적어서 거의 사라지고 있고, 병해는 많지만 수확량이 많은 일천궁을 많이 재배합니다. 천궁도 강활과 마찬가지로 가을에 눈을 떼어 겨우내 땅에 묻어 두었다가 이른 봄에 꺼내서 비슷한 방법으로 심는데, 당귀와 강활보다 촘촘하게 심습니다.

토천궁은 어느 약재보다 그 향기가 아름답고 진해 방향제로도 쓰입니다. 캐보면 우툴두툴한 토란 크기의 덩이줄기에 잔뿌리가 사방으로 뻗어 있습니다. 말릴 때는 잔뿌리를 모두 제거하는데, 보통 시골에서는 사람이 잘 다니는 처마 밑에 천궁을 깔고 틈나는 대로 밟아서 모양을 내는 점이 특이합니다. 그리고 천궁은 강활과 달리 습기가 많으면 뿌리가 잘 썩습니다. 대신 꽃대와 상관없이 모든 뿌리를 약재로 쓸 수 있습니다.

한방에서는 보혈, 활혈, 정혈제로 부인병에 많이 쓰는데, 어지럼증이나 빈혈, 강장약으로도 효과가 뛰어납니다. 또 혈액 순환을 활발하게 하는 약으로 몸 속의 나쁜 피를 빨리 운반해서 없애고, 강한 살균 작용으로 상처에도 좋으며, 자궁 수축 작용을 도와 아이를 낳은 뒤 피를 멎게 합니다. 민간요법으로는 티눈이나 사마귀에 천궁을 3mm 정도 썰어서 붙여 두면 말끔히 없어집니다. 그리고 치질에도 효과가 있고, 심한 입냄새도 천궁을 잘게 썰어서 입에 물고 있으면 어느 정도 사라진다고 합니다.

백지

백지는 깊은 산에서 만날 수 있는 구릿대의 뿌리입니다. 다른 약재에 비해 뿌리가 훨씬 튼실하고 향기도 좋은 발산풍 한약에 속합니다. 감기약으로도 쓰고, 부인 대하나 축농증, 두통, 어지럼증, 치통, 신경통, 안면 마비, 종기 등에도 두루 씁니다.

또한 백지로 얼굴에 바르는 기름을 만들어 쓰면 얼굴빛을 곱게 하며 잡티와 흉터를 없앤다고 합니다. 피부를 곱고 아름답게 해주는 처방에 빠지지 않고 들어가는 대표적 우리 약초입니다. 잎줄기의 생육이 워낙 좋고, 뿌리도 튼실하여 강한 힘이 느껴지는 만큼 말리고 자르는 일도 어렵습니다. 재배 방법은 당귀와 비슷합니다.

고본

고본은 잎 모양이 코스모스와 닮아 뾰죽합니다. 갓 캐낸 뿌리의 향기가 특히 강하고, 말린 뒤에도 천궁 못지않은 향이 납니다. 봄을 지나고 여름이 되어 줄기와 잎이 번성하는 모습도 천궁처럼 여러 줄기가 폭을 이루지 않고 단 하나의 줄기가 솟는데, 활처럼 옆으로 퍼지기보다 위를 향해 그리 굵지 않은 줄기를 솟구쳐 냅니다. 유일하게 생채일 때 물이 닿아도 변질되지 않는 미나리과 약재입니다. 고본도 천궁과 마찬가지로 꽃대가 나오는 것과 상관없이 뿌리를 약재로 사용합니다. 두통, 관절통, 치통, 복통, 설사, 습진 등에 처방합니다.

방풍

방풍은 미나리과에 속하는 다년생 풀로서 어릴
때는 맛과 향기가 좋아서 잎과 줄기를 방풍나물이
라 하며 산채 나물로 먹습니다. 중국산 방풍을 원
방풍이라 하고, 토종 방풍을 식방풍이라 합니다. 재
배는 비교적 서늘한 곳의 물 빠짐이 잘되는 모래 찰흙이
좋습니다. 약용 부위는 뿌리로 고혈압이나 뇌졸중으로 발병하는 중풍의 주
약재로 처방되어 왔습니다. 또한 해독 효능이 있어 감기, 풍병, 신경통, 관
절염 등에 주로 사용되어 왔습니다. 강활, 당귀, 백지와 마찬가지로 꽃대가
서지 않은 것의 뿌리만 채취하여 약재로 사용할 수 있습니다.

이렇게 대강 살펴보았지만 이것으로는 한참 모자랍니다. 시골로 들어가
훌륭한 스승인 시골 어른들께 듣고 봐야 모든 걸 제대로 배울 수 있습니다.
하루 빨리 우리의 삶속으로 약초를 다시 찾아와야 하겠습니다. 건강한 몸이
건강한 정신을 만들고, 병이 있으면 그에 맞는 약도 있습니다.

외양간에는 누렁소,
마당가에는 돼지가~

차성건 농부. 경남 산청

올해로 귀농한지 7년째를 맞았습니다. 시골에서 백일을 맞았던 현승이는 초등학생이 되었고, 여섯 살 유진이는 재롱이 한창입니다. 귀농 5년이 지나면 해야지 했던 대로 요즘은 농장 한 켠에 작업실을 지어 짬짬이 그림을 그리고 있습니다.

농가에서 가축 기르기는 인류의 기원만큼이나 오래되었습니다. 아련한 추억처럼 떠오르는 농촌 마을의 풍경 속에 늘 등장하는 가축들은 식구들 이상의 친숙한 모습으로 다가옵니다. 그래서 귀농하는 많은 이들은 가축과의 아름다운 동거를 상상하며 한두 마리쯤 키우고 싶어 합니다. 사실 멍멍이나 병아리 몇 마리쯤은 정성을 들여서 보살핀다면 알아서 커주니까 부업으로 가축을 기르는 일도 쉬워 보일 수 있습니다. 하지만 자세히 들여다보면 결코 손쉽게 선택할 수 있는 만만한 일은 아니지요.

생명체의 특성상 끊임없는 관심과 애정을 보여 주어야 하며, 규칙적인 관리와 생물학의 기초 지식도 갖춰야 합니다. 마을 어르신들이나 축산을 업으로 하는 분들은 수 대에 걸쳐 쌓은 산 경험과 많은 시행착오 끝에 얻은 지식으로 무장한 상태이니 얼핏 보면 쉽게 저절로 되는 것처럼 보입니다. 하지만 단지 가축에 대한 애정이나 맨땅에 박치기하는 심정으로 가축 기르기를 결정했다면 그 짐승들 묻을 공간을 넉넉하게 장만해 둬야 할 것입니다. 사실 한 마리를 키우나 열 마리를 키우나 들어가는 노력과 정성은 비슷합니다. 그래서 여러 마리를 키우면 사육 공간과 돈이 조금 더 들어가지만 수익은 훨씬 더 높습니다. 한두 마리로는 늘 그것에 얽매여 소득 없이 몸만 지칠 수도 있는 것입니다.

따뜻한 양지쪽 외양간에서 여유롭게 되새김질하는 누렁소와 그 곁에서 꿀꿀거리는 꺼먹 돼지 두어 마리, 그리고 마당을 가로질러 온 구석을 파헤치는 씨암탉들, 또 뒤뜰 묵은 밭에 매어 놓은 흑염소들 …. 이렇게 농가에서 가축은 키우는 즐거움 그 자체여야 합니다. 거기에 가끔 목돈까지 보태준다면 마다할 이유가 없을 것입니다. 없으면 허전한 식구처럼 귀농 생활에 든든한 가축 기르기가 될 수 있도록 본론에 앞서으로 몇 가지만 당부 드리고 싶습니다.

첫째, 가축을 떼어두고 수시로 외출·외박을 하지 말아야 합니다. 어린아이를 홀로 집에 두고 외박하는 사람은 드물 것입니다. 외출·외박이 잦으면 사육의 일관성과 관리의 연속성이 떨어지기 때문에 절대 금해야 합니다.

둘째, 철저하게 농가의 부산물이나 산과 들에서 나오는 것으로 사육할 계획을 세워야 합니다. 어쩔 수 없을 때는 시중에서 파는 사료를 먹일 수도 있겠지만 경제적으로도 그렇고 가축에 대한 관심의 표시로라도 자급자족하는 방법을 찾아야 합니다.

셋째, 키울 때는 애정으로, 그리고 없앨 때는 야멸치게 …. 정성들여 식구처럼 키운 가축들이 버거울 정도로 늘었다거나 더 이상 키우기 곤란한 경우라면 팔든지 잡아먹든지 결정을 빨리 내려야 합니다. 식구 같아서…, 애들 때문에… 이유야 많겠지만 그런 사정으로 전전긍긍한다면 애초부터 키울 생각을 하지 말아야 합니다. 가축의 입장이나 경제적인 면에서도 빨리 결정하는 것이 중요합니다.

마지막으로 지역의 여건에 맞는 사육 방법이나 기술을 사전에 충분히 듣고, 집안의 노동력과 사육 조건을 꼼꼼히 따져 보고 결정해야 합니다. 무리한 규모나 너무 다양한 종류의 가축 사육은 다른 농업 활동에 심각한 영향을 끼칠 수도 있습니다.

소 기르기

불과 몇 년 전까지만 해도 많은 농가에서 송아지를 구입했고, 또 키우는 여건도 좋았던 적이 있었습니다. 하지만 송아지 값이나 소 값 파동으로 파산하거나 큰 손해를 보는 일도 흔했습니다. 일부였지만 헐값에 산 송아지가 금값이 되어 뜻밖에 횡재를 한 사람도 있었으니 그만큼 소 키우는 일은 모험이었습니다. 심지어 어떤 사람은 점집까지 찾아가서 사고 팔 때를 물어봤다고 합니다.

하지만 지금의 상황은 전혀 다릅니다. 날마다 최고가를 경신하는 송아지 값과 산지 소 값의 폭등은 좀처럼 수그러들 기미를 보이지 않고, 송아지나 어미 소의 거래 역시 뚝 끊겨버렸습니다. 그러다 보니 송아지를 구입하여 입식하는 데 여간 목돈이 들어가는 것이 아닙니다. 우리 동네 역시 사정은 마찬가지라서 바닥을 헤매던 소 값이 2002년 봄쯤인가 가격이 좀 올라가자 모두들 마구잡이로 팔아 치워서 지금은 외양간이 텅텅 비어 있습니다.

그동안 소를 키워서 별 재미를 보지 못했던 탓도 있고, 언제 폭락할지 모른다는 불안감에 모두들 앞 다퉈서 소를 팔아 치웠습니다. 심지어는 논밭을 갈던 일소마저 마을에서 사라지는 슬픈 일까지 벌어졌습니다. 그런데 떨어질 줄 알았던 소 값이 하늘 높은 줄 모르고 계속 치솟더니 거의 4년 가까이 최고 가격대에서 머무르고 있습니다. 그러니 성급하게 팔아치웠던 대부분의 농가(한두 마리를 부업으로 키우는 농가)에서는 시기를 놓친 아쉬움도 아쉬움이지만, 몇 배 이상 올라버린 송아지 값 때문에 새로 입식할 엄두도 내지 못하고 있어서 텅 빈 외양간은 영영 창고로 쓸 수밖에 없는 것이 지금의 현실입니다.

그런데 왜 소 값이 올라가서 꼼짝도 하지 않을까요? 여러 가지 이유가 있겠지만 크게 두 가지입니다. 하나는 정부 발표대로 한우 사육 농가가 줄었기 때문입니다. 실제로 농가에서 부업으로 키우던 소의 사육 두수가 우리나라 소 값 안정에 큰 영향을 미쳤는데, 그동안의 일관되지 못한 정책 때문에 대부분 팔아버려서 가격의 완충 작용이 없어졌습니다.

또 하나는 정부가 시장 개방 압력에 굴복하여 생우를 수입할 이유를 만들기 위해서 의도적으로 줄여가는 수순이라는 것입니다. 그렇게 하기 위해서 가격 경쟁력을 갖추지 못한 소규모 농가를 희생양으로 삼을 수밖에 없다는 논리입니다. 실제로 이 기간 중에 몇 차례 생우 수입이 있었지만 소 값 변동에는 별 영향을 주지 못했습니다.

어떤 이유일지라도 이제는 농가에서 한가롭게 되새김질하는 소를 구경

하기 힘든 상황이 되고 말았습니다. 그렇다고 정부 정책이나 주변의 농업 환경에 끌려다닐 수는 없겠지요. 나만이라도 귀농이라는 의지와 뚝심을 발휘하여 사라져가는 농촌의 풍경을 되살려 봄이 어떨까 합니다.

외양간 마련하기

소를 잘 키우려면 소가 살 집이 편해야 합니다. 원래 있던 농가를 고쳐서 쓴다면 웬만한 농가에는 마당 한 쪽에 외양간이 있으니 그걸 고쳐서 쓰면 별 탈이 없습니다. 하지만 추운 지역이나 고산 지역에서 부엌과 함께 사용하던 외양간은 집수리로 사라졌을 것이니, 그런 곳은 새로 외양간을 지어야 하는데 특히 보온에 신경을 써야 합니다. 외양간을 지을 때 꼭 기억해야 할 것은 볕을 잘 받는 곳에 물과 오줌이 빠지기 쉽고, 특히 거름을 내기 좋게 설계해야 한다는 것입니다.

지붕이 너무 높으면 보온에 문제가 생기고, 너무 낮으면 환기에 문제가 생깁니다. 여물통은 높낮이를 조절할 수 있도로 하는 것이 좋습니다. 드나드는 문은 넓어야 하며 물통은 물을 자주 갈아 줄 수 있게 시멘트로 고정시키지 않아야 합니다.

좋은 송아지 고르기

이제 송아지를 구입해야 하는데, 좋은 송아지를 잘 고르는 기술이 소를 잘 키우는 비결입니다. 마을 어른들이나 한우를 전문으로 키우는 분들에게 알아볼 수 있겠지만, 미리 구입 의사를 밝히지 말고 먼저 충분히 관찰하고 가격대를 알아본 다음에 구입 의사를 밝히는 것이 좋습니다. 농촌 사회가 워낙 좁아서 사려는 뜻을 다른 사람들이 알면 자기 뜻과는 상관없이 구입을 강요당하거나 인정에 의해서 결정될 수도 있습니다. 잘못하면 동네 주민들

사이에 불화가 생길 수도 있습니다. 예로부터 소를 중요시하던 풍습이 남아 있기 때문일 것입니다.

좋은 송아지를 고르려면 우선 체형과 털 색깔 그리고 건강 상태를 꼼꼼히 살펴봐야 합니다. 체형은 송아지의 몸 길이가 길수록 잘 큽니다. 머리는 작고 목은 가늘며 입은 넙죽한 것이 좋습니다. 그리고 요각(뒤에서 보았을 때 허리 부분의 십자가형 뼈대)이 큰 것이 새끼를 잘 낳습니다. 털 색깔은 짙은 갈색일수록 성장은 더디지만 육질에서는 상등품의 비율이 높고, 반대로 연한 색은 성장은 빠르지만 육질은 좀 떨어집니다. 그리고 털 사이에 잔주름이 많은 것이 잘 큽니다. 만약 일소로 부리려고 한다면 짙은 갈색의 암소가 좋습니다.

건강한 송아지는 항상 콧등에 축축한 땀이 맺혀 있으며, 털 전체에 윤기가 흐르고 털 길이가 일정합니다. 하지만 무엇보다 송아지의 어미 소가 어떤지 살펴야 합니다. 주인의 의견보다는 다른 사람이나 전문가의 의견을 듣는 것이 좋습니다. 송아지를 낳기 전인 암소라도 의견을 들어 두면 보는 눈이 좋아지니 두루두루 듣고 공부하는 게 좋겠지요.

사육 두수를 결정할 때는 먼저 노동력 상황을 고려해야 합니다. 옛 어른들은 "소 한 마리 줄였더니 할 일이 하나도 없더라."고 할 정도로 정성을 들였습니다. 요즈음은 사료나 볏짚을 먹여서 키우는 집들이 대부분인데 그것도 보통 일이 아닙니다. 귀농해서 처음 소를 키운다면 암송아지 한 마리가 적당합니다. 저는 조금 욕심을 내서 암송아지 두 마리를 키웠는데, 처음에는 풀도 베다 먹이고 말려서 먹이고 하다가 농사일과 겹치면서 볏짚과 사료 주는 것도 지쳐서 나중에는 두 손 두 발 다 들었습니다.

임신과 분만

보통 3~4개월된 송아지를 구입하는 것이 좋고, 너무 이르거나 지난 것은 피해야 합니다. 일소로 키우려고 한다면 생후 4~8개월쯤 코뚜레를 하고, 첫 발정 전에 훈련을 시켜야 합니다. 첫 발정은 생후 9~10개월이면 오는데 이때는 수정을 시키면 안 됩니다. 발정 주기는 보통 28일 정도로, 체중이 300kg 정도 되는 14~15개월일 때 첫 수정을 시키는 것이 좋습니다.

발정기의 특징은 심하게 울어대며 먹이를 잘 먹지 않고 불안해한다는 것입니다. 여러 마리를 기를 때는 다른 소 등에 올라탑니다. 발정 징후를 보인 뒤 12시간 정도 지나서 수정사에게 연락하면 됩니다. 발정의 징후와 이상을 발견하기 위해서는 날마다 꼼꼼하게 소의 상태를 살펴야 합니다. 보통은 인공 수정을 하는데 대규모 사육장에서는 자연 교배를 시키기도 합니다. 하지만 유전적 요인 등을 감안하면 인공 수정이 안심할 수 있는 번식 방법입니다. 소의 임신 기간은 283일 정도입니다. 보통 수정사가 분만 예정일을 축사에 표기해 줍니다.

임신 기간 중에는 충분한 영양을 섭취해야 하지만 너무 지나치면 분만에 어려움이 있으니 적절히 조절해야 합니다. 한우는 분만할 때 비교적 사람의 도움이 필요하지 않습니다. 그래서 다른 사람의 출입을 막고 부드러운 짚 등으로 푹신하게 깔고 실내를 어둡게 하여 분만을 기다리면 됩니다. 특히 겨울철에는 보온에 각별히 신경을 써야 합니다. 갓 태어난 송아지는 보통 3개월 정도면 젖을 떼는데, 그전부터 송아지 사료(인공유)나 부드러운 마른 풀 또는 짚을 어미 소가 닿지 않도록 따로 주는 것이 좋습니다. 출산한 암소는 보통 30~45일 전후로 다시 발정이 오는데 이때를 놓치지 않고 수정을 해줘야 합니다.

축사의 내부는 항상 청결하고 건조해야 합니다. 물론 사육자의 성격이나 상황에 따라서 다르겠지만 끊임없이 대화하며 애정을 갖고 보살핀다면 큰 병에는 걸리지 않을 것입니다. 특히 여름철은 똥오줌 때문에 모기·파리 등이 들끓을 우려가 있으니 해충 구제와 청결에 더 신경을 써야 합니다. 치운 거름은 한 군데 모아서 비닐로 덮어두고 이듬해 사용하면 훌륭한 밑거름이 됩니다.

이 글이 단지 옛날을 회상하는 추억의 글이 되지 않기를 바랍니다. 농가 앞마당 한 쪽에서 사람들과 함께 호흡하는 멋진 누렁소와 그 젖을 빠는 귀여운 송아지들이 있는 집에서 살고자 하는 분들의 희망이 하루 빨리 현실이 되기를, 그리고 들판에서 논밭을 가는 힘센 소의 모습에서 아주 오래된 미래를 꿈꿀 수 있기를 기원합니다.

흑돼지 기르기

가축 가운데 돼지 키우는 일이 가장 어려울 수 있습니다. 정말 부지런하고 애정을 가진 사람이여야만 잘 키울 수 있습니다. 기업형 돼지 사육이 아니라 농가에서 한두 마리, 그것도 토종 흑돼지 사육에 관한 내용을 담을 수 있도록, 주로 경험과 주변 농가의 경우를 들어서 몇 자 적어보겠습니다. 실제로 주변 사육 농가 어르신들의 조언이 많은 도움이 되었습니다.

이곳 지리산 주변에는 아직도 많은 농가가 통시(똥돼지를 기르는 뒷간)에서 흑돼지를 많이 사육하고 있습니다. 규모라야 어미 돼지 한두 마리나 많아야 대여섯 마리 정도가 대부분입니다. 가끔 뒷간에 가서 볼일을 볼라치면 호기심 반 두려움 반으로 대충 일을 끝내는 경우도 있습니다. 요즘은 일반

변기의 뒷부분에 돼지 주둥이만 나올 수 있도록 시멘트를 발라놓아 닿을 염려는 없지만, 가끔 놀러오는 도시의 며느리나 손자들은 기겁을 하며 뛰쳐나오기 일쑤입니다.

돼지의 특징

첫째, 깨끗함. 돼지는 깨끗함 그 자체입니다. 본능적으로 대소변을 가리며 한 번 볼일을 본 곳에서만 볼일을 보고 잠자리에는 절대 누지 않습니다. 이런 특성 때문에 애완용으로도 키울 수 있는 것입니다.

둘째, 땅파기. 돼지의 코는 삽보다 땅을 잘 팝니다. 늘 땅을 헤집고 그곳에 드러눕기도 해서 축사를 지을 때 이 점을 고려해야 합니다.

셋째, 물러서기. 돼지에게 주사를 놓거나 이동시킬 때는 이 특성을 활용합니다. 가령 주둥이를 밧줄로 묶거나 거적으로 얼굴을 씌우면 무조건 뒤로 물러섭니다. 앞으로 한 발자국만 나가도 밧줄이 풀리지만 물러서는 성질 때문에 제 스스로 꼼짝 못하는 상태가 됩니다. 뒤로 물러서는 성질을 이용해서 가까운 거리를 이동시킵니다.

넷째, 새끼 많이 낳기. 양돈 산업에는 이른바 '피그 싸이클'이라는 말이 있습니다. 이것은 돼지 가격을 그래프로 나타낸 것인데, 비교적 일정한 주기로 오르내립니다. 이것은 돼지의 114일이라는 짧은 임신 기간과 한 번에 무려 11~14마리를 낳는 다산성 때문에 돼지 공급에 불균형이 생겨서 가격의 폭락과 상승이 되풀이 되는 것입니다. 그래서 불과 하루 이틀 사이에도 몇 만 원씩 가격 차이가 생기니 염두에 두어야 합니다.

그밖에 뛰어난 후각이나 질병에 약한 것 등이 특성 가운데 하나입니다.

글머리에서도 밝혔듯이 돼지를 키우는 일은 쉽지 않기 때문에 몇 가지 마음가짐이 필요합니다. 먼저 하루에 몇 번이라도 돼지를 관심 있게 살펴봐야 합니다. 똥의 상태라든가 털빛, 눈동자 등 끊임없이 관찰하고 세심하게 관리해야 합니다. 그리고 죽은 돼지를 담담하게 처리할 수 있어야 합니다. 새끼를 많이 낳으면 경우에 따라서는 태어나자마자 죽거나 어느 정도 자라다 죽기도 하므로 죽은 돼지를 파묻어야 할 때가 있습니다. 또 다 큰 돼지의 이마에 도끼를 날릴 수 있는 배짱이 필요할 때도 있습니다. 시골 마을에서는 행사 때마다 돼지 잡는 일이 많아서 젊은 귀농자가 나서야 할 때가 많습니다.

축사 마련하기

이제 본론으로 들어가서 돼지를 키우기 위한 축사 건축에 대해 알아보겠습니다. 운 좋게 원래 있던 돈사를 사용한다고 해도 몇 가지 손을 보아야 하며, 새로 돈사를 신축할 때도 몇 가지를 고려하여 지어야 합니다. 돼지는 소와 달리 항상 땅을 파고, 물을 먹고, 하루 종일 바쁘게 움직입니다. 조그만 틈이 있으면 기어코 비집고 나오는 통에 들판에서 돼지와 달리기 하며 씨름하는 경우가 많습니다.

그래서 돼지가 생활하는 곳은 튼튼한 재료로 지어야 합니다. 블럭이나 통나무 원목으로 빈틈없이 짓고, 가능하면 햇빛이 골고루 드는 남서향을 선택해야 합니다. 특히 물이 잘 빠지도록 바닥을 약간 기울여 주는 것이 좋으며 먹이통은 자는 곳과 멀리 두어야 합니다. 물을 좋아해서 여름에는 물통에서 떠나지 않고 장난하기 때문에 바닥이 질척해지기 쉬우니 물은 조금씩 자주 줘야 합니다.

사육자가 자주 드나들 수 있게 출입문은 튼튼히 만들고, 담장의 높이는 1.5m 정도로 합니다. 운동장은 따로 문을 만들어서 드나들기를 제한할 수 있어야 하고, 봄·여름에는 황토 목욕과 뛰어 놀 수 있도록 널찍하게 설계해야 합니다. 비가 오거나 저녁이 되면 우리 안으로 몰아넣기 편하게 문을 넓게 하고, 울타리는 돼지의 땅 파는 습관을 고려하여 30cm 이상 땅에 깊이 박아야 합니다.

새끼 돼지 고르기

다음으로 새끼 돼지를 구입해야 하는데, 처음에는 암컷 1~2마리 정도면 됩니다. 적당한 시기에 잡아먹을 경우 불 깐 수퇘지를 포함해서 4~5마리까지 한 우리에서 키울 수 있는데, 번식용 암퇘지는 실한 것으로 한 마리만 있어도 충분합니다. 특히 동네나 주변에 번식용 수컷이 있는지를 꼭 확인해야 하며, 없을 때는 우리를 한 칸 늘리거나 나누어서 번식용 수컷을 따로 키워야 합니다. 씨돼지로 사용할 암컷은 특히 젖이 나오지 않는 맹유두나 짝 없이 덧붙은 부유두가 없이 젖꼭지가 6~7쌍인 것이 적당하고, 간격은 넓고 일정한 것을 선택해야 새끼를 잘 기릅니다. 또 부모의 번식 능력이나 생식기의 생김새 등도 잘 살핀 뒤 구입하는 것이 좋습니다.

구입한 새끼 돼지는 여름철 한낮이나 추운 겨울날을 피해서 돈사로 데려오고, 예방 접종이나 사료(제품, 주는 양)를 꼭 확인하여 처음에는 될 수 있으면 똑같은 사료를 먹여서 스트레스를 줄여 주어야 합니다.

일반적인 사육지침은 이 정도로 마치고 한 가지 덧붙이면, 농촌에서 부업으로 돼지를 몇 마리씩 키울 경우 너무 사료에만 의지하기도 그렇지만 옛날처럼 음식물 찌꺼기를 거둬서 키우거나 농가 부산물로만 키울 수는 없습니다. 주변의 돼지사육 농가나 제가 주로 하는 방법은 왕겨와 등겨(쌀 도정 시 나오는 최종껍질) 그리고 배합사료를 4 : 2 : 2 정도로 섞어서 주는 것입니다. 일반 사료만 주면 지방 비율이 높고 고기 맛도 없지만, 이렇게 적절한 비율로 섞어서 주면 마을에서 가장 맛 좋은 고기로 평가받을 수 있습니다.

그밖에 방목을 할 수 없다면 풀과 황토를 많이 줘서 건강한 돼지를 만들어야 합니다. 좁은 식견이지만 귀농 농가의 마당 한쪽에서 꿀꿀거리는 건강한 돼지가 자라는 데 도움이 되었으면 하는 바람입니다.

흑염소 기르기

흑염소라고 하면 우리의 들과 산에서 자라는 토종 흑염소를 뜻합니다. 언제부터 기르기 시작했는지에 대한 의견은 분분하나 대체로 고려 말~조선 초부터 사육한 흔적이 있다고 합니다. 흑염소는 그 생김새나 어감 때문에 우리네 동요나 농촌 풍경화에 곧잘 등장하는 매우 친숙한 가축입니다. 흑염소 역시 다른 동물처럼 나름대로 독특한 특성이 있는데 몇 가지만 들어 보겠습니다.

첫째, 흑염소는 소와 마찬가지로 되새김 동물로서 4개의 위를 가졌기 때문에 될 수 있으면 풀을 먹여야 합니다. 척박한 곳의 거친 풀과 산야의 잡목 줄기까지 먹을 수 있어 사료를 사지 않아도 충분히 사육할 수 있는 장점이 있습니다. 하지만 이런 특성 때문에 농장의 작물까지 마구 먹어치우니 신경 써서 관리해야 합니다.

둘째, 흑염소는 비탈진 곳을 오르내리기 좋아합니다. 언젠가 텔레비전에서 나무를 오르내리는 염소들이 나온 적이 있는데, 이런 특성 때문에 다른 초식 동물들이 가지 못하는 급경사나 바위산의 풀과 잡목을 먹을 수 있습니다.

그밖에 흑염소는 항상 건조한 곳을 좋아합니다. 또한 결벽에 가까운 성질 때문에 배가 고픈 상태라도 더러운 사료, 악취가 나거나 습한 사료는 절대

입에 대지 않습니다. 그리고 발굽 동물의 특성상 바닥을 항상 건조하고 쾌적하게 유지해 주는 것이 질병이나 기생충 등의 피해를 예방하는 데 많은 도움이 됩니다.

어떤 방식으로 기를까

그럼 이제 우리네 귀농자들의 삶에 어울리는 몇 가지 흑염소 사육 방식에 대하여 알아보겠습니다. 우리나라 농가 가운데 유목 생활을 하는 분들은 없을 것이라 유목형은 제외하겠지만, 그래도 염소의 무리 짓는 생활특성상 유목도 가능합니다. 가장 일반적인 사육 방법으로는 방목형과 가두리형이 있는데, 일반 농가의 부업이라면 둘을 적절히 혼합한 '방목 가두리형'을 권장합니다. 이 방법은 뒤쪽에서 다시 다루기로 하고 먼저 방목형 사육을 설명하겠습니다.

방목형 사육의 핵심은 경제성이라고 할 수 있습니다. 귀농지의 산야를 효율적으로 활용하고 사료비의 부담을 줄일 수 있는 형태이지만, 장단점을 고려해 볼 필요가 있습니다. 먼저 사육 마리수가 최소한 30~40마리 이상은 돼야 하고, 2천~3천 평 정도의 시설을 갖춰야 합니다. 철망은 5~8m 마다 기둥을 세우고 위와 아래쪽은 철근이나 하우스용 파이프로 단단히 고정하여 염소가 울타리를 들어 올리고 빠져나오는 것을 막아야 합니다.

일정 구역만 철망을 설치하거나 농작물 부근에만 설치하여 자연 경계선을 활용하는 방법도 있습니다. 주로 깊은 산속의 험한 길이나 강가의 지형을 이용하는데, 사육 규모가 큰 전업형 농가에서 이 방법을 주로 선택합니다. 겨울철에는 볏짚과 약간의 구입한 사료를 주지만 그 밖의 계절에는 완전히 방목하고, 저희들끼리 자연 교미부터 분만까지 다 알아서 하므로 노동력과 사료비가 줄어드는 장점이 있습니다. 하지만 지나치게 자연 자원에 의존하다 보면 생산성이 떨어지고, 근친 교배 등으로 번식 능력이 떨어지는 단점이 있습니다. 또한 산야초를 재배하거나 유실수를 심을 수 없기 때문에 신중히 고려해볼 사육 방법입니다.

다음으로 가두리형 사육 방법에 대하여 알아보겠습니다. 엄밀하게 말하면 앞서 살펴본 방목형도 가두리형 사육 방법의 하나이지만, 논밭이나 마을에 가까운 귀농지에서 사육할 때나 방목할 곳이 없는 도시 근교 등에서 약간의 축사와 운동장을 확보하여 사육하는 형태를 가두리형 사육 방법으로 분류합니다. 이것은 다시 사계절 일정한 공간에서 이동 없이 사육하는 완전 가두리형과 먼저 언급했던 방목 가두리형으로 분류됩니다.

완전 가두리형 사육 방법은 좁은 구역에 축사와 운동장을 마련하여 사계절 볏짚, 건초, 농가 부산물 들과 구입 사료(농후 사료)에 의존하여 사육하는 형태입니다. 축사는 원래 있던 우사나 돈사, 양계장을 활용할 수 있는데 흑염소는 다른 가축에 비해 오염 물질을 덜 배출합니다. 또한 노인들이나 아이들도 일을 거들 수 있고 시설 투자비가 적은 반면, 지나치게 사료 구입비와 인건비가 많이 든다는 단점이 있습니다. 그래서 가두리와 방목을 적절히 혼합한 방목 가두리형 사육 방법을 잘 활용한다면 사료비와 시설 투자비를 많이 절감할 수 있습니다. 그래서 이 조건을 기준으로 사육 방법을 설명하겠습니다.

축사는 비를 철저하게 가려주고(염소는 습기와 물을 아주 싫어함) 바람이 잘 통하고 볕이 골고루 드는 곳에 짓습니다. 염소는 추위에는 강하지만 더위에는 약하므로 튼실한 기둥에 지붕을 갖추는 정도로 하며, 분만용이나 숫염소 격리용 방을 한 칸 또는 두 칸 정도 마련하면 좋습니다. 울타리는 주로 X자형 철망을 쓰는데 높이는 140㎝ 정도가 적당합니다. 흑염소는 한 번 탈출하면 계속 비집고 나오기 때문에 처음부터 울타리에 신경 쓰지 않으면 낭패를 보게 됩니다. 흑염소를 약 올리기 명수로 만들지 않으려면 빠져나오는 재미를 주면 절대 안 됩니다.

흑염소는 울타리에 털 문지르기를 좋아하므로 기둥을 튼튼하게 만들고, 뿔로 들어 올리거나 망이 아래로 쳐지는 것을 방지하기 위해서 철망 위·아래는 특히 신경 써야합니다. 주변의 농가에서는 철근이나 하우스용 파이프를 많이 사용하는데, 기둥과 기둥 중간 중간에는 돼지꼬리형 말뚝으로 철근이나 하우스 파이프를 반드시 고정해야 합니다. 또 고랑이나 움푹 팬 곳은 돌을 채워 넣고 시멘트 등으로 고정시켜야 합니다. 사료통은 가급적 길고 좁게 설치하고, 통으로 들어가지 못하게 20~30cm 간격으로 사잇대를 설치하면 좋습니다. 풀이나 짚을 주는 시렁은 주기 편하고 빼먹기 좋게 벽에 붙여 설치하며 축사 안에 두는 것이 좋습니다.

흑염소 고르기

흑염소를 구입하는 제일 좋은 방법은 전문가의 조언을 듣거나 함께 가는 것인데, 전문가마다 기준이 달라서 혼동이 올 경우도 있습니다. 여러 마리를 한 번에 구입하고자 할 때는 어미 염소와 새끼 염소를 같이 구입하는 것이 좋습니다. 한 번도 키워 보지 않은 상태에서 새끼 염소만 구입하면 실패할 수도 있고, 어미의 출산 능력을 확인하는 차원에서 함께 구입하는 것을 권합니다.

또한 흑염소를 구입하는 곳이 사육할 장소에서 가까울수록 좋습니다. 부득이 멀리서 구입하고자 하면 스트레스 예방약을 주사하고 데려옵니다(염소의 성격상 스트레스를 많이 받음). 임신한 염소는 임신 초기에 구입하고, 어미 염소는 대체로 생후 2년생이 가장 좋습니다. 또한 염소는 서열을 중시하므로 될 수 있으면 위계질서가 잡힌 한 장소에서 구입하는 것이 좋습니다. 새끼 염소는 산후 120~150일 정도 된 것이 가장 좋으며, 털에 윤기가 흐르고 여기저기 산만하게 뛰어 다니는 것이 건강한 상태입니다. 눈곱이나 콧물이 흐르지 않고 꼬리가 치켜 올라간 것이 좋습니다. 모든 염소의 구입 시기는 먹이가 풍부한 5~6월이 좋으며, 자연 교배를 한다면 씨염소 1마리에 암염소 8~9마리가 적당합니다.

숫염소는 이마와 턱수염이 덥수룩하게 나 있고 튼튼한 뿔과 큰 고환, 그리고 보기에도 사납고 사지가 굵고 강건한 2년생 이상이 좋습니다. 참고로 숫염소의 교배 적령은 3~5년생일 때가 가장 왕성합니다. 번식용 암염소는 배가 아래로 처지지 않고, 유방이 배에 넓고 깊게 붙어있고, 유방의 핏줄이 굵고 크며 젖꼭지 사이가 넓은 것이 좋습니다. 흑염소의 출산 능력은 4~6세 때가 가장 왕성하며 수명은 12~15세 정도로 알려져 있습니다. 흑염소의 나이는 대개 외모로 구분하는데 뿔의 주름이나 이빨로 알 수 있습니다. 초보자가 이빨로 판단하기는 어려우니 간단한 뿔의 주름으로 어느정도 가늠하면 됩니다. 흑염소의 뿔을 잘 관찰하면 1세 미만은 뿔 자체가 연하여 벗겨지기가 쉽고, 2세에 접어들면 비로소 1개의 각륜(둥근 주름)이 생깁니다. 이때부터 해마다 1개씩 주름이 생기므로 그 갯수를 세보면 됩니다.

번식 생리와 나이

흑염소는 1년 내내 발정과 교미를 하는데, 일조 시간과 깊은 관계가 있어서 일조 시간이 짧아지는 시기에 발정을 합니다. 이때가 대체로 가을부터 이른 봄 사이입니다. 4월 이후부터 초가을까지는 발정이 멎는 경우도 있어서 출산 주기는 평균 2년 동안 3번으로 잡습니다. 번식에 알맞은 나이는 수컷은 18개월 이상, 암컷은 1~8년까지며 너무 이르거나 늦은 경우 발육과 생식력이 눈에 띄게 떨어집니다.

기르는 마리 수가 많은 경우에는 적당한 시기를 조절하기 어려워서 자연 상태로 맡기다 보면 생식력이 떨어질 수 있습니다. 그렇다고 소처럼 암수 따로 사육할 경우 발정 징후와 교배 적기를 놓칠 우려가 많기 때문에 알아서 하도록 놔두는 경우가 대부분입니다. 하지만 숫염소는 어릴 때부터 분리시키는 것이 필요합니다.

흑염소의 임신 기간은 152일이며, 출산 뒤 다시 발정은 3~7일 사이에 옵니다. 흑염소의 발정 주기는 18~23일(평균21일)이며 발정 지속기간은 가을에서 초겨울은 2~3일, 늦겨울에서 초봄은 1~2일, 늦봄에서 여름은 12~20시간으로 점점 짧아집니다. 흑염소는 대부분 1~2월이나 6~7월에 분만합니다. 가장 추울 때와 장마 때 분만하므로 관리하기 어려워 새끼 염소가 잘 죽기 때문에 경제적 손실이 많을 수도 있습니다. 그렇다고 계획을 세워 분만하려고 해도 복잡한 암컷의 발정 주기 계산과 합방일시 계산, 숫염소의 철저한 분리 같은 머리 복잡한 일들을 감내해야 합니다(계획 분만에 관한 내용은 전문 서적을 참고하세요).

흑염소 돌보기

초봄부터 여름까지는 부드럽고 연한 풀들이 돋아나는 시기인데, 이런 것을 갑자기 뜯어먹으면 겨울 동안 볏짚이나 건초로 단련된 위장이 놀라서 설사를 하게 됩니다. 이럴 때는 풀들이 좀 단단해질 때까지 기다렸다가 방목장에 내보내는 것이 좋습니다. 갓 태어난 아기 염소들은 방목시키지 말고 따로 격리합니다.

여름이 되면 장마와 무더위로 가장 약해지는 시기인데, 저항력도 떨어지고 모기·파리 등의 해충 피해도 많아집니다. 나무 그늘이 없으면 차광막을 설치하고 축사 안에 습기가 차지 않도록 해야 합니다. 소금을 충분히 줘서 저항력을 회복할 수 있도록 하며 늘 깨끗한 물을 넉넉히 공급해야 합니다.

가을이면 분만과 발정이 왕성한 시기이므로 영양 관리와 보온에 신경을 써야 합니다. 기생충을 없애 주고 겨울에 먹을 조사료(배를 든든하게 채우는 먹이. 볏짚, 건초, 콩깍지 따위)와 새끼들을 위한 부드러운 조사료도 준비합니다.

겨울에는 아주 추울 때 출산하므로 특별히 보온에 신경 써 새끼 염소가 얼어죽지 않도록 합니다. 조사료는 썰어서 공급하고 농후 사료의 급여량도 조금씩 늘려서 추위에 적응하도록 합니다. 물이 얼지 않도록 관리하며 따뜻한 낮에는 운동을 충분히 시켜서 운동 부족을 예방합니다.

토종흑염소는 체질 자체가 건강하고 질병에 강하지만 실제 사육 농가에서는 여러 가지 질병으로 어려움을 겪는 경우가 종종 있습니다. 가장 좋은 것은 예방이기 때문에 사전에 질병을 일으키는 요인을 막는 것이 무엇보다 중요합니다. 더러운 사육 환경이나 습한 실내, 운동 부족, 영양 불균형 같은 요인들을 하나하나 제거하고 쾌적한 환경을 조성하면 흑염소 자체의 저항력으로 질병을 이길 수 있습니다. 흑염소만을 위한 약제와 치료 방법이 따로 없는 지금, 예방은 어떤 치료 방법보다 우선입니다.

방목지에서 맛있고 몸에 좋은 것만 귀신같이 찾아내는 흑염소, 그래서 맛도 좋고 영양도 좋고 건강에도 최고라는 흑염소. 농가 경제에 그리 큰 보탬이 되지는 않지만 남는 일손을 조금만 들인다면 농가 부산물도 활용하고 잡초 제거에도 큰 힘이 되니, 남의 밭 농작물을 망쳐서 돈을 물어 주더라도 길러 볼 만합니다. 이 정도면 귀농 가족과 함께 할 수 있는 자격을 충분히 갖추지 않았을까요.

낭만 또는 고통, 벌과 같이 살기

박주택 양봉. 강원 춘천

귀농 초기에 우연히 양봉을 알게 되었는데, 어느새 벌들에게 푹 빠져버렸습니다. 때로 일이 고달플 때면 내가 벌을 받아서 벌들과 같이 살고 있나… 하고 웃기도 하지요. 벌들이 바쁘면 같이 바쁘고 벌들이 쉬면 같이 쉬는, 어엿한 한 식구입니다.

    우리가 벌에 대해 갖고 있는 관념과 경험은, 예이츠의 시에 나오는 '아홉 이랑 콩밭과 꿀벌통 하나 / 벌들이 윙윙대는 숲 속에 나 혼자 살으리' 같은 낭만이거나, 또는 백마고지 앞에서 녹화 작업하다가 벌에 쏘여 떼굴떼굴 구르던 고통 따위가 대부분일 것입니다. 어여쁜 꽃과 공생하는 생명이면서 또한 사람을 죽일 수도 있는 몇 안 되는 곤충이기도 합니다.

한 몸처럼 움직이는 벌 사회

자연의 모든 생명체가 그렇듯이 벌의 사회에도 질서가 있습니다. 벌은 한 마리가 독립해서 살 수 없는 집단 생활을 하기에 그 질서는 더욱 정교합니다. 여왕벌 · 일벌 · 수벌은 자신의 역할에 충실합니다.

갓 태어난 일벌은 이틀 동안 자기가 태어난 집을 청소하다가 3일째가 되면 동생인 유충들에게 꿀에 화분을 개어서 먹입니다. 6~7일이 지나면 로얄제리를 분비하고, 12~18일 사이에는 여왕벌이 알을 낳을 공간을 만들고, 꿀이나 화분을 채울 수 있도록 밀랍을 만들어 벌집을 짓는 따위의 집안일을 다한 뒤에는 바깥일을 하기 시작합니다. 꿀을 발견한 정찰벌은 돌아와 원무圓舞나 꼬리춤을 추어 꿀이 있는 곳의 방위와 거리를 동료들에게 알립니다. 마치 큰 벌이 동시에 여러 가지 일을 할 수 없어서 편의상 몸을 쪼개어 한 몸처럼 일하는 것 같습니다.

지구가 하나의 생명체라고 하는 가이아 이론을 빌리지 않더라도 벌 집단을 한 마리의 공간적 벌이라고 생각할 수 있습니다. 페르몬, 촉각, 날갯짓, 춤, 소리, 냄새를 발산하는 여왕벌에 대한 공명 현상과 고도로 정교한 분업은 개체 사이의 공간적 거리를 메워주고 있습니다. 분봉을 앞둔 벌들이 며칠동안 서로의 몸을 띠로 연결하는 훈련을 한 뒤, 1~2만 마리가 좁은 문을 통해서 순식간에 쏟아져 나올 때는 숨을 멈추고 꼼짝 않고 지켜보게 됩니다. 벌은 생명과 생명 사이에는 연결고리가 있고 순환 체계에 포함되어 있다는, 진정한 의미의 질서를 가르쳐 주고 있습니다.

집안 일을 마친 벌은 밖에 나가 꿀과 꽃가루를 물어오는 바깥 일을 합니다. 벌들은 갑자기 해가 가리고 찬바람이 몰아쳐서 몸이 마비되어 돌아오지 못할 정도인 이른 봄의 차가운 날씨에도 꽃가루를 수집하러 집을 나섭니다.

더운 여름날에는 애벌레들의 육아 온도를 유지하기 위하여 벌집 안에서부터 벌이 드나드는 입구까지 한 줄로 서서 날갯짓하는 모습을 볼 수도 있고, 심지어 물을 날라 와서 벌집 윗부분에 채워 실내 온도를 낮추기도 합니다. 추운 날에 벌집을 들어내면 알과 유충을 온몸으로 덮고 날개를 떨어 어깨에 있는 히터를 트는 모습을 볼 수 있습니다.

꿀이 들어오는 날이면 밤새도록 묽은 꽃꿀을 먹고 효소를 섞어 뱉기를 반복하며 봉밀(우리가 먹는 상태의 꿀)로 농축시키는 소리가 마치 파도소리 같습니다. 벌침은 왕국의 안녕을 지키는 일 이외에는 이유 없이 사용하지 않습니다. 벌침은 수벌에게는 없으며 일벌과 여왕벌에게만 있습니다. 여왕벌의 침은 톱니처럼 돋은 갈고리가 작아서 여러 번 사용할 수 있지만 일벌의 침은 갈고리가 커서 한 번 박히면 빠져나오지 못하도록 진화했습니다. 생명과 바꾸는 행위임을 알면서도 공격할 때는 전혀 주저하지 않습니다. 일벌은 바깥 일이 힘에 부칠 정도로 나이가 들면 벌 나들문(소문)을 지키다 장렬히 전사하거나 왕국에 부담을 주지 않기 위해 제 발로 기어 나와 최후를 맞이합니다. 강요된 노동이 아니라 한 몸의 팔다리처럼 자기 역할을 헌신적으로 수행합니다. 자연의 세계에는 묵묵히 생명 활동을 하는 헌신이 바탕에 놓여있습니다.

벌은 민주적입니다. 우리는 여왕벌이라는 호칭에서 절대군주제를 떠올리지만 일벌들의 자발적인 선택과 옹립에 의해서만 왕으로서의 권위를 지니게 됩니다. 그 권위는 명령하고 군림하기 위한 것이 아니라, 왕국의 영속을 위해서 알을 낳는 역할에 한정됩니다. 벌들이 많아져서 왕국이 비좁아지면 분봉을 하는데, 남는 어린 벌들이 굶어죽지 않도록 먹이가 풍부하고 새로 태어날 번데기가 많아야 시도합니다. 이 모든 의사 결정은 일벌들이 하며 여왕은 새 여왕벌이 태어나기 이틀 전에 왕국을 물려 주고 집을 떠납니다. 민주적인 사회의 구성원은 평등하고, 정치적인 술수와 투표가 없으며, 장기 집권이 없습니다.

새 왕국의 출발, 봄

겨울을 나고 이른 봄 여왕벌이 알을 낳기 시작하면서 왕국의 한 해가 출발합니다. 알이 3일 만에 부화하여 애벌레가 되면 벌들은 꽃가루와 꿀을 물로 반죽하여 먹이기 시작합니다. 꿀은 남은 월동식량을 이용하지만 저장된 화분이 부족한 때여서 화분과 물을 모으러 벌 나들문을 나서게 됩니다. 이때를 전후하여 벌집 안을 살펴서 규모, 먹이의 양, 여왕벌의 생사, 알 낳기, 질병 들을 살핍니다.

겨울을 나다가 죽은 벌들 때문에 넓어진 공간을 놔두면 벌들이 뭉쳐있지 못해서 육아 온도를 맞추지 못하므로 일부 벌집을 빼내어 벌들을 강하게 밀착시킵니다. 여왕벌이 죽었거나 힘이 약한 벌통이 있으면 다른 벌통과 합치면 됩니다. 먹이와 꽃가루떡을 넣어 주고 급수기로 물을 주는 것으로 벌과 함께 하는 한 해가 시작됩니다.

일벌은 유충으로 부화한 지 6일 만에 스스로 덮개를 씌워(봉개) 번데기가 되고, 12일이 지나면 어린 벌로 태어납니다. 여왕이 될 알과 일벌이 될 알이 따로 있는 게 아니라 번데기가 되기 전까지 유충에게 계속 로얄제리를 먹이면 일벌보다 반나절 빠른 5.5일 만에 번데기가 되고, 총 7.5일 만에 여왕벌로 태어납니다. 일벌보다는 5일 빠른 셈입니다. 그래서 신비의 로얄제리라고 부르나 봅니다. 3월 중·하순이면 겨울을 난 벌들이 수명을 다하여 개체 수가 줄어들지만, 곧 새로 태어나는 벌들로 인해 벌통 안이 비좁게 되므로 규모에 따라 계속 벌집을 보충해주면서 유밀기流蜜期(꿀 따는 시기)를 준비합니다. 벌의 수가 늘어나고 여왕벌의 알 낳을 공간이 부족할 정도로 봉판이 번데기로 가득하면 벌들은 분봉 준비를 합니다.

벌집 아래쪽에 수벌방을 만들기 시작하면 분봉의 신호입니다. 수벌은 여왕벌보다 8일이나 늦은 산란 후 24일 만에 태어나는데, 탄생 시차를 이용하는 벌들의 지혜라 하겠습니다. 그 다음 여왕벌을 길러내기 위해 왕 알그릇(왕완)을 만들어 알을 낳은 뒤, 부화한 여왕벌 애벌레를 기르면서 덮개를 높이 쌓아가다가 벌 덮개를 덮으면 아주 큰 번데기방인 왕집이 만들어집니다. 이렇게 자연 왕집이 만들어지면 분봉하게 됩니다.

이와는 다른 상황에서 왕집을 만들기도 하는데, 늙고 산란력이 떨어진 여왕을 바꿀 목적으로 경신更新 왕집을 짓거나 왕이 사고를 당해 없어지면 변성變成 왕집을 지어 새로운 여왕을 키워냅니다. 이때에는 분봉이 이루어지지 않습니다. 요즈음은 균등하고 우수한 여왕벌을 확보할 목적으로 플라스틱 왕 알그릇에 로얄제리를 바르고 애벌레를 넣어 주어 인공 왕집을 만드는 방법이 널리 쓰이고 있습니다. 이 방법은 양봉인이 원하는 시기에 여왕을 바꾸거나 벌통을 늘릴 때 활용됩니다.

분봉이 이루어지면 출방 후 교미에 성공하더라도 10여 일이 넘어야 알을 낳기 시작할 새 여왕과 집안의 일을 하는 어린 벌들의 절반만 남게 되어서 유밀기가 되어도 꿀 수확을 크게 기대하기 어렵습니다. 그래서 수벌방과 왕집을 제거하거나 여왕벌의 겉날개를 자르고 빈 벌집을 넣어주는 등 분봉을 억제하기도 하지만 계절에 따른 자연 현상인 분봉을 근본적으로 억제할 수는 없습니다.

이때부터 유밀기까지의 기간이 씨벌을 분양하는 양봉인에게는 벌을 늘리는 가장 좋은 시기가 됩니다. 그러나 꿀 수확을 위해서는 유밀기 이전에 새 여왕을 양성하여 옛 왕과 바꿔주거나 2층 이상 벌통을 포개놓기도 합니다.

봄벌 관리의 최대 목적은 꿀을 잘 따는 무리를 만드는 데 있습니다. 한 통에는 홑통의 경우 10매 또는 12매의 벌집에 벌이 가득 차고, 덧통은 1층의 산란·육아실 뒤에도 벌집으로 가득 채운다면 2층을 포함해 20매의 벌집에 벌이 가득한 상태가 되는데, 이를 만상(벌이 가득찬 통)이라 합니다. 홑통의 경우 3~4매의 벌집으로 산란·육아실을 만들어 왕 가름판으로 여왕을 격리시키고, 나머지 6~7매의 벌집은 꿀 저장실로 활용하기도 합니다.

유밀기를 앞두게 되면 각종 질병 처리를 중단하고 저장된 먹이를 털어내어 순수한 벌꿀을 받아들일 준비를 합니다. 시중에 판매되는 벌꿀들을 분석하여 발표한 내용에 따르면 85% 이상의 꿀에서 설탕과 항생제, 심지어 농약까지 검출되었다고 합니다. 아무쪼록 믿음을 회복하는 양봉이 되어야겠습니다. 각종 질병은 반드시 치료해야 하지만 벌과 그 꿀을 먹는 인간에게 해로운 약제의 사용과 남용은 피해야 합니다.

꽃향기 따라서, 유밀기

같은 꽃이라도 개화 시기는 남북의 위도와 해안과 내륙이라는 지역적 차이에 따라 달라집니다. 제주도에서는 3월부터 유채꽃에서 꽃꿀이 반입됩니다. 최근 남도 지방에서도 유채를 심는 지역이 늘어나고, 사라졌던 풋거름 식물인 자운영의 재배지가 늘어나면서, 4월에도 봄벌의 식량 구실을 해 꿀따기가 이루어지기도 합니다. 그러나 대부분 5월 아까시 대밀원기를 유밀기라 합니다.

아까시꽃은 5월초 남부 지방을 시작으로, 중순에 충청·경기 지역, 하순에는 강원 북부 지역에서 꽃이 피기 시작합니다. 이동 양봉인들은 꽃 피는 시차를 이용하여 두 곳에서부터 네 곳 이상 양봉지를 옮기면서 벌과 함께 꽃을 따라 북상합니다. 한 지역에서 두 차례 이상 채밀이 이루어지기도 하지만 꽃이 떨어지고 꿀이 줄어들게 되면 꽃이 핀 지역으로 이동합니다. 이동은 벌이 돌아오는 황혼에서 새벽 안에 이루어져야 하며 시간이 짧게 걸릴수록 좋습니다.

아까시꽃이 자취를 감추게 되면 밤꽃이 필 때까지 보름 정도 사이에 벌들은 산과 들에 피어난 다양한 야생화에서 짙은 황갈색의 꿀을 따옵니다. 꿀 따기는 주로 새벽에 시작하여 해뜨기 직전에 마치는 것이 이상적인데, 수분 함량이 낮은 충분히 농축된 꿀을 얻기 위해서입니다. 밤꽃은 중부지방의 경우 6월 중순부터 7월 초까지 꽃이 피고 꿀도 많아 훌륭한 꿀샘(밀원)이 됩니다. 하지만 꽃이 활짝 피는 시기에 장마가 겹치게 되면 변변히 꿀을 얻지 못하기도 합니다.

이동이 끝나는 곳은 야생화와 밤나무가 많은 지역으로 정하는 것이 유리합니다. 대부분의 양봉인은 밤꿀을 딴 뒤 이동을 중지하며 충분한 먹이와 꽃가루떡을 주고 새 여왕을 양성하여 벌통을 다시 편성하는 등 장마와 무더위를 대비합니다. 유밀기 끝무렵은 인공 왕집으로 미리 새 여왕을 양성하여 편재한 교미통을 이용해 벌통 수를 늘리기 좋은 시기입니다.

장마와 무더위의 위협, 여름

유밀기가 잦은 꿀 따기와 이동으로 집중해서 일하는 시기라면, 여름은 벌과 양봉인에게 괴로운 시기입니다. 곰팡이 때문에 애벌레가 석고처럼 흰색으로 굳어지는 백묵병, 애벌레와 번데기뿐만 아니라 벌에게도 기생하여 체액을 빨아먹는 응애(속칭 진드기)가 생길 수 있습니다. 뿐만 아니라 꿀벌의 질병 가운데 가장 전염성이 강하고 치명적인 부저병은 포자에 의해 감염되며 유충을 갈색의 끈끈한 액체로 녹여버립니다.

노세마병은 단세포 원생동물인 병원체가 벌에 기생하여 생기는데, 벌의 수명이 40% 가량 단축되고 알이 부화하지 못하는 병입니다. 이 병이 생긴 상태로 겨울을 나면 양봉을 아주 망치기 쉽습니다. 이 병은 기온이 높은 여름에 잠깐 잠잠할 뿐 이른 봄과 가을에 주로 발병합니다. 그밖에도 마비병, 설사병 등이 있습니다. 질병을 예방하기 위해서는 장마철에는 습기를 줄이기 위해 환기를 잘 시키고, 무더위를 피해 서늘하고 그늘진 곳으로 벌통을 옮길 수 없다면 복사열을 방지하기 위해 벌통 위에 보온재를 덮어주어 산란과 육아가 유지되도록 합니다.

이 시기에는 피나무를 시작으로 산초나무, 싸리 등이 차례로 꽃을 피우지만, 다른 계절에 비해 꿀샘 식물의 수가 적습니다. 그나마 장마와 더위로 바깥 일이 중지되는 경우가 많아서 먹이와 꽃가루떡의 보충은 필수입니다. 이렇게 꿀이 없을 때는 강한 벌통에서 약한 벌통으로, 왕이 있는 무리가 왕이 없는 무리로 침입하여 꿀을 훔치는 도봉이 심합니다. 도봉당한 벌통에서는 먹이가 부족해서 산란과 육아가 어려워 심한 경우 굶어죽기도 하지만, 전쟁이라도 일어나면 나들문 앞에는 벌들의 시체가 즐비하게 됩니다. 이때에도 싸리 등 꿀샘이 풍부한 지역에서는 꿀 따기가 가능하지만 여름이 지나서 무리하게 꿀을 따게 되면 벌의 생명을 위협하므로 자제해야 합니다.

가을을 지나 겨울나기

더위가 물러나고 아침저녁으로 선선한 기운이 돌기 시작하면서 산과 들에는 다시 꽃들이 다투어 피어납니다. 교체된 새 여왕은 왕성하게 알을 낳고 일벌들은 육아와 바깥 일에 전념하여 왕국은 활기를 되찾습니다. 그때까지 살아남은 수벌들은 왕국에서 조용히 자취를 감춥니다. 가을 벌 관리는 겨울을 잘 나도록 기르는 것이 목표입니다. 7월 하순부터 벌통 주위를 탐색하던 장수말벌과 황말벌 들이 가을철 내내 나들문 앞에서 벌들을 공격하고, 왕잠자리들이 벌통 위를 선회하며 돌아오는 벌들을 낚아채가니 피해가 심각합니다. 벌이 늘지 않거나 줄어든 벌집은 과감히 합치고, 세력에 따라 벌집을 빼내 벌들을 강하게 밀착시킵니다.

가을에 태어나는 벌이 겨울을 나고 봄까지 살아남아 육아와 바깥 일을 하므로 알 낳기를 촉진하는 동시에 산란권에 제한을 주지 않는 범위에서 여러 번 먹이를 공급해 겨울을 날 식량을 비축해 나갑니다. 알 낳기를 멈추고 먹이 저장도 끝나면 10월 중순에 벌집을 줄입니다. 최소한 5매 이상의 벌집에 강하게 벌을 붙여야 다음해의 꿀 따기를 기약할 수 있습니다.

초겨울 날씨를 보이는 11월이 되면 벌 나들문을 좁히고 벌통 안에 보온재를 넣어 주었다가 영하 5℃ 이하의 날씨가 되는 때를 기다려 벌통 겉을 보온해 주면서 어느정도 마무리합니다. 어린 벌의 비율이 높고 세력이 강한 무리에서 충분히 저장된 먹이와 꽃가루, 병이 없는 상태, 적절한 보온과 환기, 습기가 없고 쥐의 방제가 이루어졌다면 이상적인 겨울나기 준비라 하겠습니다. 겨울이면 양봉인은 벌나들문 앞에 쌓인 눈을 치우고 죽은 벌들을 꺼내 환기를 도우면서 겨울잠 자는 벌과 함께 휴식에 듭니다.

'벌 받기' – 양봉은 할 만한 것인가?

　제가 생태적인 삶을 살기 위해 농부가 되면서 낯선 양봉을 선택한 것은 우연히 방문한 선배의 양봉장에서였습니다. 꿀은 수십 년 이상 상하지 않을 정도로 저장성이 좋고, 유밀기 말고는 자주 시간을 내지 않아도 되며, 일반 가축과 달리 농한기가 있다는 점에 끌렸습니다. 농사를 배워가는 2~3년은 수입을 장담할 수 없어서 정착하는 동안만 하려고 했는데 그 후로도 농사와 더불어 계속하고 있고, 앞으로도 그럴 작정입니다.

　몇 년 전 우리 동네뿐만 아니라 인근 지역 아이들 오륙십 명 정도가 모여서 여름 캠프를 했습니다. 짬을 내어 황토염색을 함께 하기로 했는데 내 소개가 끝날 즈음 어떤 아이가, "아저씨 왜 벌을 길러요?"하고 물어서 나도 모르게 "벌 받아서 그래요." 라고 대답해서 모두 깔깔 웃은 적이 있습니다. 그때부터 '벌 받은' 동네아저씨가 되었습니다. 양봉을 처음 시작하려면 먼저 벌을 받아야 합니다.

　'벌은 받을 만한 것인가?' 라는 물음에 답하기 전에 몇 가지 사항을 짚어보겠습니다. 먼저 양봉할 장소가 확보되어야 합니다. 우선, 꽃이 풍부해야 하고, 농약과 소음 등의 피해가 없어야 합니다. 한 지역에 붙박혀 벌을 기를 수도 있지만 이동하며 양봉하려면 사전 답사로 여러 곳에 장소를 정해 놓아야 합니다. 이미 자리잡은 곳이라도 벌들이 꽃으로 가는 중간 지점에 다른 벌통이 끼어들어 벌과 꿀을 잃는 낭패를 볼 수 있습니다.

　무겁게 가득 찬 벌통을 여러 층 싣고 내리기를 반복하려니 고단하기도 하거니와 한밤중에 이동하고 일하다 보면 잠이 부족할 수도 있습니다. 짧게는 몇 주에서 길게는 여러 달 집을 떠나서 야영을 하기도 합니다. 물론 이런 떠돌이 생활이 양봉의 매력이라고 할 수도 있습니다. 꿀 따기는 그날 새벽에 일어나 최대한 빠른 시간 안에 끝내야 하고, 가지고 있는 벌통 수에 따라 다르겠지만 적어도 4명에서 5명의 인원이 동원되어야 합니다.

양봉은 해마다 수확량의 편차가 심한 일입니다. 아까시꿀만 예로 들면, 이동 양봉으로 평균 4번 정도 채밀할 수 있는데, 2004년에는 단 한 번, 그것도 조금밖에 따지 못하는 최악의 경우도 있었습니다. 이렇게 양봉은 농사나 축산에 비해 날씨에 더 큰 영향을 받습니다. 양봉은 꿀뿐만 아니라 꽃가루, 프로폴리스, 벌침에 활용되는 봉독, 밀랍 등을 생산할 수 있습니다. 이런 산물 이외의 수입으로는 씨벌 분양과 농작물의 꽃가루 수정을 위한 봉군 임대 등 다양합니다. 부지런하고 노력하는 양봉인은 꿀보다 다른 일에서 더 큰 수입을 올립니다. 그리고 수확한 꿀의 판로를 확보하는 노력이 계속되어야 합니다. 벌의 생태를 알고 돌보는 방법을 배우기 위해 관련 서적을 탐독하는 것은 필수입니다. 그러나 그것은 1년 이상 경험자의 지도를 받는 것보다는 못합니다. 과연 양봉은 할 만한 것일까요?

추천 도서
「신제 양봉학」 최승윤, 집현사
「양봉 사계절 관리법」 조도행, 오성출판사

추천 사이트
효선이네 벌꿀 hysunbee.netian.com
한국양봉협회 korapis.or.kr

| 4 | 농가의 소박한 살림살이

내 맘대로 만들어 깊은 맛 내기

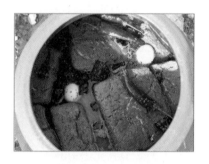

정현수 농부. 전북 정읍. 한살림 정읍전주 대표. 귀농운동본부 이사.

간장 된장 고추장 청국장을 만드는 '자연건강'을 꾸려가고 있습니다. 유쾌하고 씩씩하게 열심히 살면 더 무엇을 바랄까 하고 룰루랄라 살고 있습니다.

지금 농촌에서는 소규모로 해서 돈 될 일이 별로 없습니다. 우리 지역 유기농지회 총무님은 시골로 오면서 농업기술센터에 가서 처음부터 이렇게 물어보셨다고 합니다. '나는 전혀 아는 것이 없다. 시골에 와서 뭘 하면 좋은지 가르쳐 달라.' 그 농업기술센터 어떤 분의 대답인즉 이렇습니다.

'제일 돈이 되는 것은 축산이다(실제로 한우의 경우 몇 년 동안 상당히 수입이 좋았습니다). 그러나 축산업의 소, 돼지, 닭은 일종의 동산이다. 그러므로 한 번 병에 걸리거나 하면 밑천 자체가 홀라당 날아갈 위험이 있다. 그 다음 돈 되는 것은 비닐하우스 재배다. 단기간에 수익을 올릴 수 있지만 하우스 재배의 단점은 일이 무지 많고 여름철 비닐하우스 작업은 그냥 힘든 정도가 아니다. 그 다음이 과수 재배인데, 그 중에 사과는 수출이 안 되어 값이 떨어질 때 탈출구가 없고 농약을 일 년에 수십 번 쳐야 할 정도로 많이 친다. 그래서 처음 하는 사람이 하기 힘들다. 포도는 무농약 재배도 비교적 쉽고 단기간 수확에 돈은 되는데, 수확기의 일기 변화에 영향을 많이 받아 한 번에 썩거나 병들 수도 있다.'

(이것도 이젠 옛 이야기지만) 그래서 이 분은 배를 재배하기로 했습니다. 배는 수출이 가능하고 사과보다는 약을 적게 하면서(년 14회 정도) 봉지를 씌우니 저농약 재배가 그래도 가능하다고 보았기 때문이었습니다. 이 분은 현재 9천 평 정도의 배 과수원에 친환경농업 저농약 표시 신고를 하고 수출도 합니다. 부부가 부지런하면 6천 평 정도가 손수 할 수 있는 규모라는데 그보다 작으면 가격이 떨어질 때 수입 보장이 안 된다고 합니다. 9천 평 농장은 좀 벅찬 규모라서 액비 투입, 농약 살포 등을 트랙터로 거의 반자동화 했습니다.

아무튼 기술센터의 조언을 마무리하자면, 그 다음이 밭작물이고 맨 꼬랑지가 쌀이었습니다. 그나마 추곡수매가 폐지되고 수입개방을 앞두고 있는 지금 새삼 논농사를 짓겠다고 나서기가 쉽지 않을 것입니다.

그래서 우리가 생각한 탈출구는 가공입니다. 관광농업도 하기 나름으로 괜찮다고 생각합니다. 하지만 관광농업은 도시 손님들 맞이하고 뒤치다꺼리를 기꺼이 할 수 있는 여건과 여유, 분위기가 될 때 의미있는 것이고, 한편으로 농촌의 부가가치를 높이려면 꼭 필요한 부분이므로 따로 얘기되어야 할 것 같습니다.

지금 농촌은 누가 봐도 어렵습니다. 이제 이 농촌이 살아나는 데는 정책적인 지원이나 도시와의 교류를 통해 자본과 사람이 흘러들어오지 않으면 힘들다고 봅니다. 그나마 자생력으로 살아남을 수 있는 방법이 있다면 그것은 농가공일 것입니다.

현재 대기업과 규모가 큰 중소기업들이 하고 있는 농산물 가공을 농민이 직접 할 수 있도록 제도적으로 받쳐 준다면 농산물의 부가가치를 높이고, 소비자와 생산자가 바로 만날 수 있으며, 소비자가 농촌을 들여다보고 관심을 가지는 계기가 될 수도 있을 것입니다. 한 예로 과실주를 과수농가에서 직접 제조해서 팔 수 있으면, 수확물을 한꺼번에 판매해야 하는 부담에서도 벗어날 수 있고, 크기가 작거나 때깔이 덜 좋은 유기농 농산물도 가공을 거쳐 시간을 두고 판매하면 제값을 받을 수 있습니다.

저희는 농산물과 주변에 있는 자연 재료들을 가지고 이것저것 만들어 보았는데 꼭 돈이 되어서라기보다 뭐든 해보고 싶은 호기심에, 그리고 있는 재료니까 그냥 버리기 아까워서, 또는 시골에 살면서 이 정도는 기본으로 해야지 하는 마음도 많았습니다. 그 동안 도시 살림이라 못했던 것들을 죄다 해 보고 그 작품(?)들을 누리면서 살고 싶은 상당히 비경제적인 기분이라고나 할까요. 사계절을 한 바퀴 돌면서 빠뜨리지 않고 다 한 번씩은 해 보자고 생각했던 탓으로 어느 한철 빤한 날 없이 분주했습니다.

농촌에서는 해 볼 수 있는 것이 참으로 많습니다. 큰 수퍼마켓에 가서 하나하나 뜯어보면 상당수의 식품들이 농가에서 만들 수 있는 것들입니다. 그리고 그 식품들을 들고 보면 국산 원료를 쓰는 제품은 거의 없습니다. 유기농 매장 정도에나 있을까(거긴 또 수입 유기농산물이 많지요) 거의 모든 식재료에는 어김없이 원산지가 다른 나라로 적혀 있습니다.

식초, 간장, 된장, 고추장, 조청, 엿기름, 미숫가루, 메줏가루, 포도주, 참기름, 들기름, 잼, 그밖에 각종 분말제품과 건강식품, 포도즙 배즙 같은 음료, 환으로 된 제품들, 말린 나물이나 온갖 김치류, 장아찌 종류들… 종류는 정말 무수히 많습니다.

짬짬이 만들어서 한 달에 몇 십만 원 수입이라도 될 수 있다면 농가 살림에는 크게 도움이 됩니다. 말로는 농가에서 조금씩 만들어 파는 것은 허가 없이도 된다고들 하지만 현행법상 가공식품을 인터넷에 올리기라도 할라치면 대번에 허가 문제가 걸립니다. 그리고 허가를 받으려면 '제조업'에 들어가기 때문에 오폐수 처리시설을 비롯한 시설 문제와 각종 세금 정산 같은 것들이 상당히 복잡해집니다.

무얼 해야 잘 만들 수 있고 돈을 벌 수 있을까를 점치는 것은 쉽지 않겠지만 일단 주변에서 쉽게 구할 수 있는 재료를 택해야 하고, 자기가 좋아하거나 잘 할 수 있는 품목을 정하는 게 좋겠지요. 산이나 농촌에서 무심코 지나치거나 흔하게 버리는 것들 중에도 상품 가치가 있는 것들이 많습니다.

김장철에 그냥 거름더미에 버리는 무시래기, 백화점에서 비싸게 팔리는 고구마순 말린 것도 농촌에서는 그냥 통째로 서리 맞혀서 버립니다. 술이나 발효액을 만들 수 있는 각종 산야초와 차를 만들 수 있는 식물들, 약이나 식용으로 먹을 수 있는 나물들이 지천으로 있습니다. 엉겅퀴를 반찬으로 먹어보고는 아삭한 것이 너무 맛있어서 맹물맛 같은 채소들을 재배하느라 시설비에 난방비까지 들이고 힘들게 농사지을 게 아니라 이런 걸 채소로 먹어야 하지 않나 하는 생각을 진심으로 하기도 했습니다.

백미지장百味之將 – 장 담그기

된장은 크게 기술이 필요하지 않고 시골에서 만들기 좋은 가공식품입니다. 집집마다 밥상에 꼭 필요할 것이니까 쉽게 소비할 수 있는 점도 있습니다. 그러나 흔한 만큼 맛을 잘 내야 하고 생업으로 해서 많이 팔기에는 어려운 단점이 있습니다. 유명한 된장이나 소문 안 난 시골 된장도 많고, 우리 인심에 그냥 나눠 먹는 집들도 많습니다. 요즘은 아예 식품 회사에서 나오는 된장이니 쌈장 들을 사서 먹는가 하면, 일본식 된장을 찾는 사람들도 있습니다. 크게 욕심내지 않고 시작하면 농가부업 정도로 할 수 있습니다.

아직도 헤매며 배우는 중이지만 몇 해 경험이 다른 분들에게 도움이 되기를 기대하며 몇 가지 장 담그는 법을 정리해 보겠습니다.

장맛의 포인트는 메주

된장 맛의 비밀은 역시 메주에 있습니다. 가을에 콩을 수확하면 얼른 장 만하여 메주를 쑵니다. 추위가 닥치면 마르지 않은 메주가 얼어버리므로 추위가 오기 전에 어느 정도 말려 놓는 것이 좋습니다. 콩의 3배 정도 되는 물을 붓고 8시간 이상 불려서 삶아도 되는데 저희는 큰 가마솥에서 불리지 않고 그냥 안칩니다. 물을 넉넉하게 붓고 처음에는 센 불로 끓이다가 한 번 끓어오른 다음부터 약하게 줄여 푹 삶아야 합니다. 끓어 넘치려고 하면 뚜껑 위에 찬 물을 조금 퍼부어 넘치지 않도록 합니다. 콩을 덜 삶으면 장맛이 시어지고, 콩물이 다 넘쳐버리거나 시간을 너무 오래 잡고 삶으면 단맛이 덜합니다.

손가락으로 으깼을 때 쉽게 뭉개질 정도로 삶은 콩은 건져서 물기를 빼고 뜨거울 때 찧어야 잘 찧어집니다. 찧은 콩을 메주틀에 눌러 담아 단단하게 형태를 만들고 볏짚 위에서 며칠 동안 꾸득꾸득하게 말립니다. 바람이 잘 통하는 곳에 높직하게 매달아 두고 말리면 좋습니다. 겉이 다 마르지 않은 상태에서 띄우면 유해한 곰팡이가 생길 수 있으므로 겉이 다 마르고 난 뒤 25℃ 정도 되는 방에서 띄워 줍니다. 이때 생기는 곰팡이는 노란색이나 녹두색, 흰색 곰팡이가 좋고, 청색 곰팡이나 검은 곰팡이는 좋지 않습니다. 메주가 알맞게 띄워지면 볏짚으로 묶고 서늘하고 통풍이 잘 되는 곳에 매달아 놓았다가 씁니다.

간장 중심으로 장을 담으려면 메주를 푹 띄우는 것이 좋고 된장 중심으로 담을 때는 좀 덜 떴다 싶은 게 좋습니다. 잘 뜬 메주는 가운데 부분이 갈색으로 되고 만지면 푹신하게 들어갑니다. 그리고 쪼개 보면 속이 까맣습니다. 나중에 보면 까맣게 뜬 부분에서 장물이 잘 우러나는데 된장의 경우는 색이 검어지고 양이 많이 나오지 않습니다.

간장, 된장

메주가 준비되면 간장과 된장을 담글 수 있습니다. 간장을 담글 때 사용한 메주로 된장을 만드니 먼저 간장 만드는 법을 보겠습니다. 장을 담그려면 잘 띄운 메주, 천일염, 깨끗한 물, 말린 붉은 고추, 대추, 참숯이 필요합니다.

장을 담그기 며칠 전에 미리 메주를 솔로 깨끗이 씻어서 먼지와 이물질을 제거하고, 다시 햇볕에 말립니다. 항아리도 새는 곳이 없나 잘 살펴본 뒤 물로 깨끗이 씻어 소독을 해야 합니다. 소독하는 방법은 볏짚이나 한지를 태워서 뜨거운 공기와 연기를 항아리 속으로 들어가게 하거나, 불타는 숯을 바닥에 놓고 꿀을 약간 부어서 태우는 것입니다.

이제 필요한 양의 물에 간수를 뺀 천일염을 미리 풀어놓습니다. 소금물의 양은 메주 한 말(네 개)에 물 20리터 정도로 간장을 원하는 정도에 따라 다릅니다. 농도는 물과 소금이 10:4 정도로, 달걀을 넣어서 500원 짜리 크기로 떠오르면 알맞습니다. 이 소금물이 말갛게 되면 고운 체에 내려서 받아 놓습니다. 그리고 나서 항아리에 준비해 놓은 메주를 차곡차곡 넣고 소금물을 붓습니다. 간장을 담근 지 3일 정도 지나면 달군 숯과 대추와 붉은 고추를 넣고, 뚜껑에 천으로 망을 씌우고 햇볕을 쪼여 가며 숙성시킵니다.

간장은 이렇게 두 달 정도면 숙성이 되는데, 그 후 메주를 건져내고 걸러서 간장을 분리합니다. 아니면 용수를 사용해서 간장을 건져내는 방법도 있습니다. 이렇게 걸러진 간장이 날간장입니다. 날간장은 그냥 써도 되고 약한 불로 오래 달여서 쓰기도 합니다. 거르거나 달인 간장은 햇볕이 좋고 통풍이 잘 되는 곳에 항아리 자리를 잡아 완전히 식혀서 붓고 저장합니다. 간장은 오래 묵을수록 좋은 것이므로 넉넉하게 만들어서 묵혀도 괜찮습니다.

간장을 만들면서 건진 메주덩이로는 된장을 만듭니다. 메주덩이를 잘 부수어서 간을 보고 싱거우면 소금을 더 넣고 섞습니다. 소독한 항아리 밑바닥에 소금을 약간 뿌리고 메주를 차곡차곡 눌러 담은 뒤 그 위에 소금으로 하얗게 덮어 둡니다. 그리고 나서 항아리 입구에 망을 씌우고 뚜껑을 닫아 놓았다가 간장과 마찬가지로 햇볕이 좋을 때 열어서 볕을 쪼이면서 숙성시킵니다.

간이 짜다 싶으면 여름을 넘겨서 먹을 즈음에라도 메주콩을 삶아 으깨 넣을 수도 있으므로 처음부터 너무 싱겁게 하지 않도록 유의합니다.

고추장

고추장을 담는 데 필요한 재료는 고춧가루를 비롯해서 엿기름, 멥쌀, 찹쌀, 소금, 간장 등입니다. 고추는 가을에 장만해서 빻아두었다가 이른 봄(3,

4월)에 담습니다. 된장과 간장은 묵혀서 먹지만 고추장은 그해 먹을 양만 담아서 그때 그때 먹어야 하고 재료나 간의 세기, 온도 조건에 따라 숙성기간이 다릅니다. 빠르게는 한 달 정도에 먹을 수도 있는데 완전히 숙성되는 것은 보통 6개월 정도로 봅니다.

요즘은 주로 찹쌀고추장을 많이 먹으니까 찹쌀고추장을 중심으로 얘기하겠습니다. 우선 찹쌀을 깨끗이 씻어 한 보름 물을 갈아 주면서 담가 삭히면 좋습니다. 고춧가루는 바짝 말린 고추를 곱게 빻아 둡니다. 고추장 메주는 삶은 콩과 떡으로 찐 쌀가루를 섞어 만드는 것이 원칙이지만 요즘은 그냥 콩만으로도 합니다. 쉽게 만드는 방법은 메주콩을 푹 삶아서 청국장처럼 띄우거나 여름이면 그냥 널어서 뜨면서 마르면서 메주가 됩니다.

그 다음은 두 가지 방법이 있습니다. 전통적으로는 찹쌀가루를 익반죽해서 끓는 물에 삶아내어 그 물에 찹쌀떡을 치대서 풀고 메줏가루와 고춧가루를 넣는 방법이고, 다른 하나는 엿기름물에 찹쌀가루를 풀어 삭힌 다음 끓여서 3분의 1정도를 졸이고 그 물에 메줏가루와 고춧가루를 넣는 방법입니다. 제 경험으로는 두 번째 방법이 더 쉬웠습니다.

일반적으로 찹쌀고추장은 찹쌀가루 한 말에 메주가루 5되, 고춧가루 6근의 비율로 담는다고 하는데, 순창 찹쌀고추장은 고춧가루 20%, 찹쌀가루 40%, 물 14%, 메줏가루 12%, 간장 10%, 소금 4%로 정해두고 있습니다.

엿기름을 넣고 끓이거나 떡을 삶아 풀어준 찹쌀 죽에 맨 먼저 메줏가루를 넣습니다. 메줏가루는 뜨거울 때 넣지만 고춧가루는 식은 다음에 넣습니다, 하루 정도 지나 완전히 식은 뒤 소금으로 간을 맞추고 간장을 조금 섞는데, 이때 농도가 너무 되면 끓였다가 식힌 물을 섞어서 농도를 맞춥니다. 간이 알맞으면 소독한 항아리에 담고 하루에 한 번씩 주걱으로 고루 섞어주기를 일주일 정도 한 다음에 메주가루로 위를 덮어줍니다. 다른 장들과 마찬가지로 입구를 망으로 씌우고, 볕을 쪼이면서 숙성시킵니다.

청국장

청국장은 다른 장에 비하면 간단합니다. 일단 재료로 메주콩, 소금이 필요합니다. 먼저 메주콩을 삶아 물기를 빼고 40℃ 정도까지 식힙니다. 그리고 짚을 깐 소쿠리나 시루에 담아 짚과 함께 켜켜이 놓고 보자기 같은 것으로 잘 덮은 뒤 40℃ 정도가 유지되는 곳에 놓고 띄웁니다. 일단 온도가 한번 올라가면 내부에서 열이 발생하므로 너무 뜨거워지지 않도록 주의해야하고 한 번 정도 열어서 공기를 쐬어 줍니다. 요즘 쓰는 청국장 제조기는 온도 조절이 되므로 콩만 잘 삶으면 쉽게 청국장을 만들 수 있습니다.

그렇게 하루 이틀 지나면 곰팡이가 희게 피고 끈적끈적한 물질이 생기면서 실이 나기 시작합니다. 생으로 먹는 청국장은 실이 많이 났을 때 꺼내서 냉장고에 보관하고, 끓여먹을 생각이면 좀 더 진한 맛이 나도록 하루 이틀시간을 더 두었다가 소금으로 간을 맞춰 냉장고에 보관하면 됩니다. 한꺼번에 많이 해서 두고 먹을 청국장은 냉동실에 넣어두면 발효가 더 진행되지않고 영양 손실도 적습니다.

요즘 청국장의 여러 효능들이 많이 알려지면서 찾는 사람들이 적지 않습니다. 특히 청국장은 말려서 가루로 만들거나 환으로 지으면 장기복용하기가 좋습니다. 말린 청국장을 그대로 씹어 먹어도 좋고, 찧지 않은 생청국장을 밥에 비비거나 다른 반찬에 넣어서 같이 먹어도 괜찮습니다. 다만 너무오래 끓이면 청국장의 미생물은 죽는다고 봐야 합니다.

깨끗한 자연 음료, 효소 만들기

솔잎 효소와 식초

시골살이를 시작하고 제가 맨 처음 한 일은 솔잎 효소 만들기였습니다. 저희 밭으로 가는 중간에 작은 산들이 올망졸망 있는데, 그 중에 적송이 우거진 산도 있었습니다. 그런데 어느 날 갑자기 요란한 소리가 한바탕 지나가고 홀라당 이발을 한 산이 낯설게 보였습니다. 저게 뭔가 했더니 장비를 동원해서 하루아침에 산을 온통 밀어 버린 것이었습니다. 너무나 가슴이 아파 '아, 소나무!' 하다가 문득 솔잎 생각이 났습니다. 그래서 그 다음날부터 솔잎을 땄습니다. 후딱 항아리를 구해다가 깨끗이 딴 솔잎을 차곡차곡 넣고 설탕과 물을 부었습니다.

몇 년 전 한 지인이 솔잎으로 만든 음료수를 한 잔씩 돌리고 제조법을 열심히 가르쳐 준 덕분에 귀농하기 전에도 솔잎 효소를 만든 적이 있었습니다. 그때 비율은 솔잎 100g에 물 2리터, 설탕 300g이었습니다. 사실은 물이 1.8리터 정도였는데 외우기 쉽게 솔잎 : 물 : 설탕을 1 : 2 : 3으로 기억하고, 솔잎은 넉넉하게 넣었습니다. 그 효소는 일주일 만에 마실 수 있는 것이어서 좋았지만, 알콜 기운이 좀 있고 맛이 달았습니다.

그런데 이번에는 오랫동안 숙성시킬 생각이었기 때문에 솔잎 한 항아리에 사이사이 설탕을 넣고 나머지를 물로 채웠습니다. 두어 달 지나서 솔잎을 걸러 내고 액만 따로 보관을 했는데, 한창 맛있더니 어느 날부터 시어지기 시작해서 일 년인가 지나면서부터는 기가 막힌 솔잎 식초가 되었습니다. 설탕량이 적은 탓이었습니다. 식초도 좋았지만 그냥 효소로 먹기 위해서는 솔잎을 거를 때 설탕을 더 넣거나 맛이 시어질 무렵에라도 설탕을 더 넣어서 숙성시키면 효소 상태로 저장할 수 있을 것입니다.

솔잎 식초는 몇 년 지나면서 설탕 성분도 다 분해되고 맛이 깊어져서 물에 타서 마시기도 하고, 식초로 쓰기도 합니다. 오이지나 다른 장아찌에 조금 부으면 솔잎향이 더해져 피클처럼 되기도 하고 아주 새콤달콤했습니다. 아쉬운 것은 올 겨울 폭설에 항아리가 깨져 큰 독으로 하나가 통째로 날아간 것입니다. 참으로 아깝고 허전했습니다.

산야초 효소와 매실 효소

산야초 효소는 산에 나는 온갖 풀들로 만드는 것이니 이름하여 백초 효소라고도 합니다. 떫은 맛(감, 참나무 종류)을 빼고는 무엇이나 다 넣습니다.

지금 우리 동네에는 얼결에 와서 이런저런 일을 겪으면서 정을 붙이고 사는데, 좋은 점과 안 좋은 점 모두를 망라해서 어쩌면 우리에게 정해진 운명의 마을이 아닐까 하는 생각이 들 때가 있습니다. 이 산야초 효소만 해도 그렇습니다. 대개의 효소들이 유기농 채소나 과일을 쓰는 데 비해, 유기농 공동체였던 우리 동네에서 만들어 온 효소는 순수하게 산에서 나는 초목만을 이용해 발효시키는 것이었습니다. 야생초를 반찬 삼아 매일 먹지는 못하니까 적어도 효소만큼은 야생의 것으로 만들어야 하지 않을까 하는 제 생각과도 맞는 것이어서 우리도 야생 산야초로만 효소를 담습니다. 우리 동네 분들은 이제껏 산야초를 썰어서 넣고 매일 뒤적여 주었다는데, 저는 썰지 않고 넣었습니다. 발효가 잘 되려면 저어주는 것은 꼭 필요한 것 같습니다.

발효식품의 매력 때문에 한때 이것저것 모두 효소로 만들기도 했습니다. 매실은 물론이고 탱자도 담고, 은행 껍질도 담고, 산에서 나는 꾸지뽕 열매도 꿀에 절이고, 심지어 찔레순과 칡순, 아카시아꽃, 칡꽃 들을 따로 효소로 만들었습니다. 방법은 모두 재료와 설탕을 1:1로 넣고, 한두 달 뒤에 걸러내어 액만 계속 발효시키는 것인데, 소량을 조금씩 하는 게 번거로워서 올해는 그냥 산야초 효소에 다 넣었고, 두드러기나 알러지에 좋다는 탱자만 유자 대신 담아서 차로 마십니다.

감식초

우리 동네 가까이에 토종 먹감이 참 많습니다. 더러 커다란 대봉시나 능시, 단감도 있지만 어떤 곳은 산 중턱에 이르기까지 감나무가 흩어져 있습니다. 우리도 감나무가 워낙 많아서 어떻게 잘 활용을 하고 싶은데, 그 많은 양에 비해 수익성은 별로 없는 편입니다. 농촌이 다 그렇지만 '뭐든지 팔 수만 있다면' 이라는 전제가 항상 붙습니다. 팔 수만 있다면 감잎차도 할 수 있고, 감식초는 얼마든지 할 수 있습니다. 경영을 아는 분이라면 뭐든 한 가지를 잡아서 목숨을 걸고 뛰어들어야 한다고 할지도 모르겠습니다.

감식초는 그냥 감을 부어 놓으면 됩니다. 3개월 뒤에 감을 건져내고 항아리에 맑은 물만 넣어 두면 공기 중의 초산균이 자연 식초로 발효시킵니다. 6개월이 지나면 식초가 되긴 하지만 아무래도 두 해 정도는 묵어야 맛이 깊어집니다.

몇 해 겪어보니까 땡감으로 한 식초는 산도가 강하게 나오고, 익은 감으로 한 식초는 맛이 그윽하고 부드러웠습니다. 그래서 성분은 잘 모르겠지만 조리용으로 쓰는 식초는 땡감으로 하고 건강 보조 식품이나 체질 개선용으로 복용하는 식초는 익은 감으로 하면 어떨까 생각했습니다.

그밖에

'그밖에'라고 했지만 사실은 더 전문적이고 다양하고 전망이 좋은 것으로 차를 만드는 것, 즉 '제다' 분야가 있습니다. 저희 집은 3천 평 정도의 산을 차밭으로 조성해서 햇수로 4년째 접어들고 있습니다. 차의 북방한계선이 정읍이라고 해서 시 차원에서 50% 지원을 해 줘서 조성한 것입니다. 현재 거의 야생차 수준으로 자라고 있고 그 밭은 무농약 인증이 들어가 있습니다. 차가 생산될 즈음엔 유기 재배로 해나갈 예정입니다.

그런데 그 차보다 더 매력 있는 것은 감잎차, 뽕잎차, 쑥차를 비롯한 산야초차입니다. 저희 집에는 그 외에도 이런 저런 연유로 두고 마시는 차들이 다양하게 있습니다. 국화차, 연잎차, 대잎차, 허브차, 쑥차 들이 있는데, 쑥차는 어떤 애기 엄마가 봄에 한 두어 달 작업해서 연중 판매하는 것입니다. 고정 고객이 좀 있다면 100g짜리 천 봉지를 만들어 팔 경우 천만 원 정도 수입이 되는 셈이니 괜찮겠다고 혼자 짐작해 봅니다.

제다법은 거의 비슷합니다. 덖어서 비벼도 되고 쪄도 되는데 올해는 차솥을 갖추어 덖음차를 만들어 보려고 합니다.

식품제조업 허가와 관련해서

농가에서 가공식품을 소규모로 만들어서 알음알음 판매하는 데야 허가가 필요 없지만 인터넷상으로 팔거나 매장에서 판매할 때는 식품제조 허가를 받아야 합니다. 식품제조로 허가받기에는 장류가 가장 간편하다고 합니다. 허가 자체는 신고제이기 때문에 크게 어려움이 없지만 기본적으로 시설을 갖추어야 하고 유통 판매 전략이 어느 정도 있어야 합니다.

먼저 품목이 정해지면 화장실을 갖춘 30평 정도의 작업장과 오폐수 처리 시설을 마련하고 만들려는 품목의 제조 과정을 적어서 시청 위생과를 찾아갑니다. 상담을 하고 서류를 갖추면 되는데 건물에 대한 사항과 오폐수 처리시설이 제일 문제가 됩니다. 농가에서 하고자 하면 상식적으로 납득이 되는 차원에서 허가를 해 주는 것이 보통이지만 오폐수 처리시설은 해야 합니다. 정화시설을 하려면 비용이 너무 높으니까 간단하게는 정화조를 묻어서 전문회사에서 수거하도록 의뢰하는 방법을 써도 됩니다. 오폐수의 양에 따라 2~5톤짜리 정화조를 묻으면 됩니다.

신고한 품목은 자가 품질 검사를 거쳐야 합니다. 품목에 따라 1~6개월에 한 번 품목마다 업체에 의뢰해서 검사하는데, 한 품목당 몇 만 원 정도의 비용이 듭니다. 일 년에 두 번 부가가치세 신고를 해야 하고 위생 검사도 받아야 합니다. 그밖에 장부나 서류들도 정리해야 하는데 농사지으면서 하기는 매우 번거롭습니다. 그리고 농민은 의료보험 혜택이 있고 국민연금도 안 내는데(저희 경우) 사업자등록증을 받으면 5만 원 안팎의 국민연금 고지서도 날아옵니다.

일단 제조업으로 나서게 되면 이런저런 비용이 많이 들고 경영을 해야 하므로 전문적인 경영 마인드를 가질 필요가 있습니다. 그래도 지금 이 상황의 농촌과 농민을 살리기 위해서는 농가공이 농민의 손에 있어야 하고 정책적인 배려와 함께 농민 역시 농가공품 생산과 유통에 보다 적극적이고 능동적으로 나서야 되지 않을까 생각합니다.

알기 쉬운 산나물, 들나물

최한실 농부. 경북 상주

농사를 지으며 자연을 벗해서 사는 사람입니다. 해마다 봄이면 산과 들을 다니며 산나물, 들나물을 알리는 강의를 합니다. 벗들과 함께 명상하며 생활합니다.

산과 들에는 사람이 먹을 수 있는 풀이 참 많습니다. 사람이 먹을 수 있는 풀을 우리 선조들은 나물이라고 불렀습니다. 산에 나는 것은 산나물, 들이나 밭에 나는 것은 들나물이라 했습니다. 어릴 때 산골 마을에서 자라 엄마나 누나를 따라 산이나 들로 나물을 뜯으러 다녔는데, 어른이 되어 서울살이 하면서 봄이 되면 마음이 설레어 산이나 들로 가고 싶어졌지요. 결국 이 마음이 자라 저를 다시 산골살이로 이끌었고, 나아가 나물을 더 자세하게 알아볼 수 있는 힘이 되었습니다. 그러니까 저는 나물을 책이나 자료로 연구하는 전문가나 연구가가 아니고, 옛날 시골 아낙처럼 나날이 산이나 들에서 나물을 뜯어 먹으며 사는 사람입니다. 그러다 보니 이 좋은 산나물, 들나물을 좀 더 많은 사람이 알고 익혀서 생활에 도움이 되었으면 좋겠다는 바람이 있었습니다.

지금처럼 사람의 먹을거리가 거의 재배 작물에 의존하고, 재배 환경이 나날이 건강한 삶과는 거리가 멀어져 가는 현실을 감안할 때 더욱 그러합니다. 여기에 소개되는 나물들은 산이나 들에서 사람의 보살핌 없이 저절로 자라나는 것들로 누구나 쉽게 알아보고 익혀서 나날이 먹을거리로 쓰였으면 좋겠습니다. 그래서 이 글은 많은 산야초를 열거하고 소개하기 보다는 오랫동안 산골 사람들의 사랑을 받아 먹을거리가 되어 준 대표적인 나물에 초점이 맞춰져 있습니다.

나물은 지역에 따라 어느 정도 변종이 있을 수 있고, 같은 산에서 나는 한 가지 나물에도 사람 얼굴이 다르듯이 여러 모양새가 있습니다. 자라면서 잎의 모양이 바뀌기도 해서 초보자가 알아보기 어려울 때가 많습니다. 그래서 자라는 과정을 가급적 생생하게 사진에 담으려고 했고, 나물을 제대로 익히고자 하는 분들을 위해 봄에 나물 뜯기 현장 체험학습을 해마다 열려고 준비하고 있습니다.

산이나 들에서 저절로 자라는 나물은 자연에서 자라 비교적 영양분이 풍부하고 고른 성분을 함유하고 있습니다. 비록 척박한 땅이라 하더라도 이 토종들은 잘 자라는 편입니다. 나물을 뜯으러 나가면 비옥한 곳, 척박한 곳, 음지와 양지, 높은 능선, 낮은 골짜기, 습한 곳, 마른 곳, 곳곳에서 자라는 다양한 나물을 뜯을 수 있습니다. 그래서 우리는 영양소를 골고루 섭취할 수 있습니다. 이에 견주어 우리가 요즘 시장에서 사는 여러 가지 채소는 거의 비닐하우스에서 인공적으로 재배됩니다. 같은 하우스에서 한 해에 몇 차례나 키워내므로 화학 비료와 농약을 많이 쓰게 됩니다. 유기농 제품이라 해도 자연의 먹을거리와는 그 건강성에서 비교할 수가 없습니다.

또한 재배 작물은 그 종류도 한정되고, 대부분이 인공적으로 교잡한 다수확 품종입니다. 따라서 비료나 거름을 많이 필요로 하고, 또 이 교잡종은 잡종 1대에서만 잘 자라고 열매가 많이 달리게 기형화되어 있습니다. 이것은 결국 기형적인 먹을거리입니다. 이런 기형적인 식품에 의존한 만큼 기형적인 몸과 마음이 되는 것은 당연합니다. 이보다는 자연에서 저절로 나서 저절로 자라는 수많은 풀과 온갖 열매들이 훨씬 더 훌륭하고, 건강한 먹을거리가 됨은 너무나 당연한 일입니다.

자연 속으로 한 발만 들여 놓으면 이런 건강한 먹을거리가 지천으로 널려 있습니다. 모든 사람이 다 먹고도 남을 양입니다. 쑥, 칡, 질경이, 망초, 민들레, 고들빼기, 냉이, 찔레, 꽃다지, 비름, 쇠비름, 명아주, 잔대, 취나물 등 이루 헤아릴 수 없습니다.

나물은 옛날에는 사람들의 사랑을 받았지만 너무나 생명력이 강해서 지금은 재배 작물에 취한 농부의 미움을 받아 논둑, 밭둑, 밭고랑에서 제초제를 뒤집어쓰는 처지로 떨어져 있습니다. 참으로 가슴 아픈 일입니다. 저절로 잘 자라는 이 훌륭한 먹을거리를 마다하고 온실에서 거름 먹고 자란 것을 먹을거리로 여기고 사는 현실이 안타깝습니다.

부디 이 글이 여러분 안에 잠자고 있는 자연의 일체감을 일깨워 자연으로 돌아가는 마음으로 생명 사랑을 불러일으켜 사람들이 건강한 삶에 한 발 다가갈 수 있기를 진심으로 바랍니다.

산에서 자라는 나물

참취

취나물은 우리 나라의 대표적인 산나물입니다. 그 맛과 향이 독특해서 예로부터 뭇사람의 사랑을 받아 왔고, 지금도 산나물 하면 취나물 할 정도로 사람들의 사랑을 받고 있습니다.

취나물은 우리 나라 어디에서나 잘 자랍니다. 야산이든 심산이든 골짜기든 능선이든 어디서나 발견할 수 있습니다. 모양 또한 독특해서 쉽게 구별할 수 있습니다. 흔히 취나물이라고 하는 것은 참취를 가리키는데, 사실 취나물에는 여러 종류가 있습니다. 참취의 잎은 대체로 진한 녹색이고, 줄기는 녹색인 것도 있고 고동색인 것도 있습니다.

미역취

미역취는 참취 못지않게 사랑받아 온 나물입니다. 전국 어디서나 잘 자라지요. 참취가 데쳐서 또는 생으로 쌈 싸먹거나 무쳐 먹는데 반해, 미역취는 예로부터 대체로 살짝 데쳐 말려서 묵나물로 애용하는 나물입니다. 깊은 산보다는 야산에, 산과 들의 경계 지점이나 무덤가에서 쉽게 뜯을 수 있습니다.

비비추

경상도 사람들은 베벱추라고 합니다. 배추를 벱추라고 발음하는 것과 같습니다. 모양은 흡사 옥잠화 잎 같습니다. 물가나 음지 같은 습한 데 무리지어 납니다.

비비추의 대표적인 군락지는 덕유산 꼭대기입니다. 덕유산에서 남덕유

로 내려가는 능선 일대가 비비추 밭입니다. 대부분의 봄나물엔 쓴맛이 많은데 비비추는 단맛이 나는 나물입니다. 연녹색 잎 밑의 흰 줄기는 달짝지근해서 아이들이 쌈 싸먹기 좋아합니다. 살짝 데쳐서 주로 쌈 싸먹는 나물입니다.

곰취

높은 산 깊은 계곡 물가나 습한 곳에 나는 나물입니다. 둥그스름한 잎가엔 흡사 톱니처럼 들쭉날쭉한 작은 이빨이 무수히 나 있는, 고상하고 우아하게 보이는 고급 나물입니다. 시장에서도 비싸게 팔리지요. 요즘엔 재배도 많이 합니다. 부드러운 잎을 날로 쌈을 싸 먹거나, 데쳐서 무쳐 먹습니다. 그 향기가 그윽하고 참취와는 또 다른 독특한 맛이 있습니다.

부지깽이

표준말이 무엇인지 정확히 모르겠습니다. 지방마다 이름이 다른데 경상도 지역에서는 거의 부지깽이라고 합니다. 농촌 어디에나 흔하게 무리지어 나는데 경남 가지산, 고헌산, 백운산 일대에 대 군락지가 있습니다. 작은 산 경사면이 부지깽이로 덮여 있는 곳도 있습니다. 데쳐서 무치거나 쌈 싸먹기도 하지만 한꺼번에 많이 뜯어 묵나물로 애용됩니다.

단풍취

쓴맛이 강한 나물입니다. 경상도에선 개대가리 라고도 합니다. 잎이 꼭 단풍나뭇잎 같아서 붙여진 이름인데, 무리지어 나고 속리산 국립공원 내 백악산에

군락지가 있습니다.

야고디

취나물의 한 가지로 봄나물 바구니를 채워 주는 주요한 나물의 하나입니다. 어디서나 잘 자라며, 쉽게 발견되는 흔한 나물입니다. 경상도 울산 지방에서 '야고디' 라고 부르는데 그 표준말이 명확하지가 않습니다.

참나물

깊은 산속의 습한 곳에 자라는 나물로 옛사람들은 나물 중의 나물이란 뜻으로 참나물이라 이름 붙였습니다. 주로 날로 쌈을 싸 먹으며, 그 감칠맛과 향은 가히 일품입니다. 미나리과에 속하여 미나리 비슷한 향이 납니다.

깊은 산 개울가 나무 밑이나 산속 묵은 논·밭 근처, 물기가 많은 곳에서 쉽게 만날 수 있습니다. 한 포기 찾으면 주위에 여럿을 볼 수 있습니다. 참나물은 여러 나물 속에 몇 잎만 들어 있어도 전체 나물 맛에 향기를 더해 줍니다.

잔대

참나물과 함께 생것으로 즐겨 먹는 나물입니다. 잔대, 톱잔대, 넓은잔대, 가는잎잔대, 층층잔대 등 같은 속에 속하는 여러 변종이 있습니다. 그러나 조금만 익히면 같은 잔대과에 속하는 나물이라는 것을 쉽게 알 수 있습니다.

손으로 순을 따면 하얀 진물이 나오는 잔대는 새싹이나 잎만 먹는 게 아니라 뿌리 또한 일품입니다. 흡사 도라지 뿌리같이 생겼는데 맛은 좀 싱거운 더덕 맛 같습니다. 초고추장 발라서 구워 먹어도 좋고, 맛이 순해서 날로 씹어 먹어도 아주 좋은 먹을거리입니다. 50년대에는 아이들이 소 먹이러 산에 갔다가 배고파서 뿌리를 많이 캐먹던 나물입니다.

밤나물

맛이 순하고 약간 달착지근한 고급 나물입니다. 참나무 종류가 많은 약간 깊은 산 음지에서 많이 납니다. 가냘프고 고운 나물이지만 한 곳에 무리지어 나므로 쉽게 많은 양을 뜯을 수 있습니다. 꽃대가 따로 없고, 잎 위에 바로 꽃이 피는 특색이 있습니다.

까막발

잎이 까마귀의 발 같이 생겼다 해서 붙여진 이름입니다. 골짜기 개울가나 습한 곳에 많이 나고, 이른 봄에 제일 먼저 나는 나물 가운데 하나입니다. 쓴맛이 강해서 쓴맛을 좋아하지 않는 사람은 물에 좀 우려서 먹으면 좋습니다.

원추리

놀기서리라고도 하며 이른 봄 제일 먼저 올라오는 나물입니다. 봄에 따스한 빛을 느껴서 나물이 났을까 하고 산에 가보면 양지 바른 곳에 어김없이 홀로 쑥 올라와 있는 것이 원추리입니다. 모양이 다른 나물과 달리 독특해서 쉽게 알아보고 뜯을 수 있습니다. 연한 잎을 데쳐서 초고추장에 무쳐 먹으면 좋고, 된장국에 넣거나 들깨가루를 풀어 국을 끓이면 좋습니다. 원추리 잎은 이른 봄 첫 나물로 연한 순일 때 즐겨 먹습니다.

삿갓대가리(삿갓나물)

삿갓같이 생겼다 해서 옛 사람들이 붙인 이름인데 요즘 책에는 거의 우산나물이라고 소개되어 있습니다. 삿갓이 일상생활에서 없어진지 오래 전이니 삿갓나물, 삿갓대사리 해봐야 아는 사람이 별로 없어 우산나물이라고 된 셈이니 세월의 변화를 실감하게 합니다. 삿갓은 자루가 없고 접을 수도 없는데, 우산은 접을 수 있고 자루까지 있으니 나물의 모양새로 보면 우산나물이란 이름이 더 정확하다 하겠습니다.

처음 올라올 땐 우산을 접어놓은 모습인데, 차츰 우산을 펴는 모습으로 바뀌다가 다 자라면 활짝 편 모양을 넘어 바람에 우산이 넘어간 모양으로 바뀝니다. 활짝 펴지기 전 접힌 상태가 제일 연하고, 반쯤 접힌 상태까지도 먹기가 좋습니다. 쌉싸래한 맛이 아주 독특하고 데쳐서 바로 먹어도 좋고, 말렸다 묵나물로 해도 좋은 고급 나물인데, 웬만한 산 나무 그늘에서 쉽게 볼 수 있는 나물이며 무리지어 납니다.

꿩의다리

이 나물은 뜯을 때마다 꿩의 다리가 이렇게 생겼나 하는 생각이 들게 합니다. 모습이 독특해서 쉽게 익힐 수 있으며 일찍 나는 나물에 속합니다. 산꿩의다리, 은꿩의다리도 비슷하게 생겼고, 모두 먹을 수 있습니다. 줄기 속이 대나무처럼 비었고, 연한 잎과 함께 줄기를 잘라 채취합니다.

다른 나물과 함께 섞어 먹을 때는 상관없으나 꿩의다리 하나만 먹을 때는 데쳐서 좀 우렸다가 먹는 것이 좋습니다. 한꺼번에 먹으면 약간의 독이 있다 하니 조심하는 게 좋습니다. 무덤가, 산길 올라가는 길섶 개울가 등 어디서나 쉽게 찾을 수 있으며, 봄의 어린 싹을 나물로 해 먹으며 다른 나물과 함께 데쳐서 많이 먹습니다.

삽주싹

뿌리가 한약으로 유명한 창출·백출인데, 그 싹이 삽주나물입니다. 야산, 큰 산 할 것 없이 많이 나며 도라지같이 능선이나 산비탈에서 쉽게 찾을 수 있습니다. 하나를 찾으면 주위에서 쉽게 여러 포기를 볼 수 있습니다. 싹이 굵고 실한 것은 뿌리가 굵은 것이고, 좀 늦게 올라오고 싹이 가늘고 잎치레 인 것은 뿌리가 가는 것입니다. 싹을 자르면 하얀 진물이 나오는데, 날로 쌈 을 싸 먹어도 좋고 데쳐서 바로 먹거나 말렸다 묵나물을 해도 좋습니다.

삼베나물

깊은 산 개울가 근처에서 쉽게 찾을 수 있습니다. 왜 이 나물을 삼베나물이라 불렀을까 궁금합니다. 삼베나물이란 말은 경주, 울산 지방 말입니다. 삼(대 마초)잎은 다섯 가닥으로 갈라져 있는데 비슷하기는 하 나 좀 다릅니다. 한꺼번에 몇 개의 잎이 올라와 있는데 너무 센 것 말고 연한 것을 뜯는 게 좋습니다.

머위

'머구'라고도 하며 물가, 묵은 논자리, 논둑, 습한 밭둑 같은 곳에서 쉽게 찾을 수 있습니다. 무리지어 납니다. 이른 봄에 머위 첫 싹을 데쳐서 초고추 장에 찍어 먹으면 그 쌉쌀한 맛이 일품입니다. 어린잎은 날로 쌈을 싸 먹는

데, 이른 봄에 입맛을 돋우는 데 제격입니다. 일 년 내내 먹을 수 있으며, 잎을 뜯으면 새순이 나서 줄기차게 올라옵니다. 그래서 뿌리를 캐다가 습한 곳에 심곤 했습니다. 옛날 시골집엔 장독대 옆, 담 밑에 머위 몇 포기 없는 집이 없을 정도였지요. 그만큼 우리 조상들이 즐겨 먹은 나물입니다.

구릿대

뿌리가 진정, 진통에 효과가 있는 한약으로 백지白芷라 하는데, 그 싹이 구릿대입니다. 또는 거릿대라고도 합니다. 독특한 한약향이 나며 날로 먹어도 좋고, 데쳐서 무치거나 쌈 싸먹습니다.

고사리

누구나 쉽게 알 수 있는 나물로 야산, 큰 산 할 것 없이 능선과 비탈에 많이 납니다. 부드러운 부분을 꺾어서 끓는 물에 데친 뒤 햇볕에 말렸다 보관합니다. 옛 어른들은 고사리를 데쳐서 바로 먹지 않고 묵나물로 갈무리 했다가 겨울철에 주로 먹었습니다. 아마도 고사리엔 미독이 있어서 묵나물로 만들어 먹은 것이 아닌가 합니다. 유사한 경우로 다래순도 데쳐서 바로 먹지 않고 말려서 갈무리 했다가 묵나물로 썼습니다. 고춧대나물(나무의 잎, 고춧잎이 아님)의 잎 또한 이에 속합니다.

과학적으로는 정확히 모르겠으나 나물을 데치다 보면 끓는 물에 넣자마자 색깔이 연록으로 변하면서 엽록소가 금방 파괴되는 나물들이 있는데(다래순, 고춧대나물, 소리쟁이, 수영, 쇠비름 따위), 아마도 미독이 있는 게 아닌가 짐작됩니다. 그래서 이런 나물은 한꺼번에 너무 많이 먹지 않는 게 좋을 것 같습니다.

고비

고사리와 고비는 비슷한 나물인데 고사리가 양지 바른 능선이나 비탈에 나는데 반해, 고비는 개울가 습한 곳, 산속 습지에 납니다. '고사리에 고사리 손'이란 말이 있는데 그것은 손을 펴지 않고 주먹 쥔 상태로 올라와 주먹을 활짝 편 상태로 자라는 것을 말하는데, 고비는 올라올 때 동그란 원반 모양에 흰 솜옷으로 포장하고 올라와 그 원반이 차츰 열려 활짝 퍼지는 모양으로 자랍니다. 둘 다 퍼지기 전 어린 순을 잘라서 이용하며, 고비도 데쳐서 묵나물로 먹습니다.

경상도 지방에서는 제사상에 고비는 쓰지만 고사리는 쓰지 않습니다. 그래서 부산, 울산에서는 고비가 훨씬 더 비싸게 팔리는 반면, 중부 이북 지방에선 제사에 고사리를 쓰므로 고사리 값이 더 비싸고 즐겨 먹습니다. 지방에 따라 풍습에 차이가 있음을 엿볼 수 있습니다.

방아나물

그 향이 독특하여 예로부터 캐다가 집 근처에 심어서 항상 먹었습니다. 지방에 따라서는 개고기 요리에 들깻잎 대신 방아잎을 쓰는 곳도 많았습니다. 생으로 쌈을 싸 먹거나 데쳐서도 먹고, 국이나 매운탕 등 각종 탕에 넣어 맛을 내는 데 많이 쓰입니다.

줄방아나물

방아 잎과 아주 비슷하나 향이 다르고(줄방아는 방아에 비해 향이 연하고 밋밋함), 좀 자라면 줄이 되어 뻗어 가므로 붙여진 이름 같습니다. 깊은 산 개울가 습한 곳에 많습니다. 작은 남색 초롱 모양의 꽃이 참 예쁩니다.

나무순을 따는 나물

두릅

나무순으로는 으뜸으로 치는 나물입니다. 사람들이 많이 찾아서 재배를 많이 합니다. 야산, 깊은 산 할 것 없이 골짜기 약간 습한 곳에서 자랍니다. 산이 짙어지고, 나무가 우거지면서 자생 두릅은 점점 줄어드는 것 같습니다. 머루, 더덕, 고사리 같은 것도 산이 우거지면서 줄어드는 것들입니다.

두릅은 고혈압과 각종 성인병, 암에 좋다하여 그 수요가 많이 늘어나고 있습니다. 산에서 캐다가 밭둑이나 마당가, 뒤란에 심어 놓으면 점점 그 뿌리가 뻗어 나가서 몇 년 지나지 않아 두릅 밭이 만들어 집니다. 한 가정에서 봄에 먹고도 남을 정도입니다.

엄나무순

경상도 사람들은 엉개라고 부르는데, 옛날에 신에게 빌 때 '엉개나무 몽둥이'로 잡귀를 내쫓는 데 이 가시몽둥이를 썼습니다. 가시가 촘촘하며 단단하고 힘이 세서 귀신도 겁냈을 법합니다. 경상도 지방의 옛날 사람들은 두릅을 집에 심지 않았지만 엄나무는 한두 포기를 대문가에 심어 그 순을 즐겼습니다. 실제로 경주, 울산 지방에서는 두릅순보다 엄나무순이 더 비싸게 거래됩니다. 그러나 경기도 지방에서는 엄나무순을 꺾지 않는 것 같고, 야산에 엄나무가 많이 자생하고 있으나 손도 대지 않는 곳이 많습니다. 최근엔 백숙에 옻 대신 엄나무 줄기를 넣고 끓이는 것이 인기를 끌고 있지요.

초피나무잎

죄핏잎이라고도 하는 초피나무의 잎입니다. 임진왜란 이후 고추가 우리

나라에 들어오기 전에 고추대신 김치의 향료로 쓰인 것이 초피나무 잎이나 열매였습니다. 그 풍습이 지금도 남아서 이른 봄의 열무김치엔 초피나무잎을 넣는 지방이 아직도 있습니다. 그만큼 향과 맛이 독특해서 애용되어온 식물입니다.

또 경상도 지방에서는 추어탕에 넣는 가루가 이 초피나무 열매 껍질을 바싹 말려서 곱게 빻은 것입니다. 비슷한 나무로 산초나무가 있는데 잎은 거의 같으나 나무가 다르고 열매 맺은 송이의 모양이 달라서 쉽게 식별할 수 있습니다. 향도 많이 다릅니다. 서울 지방에서 추어탕에 넣는 가루는 산초나무 가루인데 산초는 중부 이북 지방에서도 잘 자라지만 초피나무는 소백산맥 이북에선 자생하지 않습니다.

초피나무 순은 된장을 끓이는데 몇 잎 넣어도 그 맛이 훌륭하고, 간장에 담그거나 고추장에 박아서 일 년 내내 밑반찬으로 쓰는 가정도 많습니다. 정말 잘 쓰이는 자연의 밑반찬인 셈입니다.

산초나무

초피와는 다른 향기와 맛으로 최근에 많이 찾는 나물이며 어린 순을 날로 먹거나 데쳐 먹습니다. 초피보다 크게 자라고, 열매도 훨씬 많이 달립니다. 열매로 기름을 짜서 전을 부쳐 먹으면 건강에 좋다 하여 민간에서 애용하던 식물입니다. 최근엔 어린 열매를 조림하여 강장제로 인기를 얻고 있습니다.

홋잎

초봄 1등 나물인 화살나무의 순이 홋잎나물입니다. 양지바른 곳에서 홋잎이 제일 먼저 싹을 틔우는데 원추리보다도 먼저 나옵니다. 연한 싹을 살짝 데쳐

서 참기름, 간장에 무치면 초봄의 첫 나물로 우리의 입맛을 돋웁니다.

남방잎

단풍나무잎 같기도 하나 그보다는 덜 갈라지고 더 크며 부드러운 남방잎은, 예로부터 봄에 생으로 쌈 싸먹는 것이 유명했습니다. 그만큼 향기가 그윽하고 부드러워 우리 조상들이 사랑하던 나물입니다. 최근엔 집에 캐다 심는 집도 늘어나고 있습니다. 남부 지방 깊은 산 속에서 자라는 나무인데 중부 지방에서도 자라는지는 조사해 볼 일입니다.

다래순

다래 덩굴의 순으로 초봄에 연한 순을 따 데쳐서 말린 뒤 묵나물로 씁니다. 깊은 산 계곡 어디서나 쉽게 발견됩니다. 덩굴인데다 대체로 우거져 있어서 식별이 쉽고, 나물이 금세 바구니에 가득 차 따는 재미가 쏠쏠합니다.

고추대잎

고추대 나물, 준줄뱅이 등 지방에 따라 이름이 다양합니다. 상주, 괴산 지방에서 많이 애용하는 나물인데 데쳐서 바로 무쳐 먹고는 구토한 사람들도 있어서, 우려낸 다음에 먹거나 묵나물로 이용하는 것이 좋을 것 같습니다.

오가피

인삼에 버금간다 하여 한참 주가가 올라가고 있는 나뭇잎입니다. 줄기가 약재로 많이 쓰입니다. 봄에 나는 잎은 예로부터 좋은 나물로 여겼습니다.

뿌리를 먹는 나물

더덕

　예전에는 산불이 나면 이듬해나 그 이듬해쯤엔 더덕을 가마니로 캔다는 말이 있었습니다. 불과 3,40년 전만 해도 그랬는데, 그만큼 더덕은 우리 나라 어디에나 지천이었습니다. 인삼 못지않다는 더덕이 그렇게 흔했으니 옛사람들이 힘들게 일하면서도 건강을 유지할 수 있었던 비결 중의 하나가 더덕 때문이 아닐까 하는 생각이 듭니다. 그런데 자생 더덕이 급격히 줄어들고 있습니다. 그렇지만 우리가 더덕잎을 잘 익혀둔다면 나물 뜨러 갔다가 몇 뿌리는 캘 수 있으니 산더덕을 맛볼 수 있는 것도 그렇게 어렵지만은 않습니다.

　산더덕은 향이 훨씬 더 강하고 맛 또한 월등합니다. 약간 습한 개울가, 작은 골짜기 지형에 많고, 지나가다 건드리면 일대에 그 향이 퍼져 쉽게 찾을 수 있습니다.

도라지

　더덕이 음지에 잘 자란다면 도라지는 양지쪽 능선이나 비탈에 많습니다. 또한 메마른 곳에서도 잘 자랍니다. 잎과 꽃이 독특해서 쉽게 찾아낼 수 있습니다. 산도라지 한 뿌리면 재배 도라지 몇 뿌리보다 낫다는 말이 있습니다. 나물 뜨러 갈 때 작은 호미를 하나 가지고 다니다 보면 도라지나 더덕을 만났을 때 쉽게 캘 수 있습니다.

마

예로부터 강장, 보양 식품으로 알아주던 것이 마입니다. 산이 우거져도 마는 줄어들지 않고 오히려 옛날보다 늘어난 느낌입니다. 개울과 가까운 곳에서 잘 자라며, 줄기와 잎을 잘 익혀 두면 쉽게 찾을 수 있습니다.

들에서 나는 나물

냉이

밭둑, 밭, 마당가, 길섶 어디서나 흔하게 나며 겨울 기운이 아직 남아 있어도 양지 바른 곳에는 냉이가 빠끔히 싹을 내밉니다. 싹을 내밀기 전이라도 묵은 잎을 알아보고 뿌리를 캐서 데쳐서 무쳐 먹을 수 있습니다. 냉이로 상큼한 첫 봄 맛을 볼 수 있습니다.

냉이는 한 포기 찾으면 주위에 떼 지어 나는 것을 알게 되는데, 이것을 뜯어다 된장 풀고 국을 끓이든가 살짝 데쳐 참기름, 간장, 된장에 무쳐 먹으면 좋습니다.

달래

밭둑, 논둑, 묵은 밭에 많습니다. 옛날에는 보리밭에 냉이와 함께 달래가 많았습니다. 그런데 요즈음 시장에 나오는 것은 거의 비닐하우스에서 재배한 것이라서 그만큼 맛과 향이 떨어집니다. 어디든 가까운 시골로 봄나들이를 나가면 달래를 캘 수 있습니다.

경작 중인 밭둑은 흙에 제초제 잔류량이 많아 그리 좋지 않고, 산 속의 묵은 밭이 제일 좋습니다. 야산이든 심산이든 요즘은 묵은 논밭이 많으니, 그런 양지 바른 곳 덤불 밑을 잘 보면 달래 무리를 만날 수 있습니다. 2월말~3월초에는 벌써 파릇한 싹이 올라와 있습니다. 날로 무치든 된장찌개에 넣든 그 독특한 향내는 봄철 입맛을 돋우기에 충분합니다.

쑥

쑥은 예로부터 만병통치약에 가깝게 애용되어 왔습니다. 일하다 낫에 손을 베면 쑥을 빻아 붙여서 지혈을 하고 상처를 아물게 했습니다. 또 치질에도 특효약입니다. 쑥을 즐겨 먹으면 만병이 통치된다고 합니다. 또 옛 어른들은 소가 살찌고 건강해진다 하여 소먹이로 쑥을 중시해왔습니다. 생명력이 강해서 어떤 곳에서든 잘 자라며, 땅 속에 뿌리가 엄청나게 발달해 있으므로 가뭄도 타지 않고 아무리 척박한 땅이라도 잘 자랍니다.

예전에 흉년이 들면 쑥을 많이 먹었습니다. 그만큼 우리 민중과 가까운 풀입니다. 사람도 먹고 짐승도 먹어서 자라기가 바쁘게 베어 갔습니다. 먹고 남으면 생으로 말리거나, 데쳐 말려서 겨울에 먹거나 약재로 사용했습니다.

그런데 요즈음에는 쑥을 잘 먹지 않습니다. 소꼴도 베지 않으니 논둑, 밭둑, 길가가 쑥 천지입니다. 그렇게 귀하던 쑥이 잡초로 애물단지 취급을 받아 제초제를 쳐야 하는 주 대상이 되고 말았습니다. 그 끈질긴 생명력 때문에 제초제 세례를 일 년에도 몇 번을 받습니다. 제초제가 지상의 잎을 주로 죽이는데, 다른 풀들은 잎이 다 말라 버리면 죽지만 쑥은 지하에 엄청난 뿌리를 갖고 있어서 지상의 줄기와 잎이 다 말라 죽어도 다시 새순이 납니다. 그래서 또 제초제 세례를 받습니다. 아무 곳에서나 특히 논둑, 밭둑, 길가의 쑥은 제초제 때문에 뜯지 않는 것이 좋습니다.

쑥은 이른 봄에 연하고, 어린잎으로 쑥국을 많이 끓여 먹고 조금 지나서는 쑥털털이라 해서 쌀가루와 쑥 데친 것을 버무려 쪄서 먹었으며, 잘 자란 쑥으로는 쑥떡을 만들어 먹었습니다. 찹쌀로 만들어서 먹기도 하고, 멥쌀로도 만들어서 먹는데 찹쌀로 만든 걸 흔히 쑥인절미라고 합니다. 어릴 적 봄에 학교 갔다 와 출출할 때 어머니가 만들어 주신 쑥인절미를 먹은 기억이 납니다. 부침개처럼 납작하게 해서 콩가루를 묻힌 쑥인절미는 정말 맛있습니다. 멥쌀로 빚은 것은 콩가루를 안 묻히고 그냥 쑥 자체만으로 수수하게 즐길 수 있습니다. 최근엔 쑥카스테라가 나오는데, 떡집에서 쑥과 멥쌀로 카스테라처럼 연하게 만들어 주기도 합니다.

씀바귀, 고들빼기, 왕고들빼기

이 삼형제는 비슷하게 생겼고, 맛도 비슷합니다. 끓는 물에 데친 뒤 초고추장에 무쳐서 많이 먹습니다. 아마도 식초와 고추장이 쓴맛을 중화시키는 역할을 하는 것 같습니다. 쓴맛을 싫어하는 사람은 데쳐서 한두 시간 우려내고 무치면 좋습니다. 요즈음에는 날로 먹는 사람도 많이 늘어난 것 같습니다.

뿌리가 잘 발달해 있어서 쑥, 민들레처럼 계속 뜯어도 다시 올라올 만큼 생명력이 왕성한 풀들입니다. 씀바귀, 고들빼기, 왕고들빼기는 뜯으면 하얀 진물이 나옵니다. 전라도 지방에서 애용되던 고들빼기김치가 최근에는 전국으로 퍼져나가는 추세입니다.

민들레

옛사람들은 그렇게 많이는 먹지 않았던 것 같습니다. 경상도 말은 죽담이라 하고 표준말은 봉당이라고 하는데, 죽담 돌 밑에 처마 물이 떨어지는 곳에 많이 자라서 밥 앉혀놓고 잠시 뜯어다 데치면 금방입니다. 뜯은 후 4~5

일이면 다시 부드러운 새순을 내밉니다.

돈나물

돌나물, 돌냉이라고도 하며 논둑, 밭둑에 무리지어 납니다. 날로 그냥 먹어도 좋고, 초고추장에 무쳐도 좋고, 물김치를 담가서도 많이 먹습니다. 예로부터 돌냉이는 데치지 않았습니다. 그만큼 연하고 부드러우며 물기가 많아서, 먹으면서도 애처로운 느낌이 드는 나물입니다. 세어지면 꼭대기에 별 모양 같은 노란 꽃을 피웁니다.

벼룩이자리(별금쟁이)

이른 봄나물입니다. 아주 가는 줄기에 작고 앙증스런 잎들로 이루어져 있습니다. 무리지어 나며, 날로 초고추장에 무쳐서 많이 먹습니다.

질경이

경상도에선 뺍쟁이라 합니다. 길가에서 밟히면서도 줄기차게 자라는 강인한 식물입니다. 맛이 구수하여 예로부터 된장 국거리로 많이 쓰였고, 연한 잎은 데쳐서 쌈을 싸먹습니다. 섬유질이 억세어서 나이 많은 분들은 푹 익혀서 드시는 게 좋고, 그 억센 잎을 천천히 오래오래 씹으면 구수한 본래의 맛을 즐길 수 있습니다. 씨는 차전자라 해서 이뇨제로 쓰입니다.

엉겅퀴

이른 봄 어린 순을 나물로 해 먹습니다. 조금 세어지면 억세서 잘 먹지 않습니다. 어릴 때는 가시도 억세지 않고, 다른 나물과 함께 섞어 데쳐서 쌈을 싸먹거나 무쳐 먹습니다. 뿌리가 관절염에 좋다고 하여 마구 뜯어가는 바람에 찾기가 쉽지 않습니다.

비름

쇠비름과 함께 대표적 여름나물입니다. 주로 밭에 많이 나는데, 죄다 뽑아서 밭을 매 놓으면 며칠 지나지 않아 다시 한 밭 가득 나 있습니다. 예로부터 바랭이, 비름, 쇠비름, 명아주 이 네 가지가 주로 여름에 밭에 나는 풀인데 바랭이를 제외하면 다 먹는 풀입니다. 비름은 연하고 성질이 순해서 아무리 먹어도 좋은 나물입니다. 동의보감에도 그렇게 쓰여 있습니다. 순을 따면 곁가지로 많은 새순이 다시 올라와서 다시 곁순으로 나물을 해 먹을 수 있습니다.

쇠비름

장명초 또는 오행초라고도 합니다. 이 풀을 먹었더니 오래 살았다고 해서 장명초란 이름을 얻었습니다. 잎은 푸르고, 줄기는 붉고, 뿌리는 희고, 꽃은 노랗고, 씨는 까맣다 해서 오행초五行草란 이름이 붙여졌습니다.

보통 시골에서는 잘 먹지 않습니다. 일설에 독성이 있다고도 하는데, 모든 책에서는 독이 없고 성질이 순하다고 쓰여 있습니다. 날로 무쳐서 먹거나 데쳐서 먹어도 참 좋습니다. 그래도 한꺼번에 너무 많이 먹지 않는 것이 좋습니다. 어떤 것이든 아무리 좋은 음식이라 해도 지나치게 많이 먹는 것은 좋지 않습니다.

명아주

속칭 도트라지라고도 하는데 밭에서 많이 납니다. 어린 순을 데쳐서 무쳐 먹습니다. 이 풀도 민간에서는 그리 잘 먹지 않는 풀입니다. 그러나 모든 책에는 좋은 나물이라고 소개되어 있습니다.

망초, 개망초

이른 봄 쑥도 올라오지 않았을 때 망초는 겨울을 이기고 벌써 새순을 내밉니다. 이때는 맛도 있는데 맛있는 나물들이 많이 나오면 망초는 자연히 밀리게 됩니다. 명아주, 쇠비름 같은 것도 그런 처지가 아닌가 합니다.

미나리

늦게 소개했다고 서운해 할 듯합니다. 그만큼 독특한 향과 강인한 생명력으로 개울가 어디에나 잘 자라 민중의 사랑을 받아 왔던 들나물입니다. 논물귀(물이 들어오거나 나가는 입구) 근처, 습한 밭둑에까지 잘 자랍니다. 그 빨간 줄기의 돌미나리를 뜯어다 잘게 썰어 초고추장에 버무려 밥을 비벼 먹던 생각을 하면 지금도 침이 꿀꺽 넘어갑니다.

그런데 이것도 역시 제초제 피해 때문에 산속 묵은 논밭 뒷구석에서 구하는 것이 안전할 것 같습니다. 미나리는 예로부터 물이 새는 논 어귀에 심어서 키우기도 했고, 언양 지방처럼 아예 논에다 재배하기도 했습니다. 언양 미나리는 가지산에서 흘러내리는 맑은 물과 비옥한 논이 어우러져 만들어서 그 맛과 향기가 좋아 예로부터 임금님께 진상했다 합니다. 그래서인지 언양 지방에서는 미나리를 많이 먹는데, 예전에는 모내기철에 미나리가 한창 자라 시장에 나올 때는 집집마다 쌈장에 찍은 미나리만으로 밥 한 그릇을 금방 비우곤 했습니다.

쇠별꽃나물

연하고 은은한 맛이 독특합니다. 이른 봄 밭에서 무리지어 많이 납니다.

끓는 물에 넣자마자 바로 꺼내서 찬물에 헹군 뒤 무쳐 먹습니다. 이런 고급 나물이 기르는 작물보다 더 좋은 것인데, 귀찮은 잡초로 치부되어 제초제 세례나 받고 있으니 참 안타까운 일입니다. 특별히 비료를 주지 않아도 되고 씨 뿌릴 필요도 없고 그냥 절로 자라는 것을 따 먹기만 하면 됩니다.

보리뱅이

밭, 길가, 마당가 등 어디서나 나는 흔한 나물이지만 맛은 좋습니다.

쇠무릎

나물보다는 그 뿌리가 우슬이라는 이름의 한약재로 많이 쓰이는 풀입니다. 마디가 튀어 나와 소의 무릎같이 생겼다 해서 붙여진 이름입니다. 민간에서는 관절에 좋다고 하여 지금도 많이 쓰이고 있습니다. 어린 순은 좋은 나물이며 한여름까지 따서 먹을 수 있습니다. 순을 따면 곁가지가 나오고, 곁가지를 따면 또 곁가지가 나옵니다.

점나도나물

전국의 산과 들, 주로 들녘의 길가 초원이나 집근처에서 많이 자랍니다. 가지가 많이 갈라지고 줄기에 검은 자줏빛이 돌며 털이 많습니다. 두해살이 풀로 봄에는 어린순으로 국을 끓여 먹거나 삶아서 나물로 먹습니다.

날마다 맛있는 나물 한 가지씩!

장영란 농부. 전북 무주

1996년에 네 식구가 모두 서울을 떠나 귀농했습니다. 전북 무주에서 식구들이 같이 농사짓고 공부하며 지냅니다. 먹고 자고 일하는 하루하루 일상의 소중함을 느끼고 그 이야기를 글로 쓰기 시작해 『자연달력 제철밥상(들녘)』과 『아이들은 자연이다(돌베개)』를 냈습니다.

산에 들에 봄나물

들나물

산골에는 삼월에도 눈이 쌓입니다. 그러다가도 해만 나면 봄이 오고 있음을 느낄 수 있습니다. 햇살이 부드럽고, 생강나무에 눈이 터 오르고, 눈밭 사이에 돋아나는 싹……. 봄이 오니 머릿속으로는 농사 계획을 세우는데,

들로 나서면 곳곳에 일거리가 널려있습니다. 지난 가을걷이 뒤 정리를 못한 밭둑이며, 논에 볏짚도 그대로고 딸기가 꽃피게 생겼는데 아직 김도 못 맸습니다. 집안에 앉았을 때하고 달리 들에 가면 여기저기서 손길을 부르고 있습니다.

봄이 오면 밥상에 싱싱한 푸성귀가 올라옵니다. 지난 가을에 심어둔 상추, 시금치가 먹음직스럽고, 쑥은 아이들 손가락만할 때부터 과일칼로 도려다 먹습니다. 밀밭에 김매다가 망초를 캐면 한 바구니 가져다 다듬어 나물을 합니다.

손님이 오신다면 반찬거리를 장만하러 나갑니다. 봄에는 웬만한 싹, 꽃, 나무순은 다 먹을 수 있으니 온 세상이 먹을 것으로 가득합니다. 들로 산으로 나물하러 다니면 그 여유가 참 좋습니다. 내가 사는 세상이 보이고, 꽃한 송이도 반갑고, 산골에 사는 맛이 느껴집니다.

나물은 들에서 시작해 산으로 올라갔다가 여름이 되면 다시 들로 내려옵니다. 냉이, 달래, 머위, 원추리, 두릅, 수영, 민들레, 미나리, 질경이…. 봄부터 가을까지 사람이 먹을 수 있는 들나물이 많이 있습니다.

산나물

진달래꽃이 피면 뒷산에 산나물을 하러 갑니다. 진달래꽃잎, 홋잎(화살나무순), 달래로 시작해, 곡우가 지나면 다래순은 금세 한 바구니를 훑을 수 있습니다. 취는 온 산에 발품을 팔아야 뜯을 수 있고, 고사리는 비 온 다음날 남들보다 일찍 부지런을 떨면 양껏 꺾을 수 있습니다. 우산나물, 고비, 그리고 당귀 잎도 만날 수 있습니다.

저는 귀농하기 전까지는 산나물을 해 본 적이 없습니다. 귀농한 뒤 아무것도 모르지만 산에 다니는 게 좋아 나물을 하러 다녔습니다. 이게 뭘까? 먹을 수 있을까? 관심을 가지니 책을 찾아보게 되고 누가 하는 말도 귀에 쏙쏙 박히니 하나하나 느리게 배워갑니다. 아직도 잘 모르지만, 봄이 오면 나물이 나를 부르는 듯 산으로 갑니다. 어디 멀리 가는 게 아니라 우리 집 앞·뒷산으로. 그러니 많이 해 올 수도 없고, 가짓수도 거기서 거기입니다. 한번 다녀오면 하루 이틀 먹고 운 좋게 넉넉하면 저장하곤 합니다.

묵나물 만들기

산나물을 저장할 때는 펄펄 끓는 물에 소금을 한 움큼 넣고 데쳐 냅니다. 찬물에 담가 헹구고 꼭 짜서 작은 공처럼 뭉쳐서 냉동실에 넣어 보관하면 나물의 독특한 향내와 빛을 살릴 수 있지만, 대부분 말려서 보관합니다. 나물을 데쳐서 말린 걸 보고 '묵나물'이라 합니다. 묵나물을 말릴 때는 해보다 바람이 더 중요합니다. 처음에는 넓게 펼쳐서 널었다가 중간 중간 뒤집어 주며 조금씩 모아들입니다. 어느 정도 마르면 바람에 바짝 말립니다. 비닐봉지에 밀봉하여 보관하는데, 투명한 비닐봉지에 넣어야 나중에 꺼내 먹기 좋습니다. 고사리 묵나물을 만들 때는 잿물에 삶아내 하룻밤 물에 우린 뒤, 말리는 첫날 중간 중간 비벼 줘야 부드럽습니다.

장마철 밥상 지킴이 여름나물

산나물이 쇠고 나면 다시 들나물 철이 돌아옵니다. 여름 들나물은 사람이 기르는 남새로 발전한 게 많습니다. 하지만 비름, 쇠비름, 달개비, 명아주처럼 아직 야생에서 잘 자라는 나물이 있습니다. 명아주, 쇠비름은 묵나물을 만들어 먹을 수 있습니다.

한여름이 되면 산천초목이 풍성하지만 장맛비가 며칠 이어서 오면 먹을 거리가 귀해집니다. 곡식을 갈무리하는 저장 방식은 겨울을 대비한 것만이 아니라 장마철에도 도움이 됩니다. 장맛비에 밭의 열무는 녹아내리고, 때맞춰 김치가 떨어지고 만만하던 비름도 하나 둘 쇠어 가면, 이 들판에서 먹을 수 있는 게 무언지 옛 어른들의 지혜를 구하게 됩니다. 장마 전에 거둔 감자·양파 덕을 보고, 마늘종 장아찌 하나도 귀합니다. 고구마 줄기로 김치를 담그고, 달개비와 메밀 싹으로 생채 나물을 무쳐 먹습니다. 가난해 봐야 자연이 얼마나 풍성하게 우리를 먹여 살리시는지 실감하게 됩니다.

박나물 오가리

여름 달빛에 박꽃이 피어있는 시골집. 박 잎으로 적도 부쳐 먹고, 애박은 나물도 먹습니다. 껍질이 단단해지고 누렇게 변하기 전 푸른빛의 애박은 껍질을 벗기고 속을 파낸 다음 그 살로 무나물처럼 나물을 해 먹습니다. 애박이 굵어지면 껍질을 벗기고 속을 파낸 다음 호박 오가리처럼 얇게 돌려 깎아서 말립니다. 이것은 겨울에 먹을 묵나물입니다. 박나물은 생나물이든 묵나물이든 맛이 깨끗합니다.

가지

가지는 여름부터 그때그때 따서 며칠 시들시들 말립니다. 그리고 길게 여러 가닥으로 갈라 바람에 널어 말려서 묵나물을 만듭니다.

고구마 줄기

여름에 고구마 줄기가 무성하게 뻗으면 그때부터 서리가 오기 직전까지 고구마 줄기를 땁니다. 고구마를 캐지 않았어도 괜찮습니다. 잎은 따내고 줄기를 따면서 겉껍질을 벗겨냅니다. 모두 다 벗겨 낼 필요는 없지만 조금이라도 벗겨내면 부드럽습니다. 고구마 줄기는 끓는 물에 데쳐 말려 묵나물을 만듭니다.

그득그득 쌓이는 가을나물

가을이면 어느 집이나 먹을거리가 그득합니다. 처마 아래, 광, 마루, 뒤란 곳곳에 먹을거리가 쌓여갑니다. 사이사이 반찬거리를 갈무리하고, 내년 봄을 생각해 부추, 달래, 대파, 쪽파 밭에 김도 매고 거름도 주고 볏짚도 덮어줍니다. 그리고 김장을 넉넉히 해서 땅 속에 묻고 나면 한해가 정리됩니다.

애호박
찬바람이 불기 시작하면 호박 넝쿨에 애호박이 여기저기 달립니다. 이때 호박은 어차피 늙은 호박이 되기는 늦었고 씨가 맺히면 쓸데가 없습니다. 자주 호박 넝쿨을 뒤져 애호박을 찾아내려 하지만 호박과의 숨바꼭질에서 번번이 집니다. 참외만한 애호박을 따면 옆으로 썰어 애호박 오가리를 만들어 저장합니다. 찬바람이 불면 호박 오가리가 하얗게 마릅니다.

토란대
토란대는 추석 무렵부터 먹기 시작해 서리 오기 전에 모두 잘라내 저장합니다. 땅 속 토란을 안 캤더라도 줄기부터 베어 말립니다. 겉껍질을 벗기면서 칼로 쭉쭉 찢어 말립니다. 토란알은 껍질째 뚝배기에 구우면 온 식구가 잘 먹습니다.

시래기

시래기는 무청이나 배춧잎을 말려서 만듭니다. 날로 말려도 좋고 쌀뜨물에 데쳐서 말려도 좋습니다. 볏짚에 엮어 바람 통하는 그늘에서 말립니다.

솔솔 꺼내 먹는 겨울나물

한해 농사지어 갈무리 해 둔 것을 하나하나 꺼내 먹는 겨울입니다. 땅이 얼고 날이 차서 농사일은 딱히 할 게 없으니 잘 먹는 게 큰일입니다. 산골 겨울은 도시에서 살다 내려온 귀농인에게는 무척 춥습니다. 게다가 몸 움직일 일이 적으니 생각만 어수선하게 굴러가기 십상입니다. 지난 겨울에는 수벽치기, 태극권을 배웠습니다. 배우고 익히다 보니 그 긴 겨울이 지났고 봄이 왔을 때 얼굴이 좋다는 인사를 들었지요. 귀농 십 년이 가져다 준 지혜였습니다.

햇살이 좋은 겨울날 호미 한 자루 들고 밭에 가면, 한겨울에도 양지에 나물들이 있습니다. 묵나물을 먹는 틈틈이 풋풋하게 살아있는 겨울나물을 해먹습니다. 겨울나물은 찬 기운에 자라기 시작하는 2년생으로 가을에 싹이 터 겨울을 나는데 보통은 봄나물이라 생각하고 안 해 먹기 쉽습니다. 냉이, 씀바귀, 광대나물, 점나도나물, 망초순, 벌금자리(벼룩이자리)……. 땅 거죽이 녹을 만큼 따뜻한 날이 이어지면 냉이와 씀바귀를 찾아다닙니다.

묵나물 먹기

말린 묵나물은 충분히 불려 마르면서 생긴 맛을 어느 정도 뺀 뒤 해 먹습니다. 묵나물의 간은 입맛에 따라 된장, 고추장, 집간장 가운데 하나로 하거나 섞어서 합니다. 묵나물은 들기름, 들깨와 잘 어울립니다. 묵나물을 해 먹다 보니 깨소금, 참기름이 아닌 들깨가루, 들기름을 좋아하게 되었습니다.

묵나물을 많이 마련해 놓고도 손이 가지 않기 쉬워서 투명한 비닐봉지에 담아 부엌 가까이에 놓고 '하루 한 가지씩 묵나물을' 실천하려 합니다.

시래기, 고구마 줄기, 취나물, 고사리, 뽕순나물 — 푹 삶아 그 물에 하룻밤 우립니다. 맑은 물이 나오도록 헹굽니다. 물기를 꼭 짜서 먹기 좋게 자릅니다. 시래기는 미리 된장에 간이 고루 베게 무쳐 둔 뒤 나물을 하거나 국을 끓입니다. 취나물, 뽕순나물은 기름에 볶아도 되고, 볶지 않고 바로 양념장에 무쳐내 먹어도 됩니다.

가지, 호박나물

끓는 물에 데치지 않고 따뜻한 물에 담가두면 부드럽게 불어납니다. 맑은 물에 씻은 뒤 꼭 짜고 나물을 합니다. 장물에 주물러 간이 배면 프라이팬에 들기름을 두르고 볶아냅니다.

묵나물 들깨탕

가지, 호박, 토란대, 머위대는 들깨탕을 해 먹으면 맛있습니다. 들깨와 불린 쌀을 5:1정도 넣어 곱게 갈고, 체에 밭쳐 들깨즙을 받아낸 뒤, 불린 나물을 넣고 자작하게 끓입니다. 간은 집간장으로 합니다.

| 5 | 자연과 어우러지는 집

내게 맞추어 내 손으로 짓는 집

이동범 귀농운동본부 도시농업위원

경기도 안산으로 귀농해서 농사짓다가 경제적 어려움으로 다시 서울로 돌아와 직장에 다니고 있습니다. 서울 근교에서 주말농사를 하며 농부의 삶을 이어가고 있습니다. 쓴 책으로 「자연을 꿈꾸는 뒷간(들녘)」이 있습니다.

　건강할 때는 내 몸에 별로 신경을 안 쓰다가 빨간불이 켜지면 그때부터 자기 몸에 이리저리 신경 쓰는 것이 인간사의 이치인가 봅니다. 인류문명이 그리 발달하지 않고 산업화가 덜 됐을 때는 지구 환경에 대해 그리 신경 쓸 일이 없었습니다. 허나 인구가 급격히 늘어나자 땅은 비좁아지고 자원은 바닥을 드러내고 물·공기까지 더럽혀지고 나니, 우리가 사는 자연 환경과 생태에 대해 관심을 가지지 않을 수 없게 되었습니다.

지구에서 쓰이는 전체 에너지의 1/3이 바로 건축에 쓰입니다. 그러니 건축에서 집이 차지하는 비중을 따져볼 때, 내 집을 생태적으로 짓는 문제가 바로 지구 환경과 매우 밀접한 관계를 갖는다고 볼 수 있겠습니다.

'생태적'이라는 접근의 기본 원칙은 순환에 있습니다. 오늘날 환경오염의 주범으로 지적되는 화석 연료의 사용도 지구 환경이 감당할 만큼 적절한 양만 사용한다면 큰 문제가 아닐 것입니다. 오히려 인류 사회를 윤택하고 풍요롭게 하는 데 이로울 수 있습니다. 하지만 무분별한 화석 연료의 과용은 결국 환경 오염과 자원 고갈, 그리고 에너지 가격의 폭등을 낳습니다.

적절한 순환이 보장되는 지속가능한 환경을 만들어나가기 위해서는 자기 집을 지을 때 에너지 효율을 높이고 화석 연료의 사용을 최소화 하는 것이 바로 생태적인 집짓기라 하겠습니다. 우리가 생태적으로 살겠다고 하면 우선 자기의 살림집이 생태적이어야 격이 맞지 않을까요.

집짓기 재료의 선택

집짓기의 건축재를 고를 때 될 수 있으면 친환경 재료를 쓰는 것이 좋겠습니다. 어떤 건축재가 친환경적인가는 보기에 따라 복잡할 수도 있지만 대체로 건축재 자체가 자연 순환이 가능하거나 조립 해체해서 재사용이 가능한 건축재를 말합니다.

우선 자연 순환이 가능한 건축재는 우리 전통집처럼 나무나 돌, 흙 같이 자연에서 가져온 재료들로 지은 집으로서 이들은 수명이 다하면 자연스레 흙으로 돌아갑니다. 나무집이나 흙집이 이러한 종류입니다.

얼마 전 70여 년 된 우리 시골집 행랑을 헐었을 때의 일입니다. 이때 나

온 함석 지붕은 고물상이 가져갔고, 쓸 만한 목재는 집 고칠 때 쓰려고 모아
두었고, 나머지 목재는 땔감으로 됐습니다. 벽채였던 흙벽돌은 다시 마당
흙으로 돌아갔고 방바닥의 구들장은 거두어 다른 곳에 다시 쓰기로 했습니
다. 방 하나, 광 하나, 외양간 하나, 대문으로 짜여졌던 행랑을 헐면서 쓰레
기통으로 들어간 물건은 하나도 없었습니다.

헐리기 전의 행랑채 모습

헐린 뒤 나무와 흙으로 돌아간 행랑채

흙집이나 나무집만 친환경적인 집인 건 아닙니다. 생태순환을 위해서는 재활용recycle도 중요하지만 재사용reuse도 중요하기 때문입니다. 그런 면에서 요즈음 시골 농가에서 심심찮게 볼 수 있는 콘테이너 집이나 조립식 집도 눈여겨 볼 필요가 있습니다. 콘테이너는 얼마든지 재사용이 가능하며, 나중에는 쇠로 다시 재활용할 수도 있으니 환경적으로 부담을 주지 않습니다. 조립식 집도 나중에 해체해서 다시 쓰면 됩니다. 따라서 이런 집들도 친환경적 재료로 볼 수 있겠습니다.

건축재의 선택은 자신이 살 곳에서 가장 쉽게 구할 수 있는 재료가 좋을 것 같습니다. 그래야 운반도 쉽고 비용도 저렴합니다. 주변에 좋은 흙이 많으면 흙집을 생각해 볼 수도 있고, 간벌목이 많으면 이 목재를 집짓기에 활용할 수도 있을 겁니다. 시간이나 주변 여건상 어렵다면 콘테이너나 조립식 집도 생각해 볼 수 있습니다.

집의 규모

대부분 사람들이 도시에서 살다보면 큰 집을 선호합니다. 돈이 없어 그렇지 돈만 있다면 큰 집, 큰 아파트를 좋아합니다. 당연히 큰 집들이 부동산 가치도 있고 가만히 있어도 집값이 크게 뛰어, 일해서 번 돈보다 집 자체가 벌어 주는 돈이 더 많았습니다. 기형적인 도시화와 인구 집중으로 빚어진 일이지만 사람들은 이런 현실에서 자유롭지 못한 게 사실입니다.

그래서 도시에서 작은 집에 살다가 농촌으로 가면 큰 집을 짓고 싶은 생각이 들 수 있습니다. 농촌에서 큰 집 짓기는, 물론 도시처럼 많은 돈이 들지는 않습니다. 그러나 큰 집을 지을 때 생각해 봐야 할 것들이 있습니다.

첫째로, 농촌 생활에서는 도시와 달리 집 안보다는 집 밖에서 이루어지는 일들이 많습니다. 그래서 살림집보다는 창고나 마당 등의 쓰임새가 많은 편입니다. 그러므로 살림집만 큰 것보다는 오히려 살림집에 딸린 여러 작업 공간이나 수납 공간이 확보되는 것이 중요할 수 있습니다. 마당이나 창고, 광 같은 것들 말이죠.

둘째로, 큰 집에는 많은 유지 비용이 듭니다. 난방이나 전기, 수도 등의 소비가 많아지면서 이에 비례해 유지비가 많이 듭니다. 경제적인 것뿐만 아니라 에너지의 소비도 많아진다는 점에서 친환경적이라 하기 어렵습니다.

셋째로, 큰 집에서는 당연히 집을 유지하는 데 빼앗기는 시간이 많아집니다. 청소도 그렇고 보수 유지를 위해 손보는 일도 많아집니다. 물론 살림집이 생활에서 차지하는 비중은 매우 크므로 집을 유지하는 데 많은 시간과 노력이 들어가는 것을 이상하게 볼 필요는 없습니다. 하지만 사람이 생활하면서 집만 쳐다보고 살 수만은 없지 않겠습니까? 집은 적정한 규모에서 꼭 필요한 부분에만 손대고 나머지는 좀 더 생산적이고 유익한 일에 신경 쓰는 일이 좋지 않을까 합니다.

따라서 집의 규모는 그 안에서 사는 사람들의 규모와 살림의 형태, 주변 환경과 살림 조건에 맞추어 적정한 크기로 짓는 것이 가장 생태적이라 하겠습니다.

냉난방 방식

우리 나라처럼 사계절이 바뀌는 곳에서는 여름에 시원하고 겨울에 따뜻한 집이 가장 에너지를 적게 씁니다. 에너지를 적게 쓰는 집이야말로 화석 연료를 적게 쓴다는 점에서 생태적이라 할 수 있겠지요. 에너지 소모가 적으려면 집 안의 온도 변화 폭이 적어야 하며, 환기와 채광이 잘 돼야 합니다. 환기와 채광은 인체의 신진 대사를 원활히 하고 방안의 습기를 제거하며, 실내 공기를 쾌적하게 유지하는 역할을 하기에 에너지 절약과 더불어 살림집의 쾌적함을 주는 중요한 요소가 됩니다.

흙집이나 나무집은 여름에 시원합니다. 천장과 지붕 사이에 흙으로 단열을 하여 열이 위로 빼앗기지 않도록 하기도 합니다. 여름철의 마루도 자연 냉방의 역할을 합니다.

겨울철은 어떨까요? 남쪽이 아닌 농촌은 도시보다 춥습니다. 겨울철 난방은 사람의 쾌적한 활동을 위해 꼭 필요한데, 대부분의 농가는 석유 보일러 난방을 많이 합니다. 석유는 대표적인 화석 연료로서 이산화탄소의 배출과 지구 온난화에 많은 영향을 주기에 난방 방식에서 기름 보일러는 가급적

봉화 농가의 벽난로. 벽난로 옆에 있는 물통을 데워 거실 난방을 하고, 난로 위에는 조리 기구를 두었다.

피해야겠습니다. 게다가 석유는 매장량이 제한되어 앞으로 기름 값은 계속 오를 것이니 난방비의 부담도 만만치 않습니다. 화석 연료를 이용한 난방 방식을 피하기 위해서는 태양 에너지나 풍력 에너지 같은 자연 에너지를 활용하는 방법도 있겠으며, 심야 전기나 구들을 활용하는 방법도 있습니다.

요즈음 생태 건축에서 다시 주목하는 구들에 대해서도 잘 살펴볼 필요가 있습니다. 구들은 나무를 에너지원으로 쓰는 것이니, 역시 땔감을 많이 쓰는 것도 에너지 낭비이며 동시에 이산화탄소의 배출이 많아져 환경 오염원이 될 수 있습니다. 따라서 땔감을 적게 쓰면서 효율적으로 이용하는 것이 매우 중요합니다. 땔감이 적게 들도록 구들을 잘 설계하는 것도 중요하며, 동시에 구들을 때면서 나오는 재와 목초를 적절히 잘 활용하는 방식도 마련하는 것이 좋겠습니다. 또한 불을 직접 다루는 난방 방식이니만큼 아궁이의 위치 선정과 설계를 잘 해서 화재의 위험을 막는 것도 중요합니다.

최근에는 구들에 보일러를 겸한 방식을 활용하는 집도 있습니다. 구들에 보일러를 겸한 방식은 구들을 때면서 동시에 물을 덥혀 온수 난방도 하고 더운 물도 쓰는 것입니다. 봉화의 한 귀농자는 거실에 벽난로식 아궁이를 만들고 그 양 옆에 물주머니를 만들어 거실 난방용으로 활용하고 있었습니다. 또한 아궁이 위에는 철판 팬을 만들어 음식을 조리하기도 합니다. 에너지를 효율적으로 잘 쓰는 한 예라 하겠습니다.

뒷간 만들기

뒷간은 생명 순환이 가장 잘 이루어지는 우리의 전통 화장실입니다. 도시에서 일반적으로 사용하는 수세식 화장실은 엄청난 양의 물을 쓴다는 점에서 물 낭비와 수질 오염의 원인이 되기도 합니다. 하지만 우리의 뒷간은 물을 낭비하지 않고 분뇨를 퇴비로 만드는 생명 순환의 원리가 그대로 적용됩니다.

분뇨는 그 자체를 그대로 퇴비로 쓰지 않으며, 반드시 부숙이나 발효의 과정을 거쳐야 합니다. 이러한 부숙·발효 과정을 거쳐야 한다는 점에서 가

실내 뒷간의 변기. 앞은 깔대기 모양으로 만들어 호스를 연결해 오줌은 밖으로 빼서 감나무에 준다.

실내 뒷간의 바깥모습. 인분통 밑에 쇠 바퀴를 달아 밖에서 꺼낼 수 있게 했다.

능하면 실내보다는 밖에다 따로 뒷간을 만드는 것이 좋습니다. 실내에 뒷간을 두어야 하는 상황이라면 부숙·발효 과정이 활발히 이루어지기 전에 수거해서 퇴비간으로 옮길 수 있도록 거름통을 작게 만들고(약 20ℓ 안팎이면 좋을 듯), 또한 통을 쉽게 옮길 수 있는 구조로 만드는 것이 좋습니다. 아울러 실내 뒷간의 위치는 부엌과 최대한 멀리하는 게 좋겠습니다. 실내 뒷간에서는 이렇게 작은 통에 왕겨나 톱밥, 건초 같은 유기물들을 첨가해 주면 위생상 아무런 문제가 없는 훌륭한 실내형 생태 뒷간이 마련됩니다. 단지 통이 차면 수시로 퇴비간에 옮겨 주는 수고만 하면 말이죠.

진안의 한 귀농자는 뒷간을 실내 욕실을 거쳐 들어가게 만들었습니다. 변기통은 녹슬지 않도록 스테인레스로 만들었는데, 앞부분은 깔대기 모양으로 만들어 그 끝에 호스를 연결해서 집 밖의 감나무 뿌리 쪽으로 나가게 했습니다. 뒷간 아래에는 사각 페인트통 크기의 거름통을 두고 통 밑에는 쇠바퀴를 달아 통이 차면 밖에서 꺼내 치울 수 있도록 했습니다. 겨울에는 1주일에 한 번, 여름에는 3일에 한 번씩 정도 치운다고 합니다. 볼일을 본 뒤에 왕겨나 재를 뿌리기 때문에 냄새는 거의 나지 않습니다.

집 밖에 두는 뒷간의 퇴비화 과정은 부숙하는 방식과 발효하는 방식으로 나눌 수 있습니다. 부숙(또는 부패)은 호기성으로 퇴비화 하는 것인데 똥과 오줌은 분리하는 방식입니다. 똥 위에 왕겨나 톱밥, 음식 찌꺼기 같은 것들을 뿌려 호기성 박테리아들이 똥을 분해하도록 하는 방식입니다. 호기식이 냄새도 없고 퇴비 효율도 높습니다.

발효하는 방식(혐기성)은 수거식 뒷간 같은 경우인데, 똥오줌을 한데 받으면 이것들이 발효하면서 서서히 액비(액체 퇴비)로 변합니다. 분뇨 속에 산소가 들어가지 못하니 혐기성 박테리아들이 활동하여 발효 과정을 거치므로 혐기성 퇴비화라고 합니다. 혐기성 퇴비화는 이 과정에서 암모니아 가스가 방출되므로 호기성 퇴비화보다는 냄새가 많이 납니다. 혐기식은 포천의 김준권 선생님 뒷간처럼 양이 차면 밀폐된 용기에 담아 별도의 액비로 만들어 쓰면 좋습니다. 발효가 완전히 끝난 액비는 역시 똥의 성분이 완전히 사라진 양질의 액비가 됩니다.

수거식 뒷간 안의 인분통이 꽉 차면 파이프를 통해 외부 저장통으로 흘러나오게 했다. 이 통에서 분뇨를 퍼내 다른 저장통에 옮겨 담아 숙성시킨다.

밖으로 빼낸 인분 액비. 이 통에서 푹 숙성시키면 양질의 인분 액비가 된다.

지붕과 빗물 활용

지붕은 햇빛과 눈비를 온전히 다 받는 공간입니다. 이 지붕을 효율적으로 활용하면 매우 생태적인 집으로 꾸밀 수 있습니다. 태양열이나 풍력 시설을 설치하거나 빗물 저장통을 둘 수도 있습니다.

도시에서는 옥상 바닥을 방수 처리한 뒤 여기에다 텃밭이나 꽃밭을 꾸밀 수도 있습니다. 옥상을 밭으로 만들면 지열 보존 효과로 건물 맨 위층의 실내 온도 변화 폭이 줄어들어 많은 에너지 절약 효과가 있습니다. 또한 미약하지만 도시의 복사열 증가를 막아 주기도 합니다. 옥상 지붕에 텃밭을 꾸미면 도시에서도 분뇨 퇴비나 음식물 퇴비를 적절히 순환시킬 수 있습니다.

농촌에서는 지붕에 빗물 저장통을 두면 이 빗물로 수돗물이나 지하수의 사용량을 많이 절약할 수 있습니다. 밭에 주는 물로 쓰거나 청소할 때, 집이 건조하면 적절한 수분을 공급하거나 지열을 낮춰 주고 먼지를 가라앉히도록 쓸 수도 있습니다. 빗물 속에 있는 흙을 가라앉히면 빨래를 할 때 활용할 수도 있습니다. 우리나라는 여름철에 집중 호우가 내리므로 빗물 저장통을 마련하면 두루 쓸모가 있습니다.

요즈음 대부분의 농가가 농업용 관정을 파서 지하수를 많이 소비하는 농사를 짓고 있습니다. 저수지나 농수로가 잘 준비된 지역은 큰 문제가 없겠지만 그렇지 못한 곳은 지하수 자원의 소모가 많을 수 있습니다. 그러니 집을 지을 때 여건이 된다면 빗물을 잘 받아 쓸 수 있는 구조를 만드는 것이 좋겠습니다.

또한 지붕의 단열을 잘하여 에너지의 소모를 막아야 합니다. 지붕의 단열이 허술하면 열기를 많이 빼앗겨 에너지의 소모가 많고 실내 온도차가 커집니다. 전통 살림집에서는 흙으로 차단하고 볏짚을 덮어 단열을 하였으나,

지금은 가볍고 단열이 잘 되는 판넬이 많이 개발되었습니다. 또한 지붕재와 천장 사이에 왕겨나 석회, 톱밥 등을 넣어 단열의 효율을 더욱 높이기도 합니다.

처지와 조건에 맞게

귀농자들이 자기 손으로 직접 지은 집들을 보면 누구든 자기 집을 지을 수 있다는 사실을 알 수 있습니다. 흔히 집짓기가 어렵다고 하는 말은 집을 짓는 것이 기술적으로 어려운 것이 아니라 집을 지을 때 많은 품이 들어가기에 힘이 듭니다. 힘이 든 만큼 자기 집에 대한 애착과 소중함은 커질 것입니다.

그러니 집을 지을 때 자기 집을 생태적으로 지으면 그만큼 보람을 더 느낄 수 있습니다. 생태적인 집은 지구 환경을 살리는 길이기도 하지만 동시에 에너지 소모가 적어 집의 유지 비용도 많이 절약됩니다.

요즘에는 생태적 집짓기에 대한 많은 책이나 자료가 나와 있습니다. 이것들을 잘 참조하면 도움이 될 것입니다. 하지만 주의할 것은 자신의 용도와 조건에 맞게 지어야 한다는 것입니다. 무엇이 좋다하여 자신의 용도와 조건에 맞지도 않는데 과욕을 부리면 짓고 나서 후회하기 마련입니다. 신중하게 고민하고 검토하여 자신의 처지와 조건에 맞게 짓기를 권하는 바입니다.

헌집 고쳐 새집 만들기

구찬수 농부. 전북 남원

농사도 물론 좋아하지만 집 짓기, 옷 짓기, 음식 만들기 같은 사람 사는 데 필요한 모든 것에 관심이 많습니다. 처음 고쳐 지은 집이 예상 밖으로 비용이 많이 들어 내세울 글은 못 되지만, 거꾸로 이런 경우도 비교 사례가 되겠지요?

저는 서울에서 산업디자이너로 일하다가 작년 여름 지리산 자락의 인월 마을로 부모님까지 모시고 귀농을 했습니다. 집은 기존의 집을 수리한 목조 가구식 한옥인데, 전면 4칸짜리 일자형 집으로 왼쪽부터 작은방, 건넌방, 안방, 부엌으로 이어져 있습니다. 전라도 지역의 농촌을 다니다 보면 자주 만나는 재래 농가의 가장 일반적인 형태입니다. 가장 일반적이라는 말은 일반 서민들이 생활하기에 가장 편리하고 손쉽게 쓸 수 있으며 생활 속에서

새로 산 한옥

그 틀이 검증된 형태라고 할 수 있을 겁니다. 이 집은 원래 한옥 살림집 건평이 11평, 창고 30평, 대지 90평짜리였습니다. 무엇보다 창고가 딸려 있어서 여러 가지 용도로 농사짓는 데 쓸모 있게 활용할 수 있을 듯 했습니다.

7월에 인월로 왔으니 가을 안에 집수리를 하고, 다음해 봄부터 본격적인 농사를 짓기로 계획을 세웠습니다. 새 집을 짓고 싶은 생각도 있었으나, 2~3달 안에 얼른 들어가 살고픈 생각에 집을 고쳐짓기로 했습니다.

집수리 작업에 들어가며 대략적인 구상을 했습니다. 첫째로 기본 구조와 골격은 쓸 만하다고 보아 목조가구식 구조는 바꾸지 않되, 온전하지 않은 기둥과 서까래는 바꾸기로 했습니다. 둘째로, 목조 가구에 흙벽 구조이기에 처마를 내고 기단은 처마끝에서 약간 들여쌓는 구조로 하기로 했습니다. 셋째로, 난방은 구들 난방을 기본으로 하되 보일러를 같이 놓아 보완을 하기로 했습니다. 넷째로, 노부모님이 계시는 관계로 부엌은 동선이 편한 입식으로 꾸미기로 했습니다.

집터 정리와 터 높이 낮추기

이 집에 딸린 30평짜리 창고는 원래 축사였는데 축사 주변의 쓰레기를 깨끗이 치우는 데 무려 보름이나 걸렸습니다. 주변정리를 끝낸 후 마당높이를 낮추는 작업을 했습니다. 기와를 올리되 차양을 하지 않기에 처마끝의 낙수가 기둥이나 흙벽에 튀지 않도록 처마끝보다 약간 안쪽으로 기단을 올려쌓기로 했습니다. 그런데 마당과 높이가 같아 포크레인으로 기단 높이만큼 마당 흙을 퍼내 마당 높이를 낮추기로 했지요. 집주변의 배수를 좋게 하기 위해서도 마당 흙을 퍼내는 일은 필요한 작업이었습니다.

포크레인으로 이틀 동안 작업했는데 15톤 덤프트럭 3대를 동원하여 약 100톤 가량의 흙을 퍼냈습니다.

목조가구 교체와 흙벽 작업

목조가구식 한옥에서는 기둥과 도리, 보, 서까래가 생명입니다. 집을 지탱해주는 가장 중요한 골격들입니다. 기둥과 도리, 보, 상·중방 중에서 온전치 않은 것은 교체했습니다.

목조가구식은 나무들이 서로 맞물려 있기에 쟈키로 들어 올려서 하나하나 교체 작업을 할 수 있습니다.

목재는 대부분 헌집을 해체하여 나온 구재들을 얻어 썼고, 일부 모자란 것들은 낙엽송을 구입해서 썼습니다. 서까래도 썩은 것들이 제법 있어 일부는 교체했습니다.

벽체는 흙벽돌을 썼습니다. 흙벽돌이 장당 1,500원이어서 비싸기는 했지만 집규모가 크지 않아서 손쉽고 튼튼히 짓기 위해 흙벽돌을 썼는데 약 400

장정도 썼습니다. 미장은 흙미장을 했는데 미장공을 따로 불러서 함께 작업했습니다.

지붕 작업

처마가 너무 짧으면 기둥과 흙벽에 눈비가 들이치고, 너무 길면 집이 어둡고 채광이 안 좋을 듯해서 처마 끝을 조금 길게 내되 처마 끝 차양은 치지 않기로 했습니다.

지붕재는 기와 모양을 한 칼라 강판을 썼습니다. 진짜 기와를 올리려면 비용이 많이 들기도 하고, 원래 지붕이 슬레이트였기 때문에 이 무게에 맞게 도리나 보, 서까래, 기둥이 놓여 있어서 만일 무거운 기와를 올린다면 지붕 무게를 감당하지 못해 집구조가 틀어지거나 주저앉을 수도 있어 마땅치 않았습니다.

난방 공사

난방은 구들을 기본으로 했습니다. 구들돌은 헌집에서 구해왔는데, 고래를 깔 때 아궁이 쪽은 두꺼운 구들돌을 깔고 굴뚝 쪽으로 갈수록 얇은 돌을 사용했습니다. 아궁이 쪽에 두껍고 적당한 돌이 없을 경우에는 두 장을 겹깔아도 됩니다.

연도를 따라 고래청소를 싹 했고, 구들돌을 다 깐 다음에는 틈새를 자갈과 진흙으로 모두 메웠습니다. 그 위에 거미줄을 친 뒤 자갈을 먼저 깔아 덮고, 그 위에 흙을 10~15cm정도 두께로 깔았습니다.

방바닥을 갈무리할 때는 황토흙으로 흙다짐을 했습니다. 아궁이는 열효율을 높이기 위해 두 군데 모두 함실아궁이(가마솥이 없는 아궁이)로 했습

온수를 보일러에서 빼 쓸 수 있어 열효율이 높은 함실아궁이로 달았다.

굴뚝 연통에 호스를 달아 목초액을 뺄 수 있게 했다. 구들 난방을 하는 집은
굴뚝에 목초액을 받을 수 있게 하는 것이 좋겠다.

니다. 함실아궁이는 장작도 조금 들 뿐더러 아궁이보다 아랫목이 빨리 덥혀
집니다.

보일러도 같이 설치했기 때문에 온수를 쓰려고 굳이 가마솥을 걸지 않아
도 되었습니다. 굴뚝 아래에는 개자리를 파고 항아리를 묻어 놓았습니다.

또 굴뚝 아래 벽을 뚫고 호스를 끼워서 굴뚝 연통을 타고 목초액이 흘러 빠져나오면 외부에서 받을 수 있도록 했습니다.

그러나 문제는 아궁이가 2개인데도 굴뚝을 하나로 통합해놓은 것이 탈이었습니다. 굴뚝을 하나로 빼니 연기가 잘 빠지지 않고 엉켜 버렸습니다. 그래서 조만간 짬나는 대로 굴뚝 공사를 해서 분리할 계획입니다.

부엌 공사

부엌은 원래 재래식 부엌이었습니다. 그러나 노부모님이 쓰시기에 불편해서 현대식 입식 부엌으로 개조했습니다. 먼저 전면 1칸을 입식 부엌으로 개조하기로 하고 툇마루에서 바로 부엌으로 들어갈 수 있도록 하였습니다.

입식 부엌이므로 툇마루 높이와 똑같게 부엌 높이를 높였습니다. 그리고 부엌 공간은 최대한 넓히려 했으나 뒤쪽에 화장실과 아궁이를 두어 한 칸짜리 공간으로 만족할 수밖에 없었습니다.

어머니가 몸이 불편하시기 때문에 화장실은 수세식으로 집 안에 두고 비데를 설치했습니다. 위생상 뒷물이 좋고 편리하기 때문에 질 좋은 비데를 설치했는데 한 번 비데를 써보니 안 쓸 수 없었습니다. 그리고 화장실이 바로 부엌 옆이기에 휴지를 쓰지 않는 비데화장실이 적합하다는 생각이 들었습니다.

화장실 뒤로는 처마를 내서 그 밑에 보일러실을 두었습니다.

집을 고쳐짓고 난 뒤의 생각

집을 고치는 기간을 2~3개월 정도 잡았으나 실제로는 6개월이 걸렸습니다. 이렇게 오래 걸린 이유는 비가 많이 오는 바람에 목조가구식 한옥을 짓는 데 어려움이 많았기 때문입니다. 비가 오면 일체의 공사를 하기 어려웠

입식 부엌. 중간에 세워진 기둥이 거추장스럽지만 나름대로 운치있게
쓰도록 애를 썼다.

습니다. 흙벽집이라 날씨의 영향을 많이 받아서 비가 오면 습기를 어찌할
수가 없었습니다.

　기간이 길어지면서 당연히 수리 비용도 많이 들었습니다. 실제로 집수리
비용이 집을 새로 짓는 비용에 가까울 정도로 많이 들었습니다. 집수리 기
간을 좀 더 여유 있게 잡고 차근차근 계획을 세워서 추진해나갔더라면 비용
을 많이 줄일 수 있었을 것입니다.

　농사를 지으면서 하나하나 준비하여 집을 짓는다면 비용을 많이 줄일 수
있지만, 집부터 먼저 짓게 되면 부족한 재료나 인력을 모두 돈으로 해결해
야 하는 경우가 많아 경제적인 부담이 커질 수밖에 없습니다.

공사 기간이 길어지고 비용이 많이 든 것을 빼면 재래식 부엌의 개조가 제일 문젯거리였습니다. 입식 부엌의 공간이 비좁아 불편한데, 재래 부엌을 입식 부엌, 화장실, 아궁이칸까지 세 공간으로 나눠 쓰니 당연한 결과입니다.

뒤뜰로 갈 때 켜지는 센서 달린 전등. 어두운 곳으로 갈 때 일일이 스위치를 켜지 않아도 켜지는 센서 전등은 쓸모있게 활용할 수 있다.

재래 부엌은 비록 출입이 불편하나 그 속에서 불 때고 가마솥 온수도 쓸 수 있었습니다. 이 공간을 입식 부엌으로 바꾼다고 하면 아궁이 부분을 어떻게 처리해 입식 부엌과 조화를 이룰 것인가를 많이 고민해야 됩니다. 함실아궁이라서 단지 불만 때는데 이 한 가지 용도에 견주면 너무 많은 공간을 차지하며, 새로 바꾼 입식 부엌과도 상호 연결성이 약합니다. 따라서 이 공간은 밖으로 빼든가 아니면 없애는 것을 고려할 수도 있을 것입니다.

저는 앞으로도 틈나는 대로 집을 조금씩 손보며 고쳐나갈 생각입니다. 뚝딱거리며 집을 고치는 일을 즐기는데다가 조금만 몸을 쓰면 생활이 좀 더 여유롭고 편리해진다는 즐거움을 보탤 수 있기 때문입니다. 비록 수업료는 제법 물었지만 집을 고치면서 많은 것들을 배웠고, 또한 항상 새 집만 짓는 것이 능사가 아니며 기존의 집을 고쳐 자신의 집으로 맞추는 것도 좋은 일이라 생각합니다.

다만 여유를 갖고 충분히 계획을 세우고 준비해서 어차피 겪게 될 시행착오를 가능하면 많이 줄이길 권하고 싶습니다.

집수리에 든 비용

1. 마당 작업 포크레인 : 1대 28만 원×2대 = 56만 원

      덤프트럭(15톤) 3대 : 톤당 1만 원×100톤 = 100만 원

2. 지붕(기와 모양의 칼라 강판) : 평당 8~10만 원×35평 = 300만 원

3. 흙벽돌 : 장당 1500원×400장 = 60만 원

4. 목재 : 낙엽송 20만 원

5. 보일러, 배관 : 보일러 50만 원 + 재료비, 인건비 50만 원 = 100만원

6. 인건비 : 흙미장 100만 원

      식대 100만 원

      사모래 150만 원

      목수보조(1인) 200만 원

      흙작업 80만 원

7. 부엌 : 싱크대 55만 원

8. 화장실 : 공사비 50만 원

      타일 인건비 20만 원

9. 창호 : 구재 짝당 5만 원×6개 = 30만 원

      신재 짝당 10만 원×4세트 = 40만 원

10. 섀시 : 80만 원

11. 전기 재료 : 50만 원

   총액 : 1,691만원

우리 아이 교육은 어떻게 할까?

양희창 간디 청소년학교 교장

2002년에 간디학교 중학교 과정을 분리해서 청소년학교를 열었습니다. 아이들이 너무 예뻐서 교육이 잘 안 될 정도지요. 물처럼 순리대로 흐르듯 살고자 노력하고 있습니다.

    귀농하여 가장 어려움을 느끼는 문제가 아마도 자녀 교육에 관한 일일 것입니다. 저는 1996년에 도시를 떠나 경북 김천에 집을 짓고 농사를 지으면서 시골 생활을 하고 있습니다. 그 때 딸과 아들이 초등학교에 다니고 있었는데 처음에는 아이들이 시골에 와서 잘 적응하는 것으로 보여 별 문제가 없는 줄 알았습니다.

    그런데 점점 친구들과의 관계라든가 시골 학교의 문제점들이 드러나면

서 아이들이 무척 힘들어하는 것이었습니다. 부모들이야 자기들이 좋아서 귀농한 것이지만 아이들에게는 너무나 큰 삶의 변화가 부모의 입장에서 일방적으로 이루어진 것이어서 우리가 알지 못하는 상당히 많은 일들이 일어나고 있던 것이었습니다.

그 뒤로 농촌에서 간디학교를 운영하면서 '촌놈'이 되고자 하는 이들에게 여전히 남는 문제는 자녀 교육의 어려움이라는 생각이 들었습니다. 아이들 교육을 위해서라면 가정이 해체되는 것도 문제되지 않고, 유학 간 자녀를 위해 기러기 아빠가 되는 것을 마다 않는 이상한 세상이라, 귀농한 부모들은 자녀 교육에 대한 고민도 클 것입니다. 그런만큼 농촌에 정착하는 데 있어서 교육문제는 가장 중요하게 고려되는 사항이라고 생각되기에 저의 개인적인 경험과 정리한 생각들을 함께 나누고자 합니다.

단단한 철학과 믿음

첫째, 자녀 교육에 대한 철학이 확고해야 합니다.

농촌으로 이주하는 분들은 '이제부터 생태 지향적이며 대안적인 삶을 살아보겠다'는 의식의 전환과 실천적 결단이 있었기에 삶의 전환이 가능하였다고 봅니다. 그 생각이 아이들 교육에도 함께 적용되어야 한다는 것이지요. 그동안 교육이 욕심의 도구를 만드는 데 혈안이 되었다면 이제부터는 교육도 대안적 삶을 위한 교육이 되어야 한다는 철저한 깨달음이 있어야 할 것입니다.

내가 농부면 자식도 농부가 되었으면 좋겠다는 바람이 있는지 솔직히 자신을 비추어 보아야 합니다. 나는 농촌에 살지만 자식은 어서 도시에 나가

출세했으면 좋겠다는 생각을 갖고 있다면 아이들 교육은 제대로 이루어지지 않을 거라는 겁니다. 먼저 어떤 사람이 되었으면 좋겠다는 자신의 가치관이 정립되었으면 좋겠습니다. 내가 가진 생각이 바르지 않으면 시골에 있어도 결국은 도시 지향적인 삶을 아이들에게 요구하게 되고 아이들은 어서 시골을 탈출하고 싶어 안달하게 됩니다.

아이들이 자라서 어떻게 사는가는 분명히 아이들의 몫입니다. 그 아이들이 농부가 되든 도시로 나가든 그것은 아이들이 결정해야 하는 주체적인 삶의 부분입니다. 하지만 부모가 자신의 삶을 통하여 어떤 가치관을 보여 주느냐에 따라 아이들의 현재 생활이 매우 달라지는 것은 확실합니다. 흙을 만지면서 행복해하는 부모를 따라서 호미질을 하는 아이들의 눈빛을 보면 금방 알 수 있습니다.

예를 들면 도시 중심적 가치관이 말하는 창의성이나 탁월성에 대한 논의들이 있습니다. 다른 사람보다 뛰어나야 하고 경쟁력을 갖추어야 하고 그래서 자본을 독식할 수 있는 능력을 탁월성이라고 말합니다. 하지만 땅과 함께 살아가며 자연의 소중함을 깨닫는 이들에게는 전혀 다른 가치관이 주어집니다. 진정한 창의성과 탁월성이 무엇인가 자연을 통하여 배우게 된다는 것입니다. 진정한 창의성이란 함께 살아갈 수 있는 능력이며, 탁월성을 지닌 사람이란 자발적 가난을 선택하여 어려움을 이겨내는 이들임을 알게 된다는 것이지요.

시골에 살면서도 도시를 동경하고 도시 지향적 삶을 계속 살아가는 한 진정한 농부가 되기는 어려울 것입니다. 아이들에게 욕심과 소비의 가치관이 고스란히 심어지면 농촌으로 들어온 부모를 원망하게 되고, 그러면 아이들 스스로 생태적 삶을 경험하기는 어려울 것이라는 겁니다. 결국 부모가 소비와 욕심 구조를 끊어 내고 아이들에게도 그러한 믿음을 얼마나 보여 주느냐에 따라 아이들의 교육도 좌우되리라고 봅니다.

둘째로는, 아이들은 믿는 만큼 자라며 스스로 자란다는 것을 믿어야 합니다. 요즈음 부모들은 아이들을 '불안'으로 교육합니다. 불안감을 먹고 자라는 교육 속에서 길들여졌기에 아이들에게도 불안을 강요하는 거지요. "너, 이래 가지고 밥 먹고 살겠니?", "커서 뭐가 되려고 이렇게 공부를 안 하니?", "기본은 해야지, 남들 하는 만큼은 해야지." 잔소리를 안 하는 부모라도 이 정도의 이야기는 한두 번 하실 겁니다. 그런데 이런 말이 얼마나 무서운 말인지 생각해 보아야 합니다.

열등감과 욕심을 극복한 부모들 밑에서 아이들은 부쩍부쩍 자라납니다. 아이들에게는 하나하나 자신만의 세계가 주어져 있으며 얼마든지 세상을 힘차게 살아갈 힘이 있습니다. 우리들이 그 힘을 죽여 버린 것이 문제이지 아이들이 능력이 없는 게 아닙니다. 달리기를 시켜놓고 1등한 아이에게만 상을 주는 세상이 잘못되었지 1등을 못한 대부분의 아이들이 못난 게 아니라는 겁니다.

새로운 세상을 보여 주어야 합니다. 그러면 아이들은 자연이라는 위대한 교사의 가르침 아래 스스로 대안을 갖고 자라나게 될 것입니다. 가치를 선택한 아이들은 스스로 개척해 나가는 능력이 있기 때문입니다. 간디학교에서도 새로운 인간형을 이야기할 때 생태적 인간, 공동체적 인간, 전인적 인간을 이야기하고 있습니다.

욕심을 버리고 자연과 함께 살아가는 인간, 서로 주고받으며 나누는 봉사하는 인간, 그러면서 결국은 내면의 깊은 세계를 갖고 행복할 수 있는 인간이 되기를 원한다는 것입니다. 시골에서 자라면 뭐가 부족하다거나 손해를 볼 거라는 생각을 갖기 보다는 이 아이들이 얼마나 행복한 존재인가를 스스로 느끼고 아이들을 믿어 줄 때 아이들은 그만큼 자란다는 것입니다.

시골 학교 보내기

지역 공동체에 속하기 위해서는 시골 학교에 아이들을 보내는 것이 좋습니다. 초등학교의 경우 시골 학교들이 도시의 학교들보다 훨씬 정서적이고 인간다운 교육을 할 수 있습니다. 대부분의 농촌이 아직은 새로 들어오는 사람들에 대한 거부감이 있거나 배타적인 태도를 보이는 것을 감안하면 지역 학교에 아이들을 보내어 학부모가 되고 자연스럽게 지역 주민이 되는 것이 바람직하다고 생각됩니다.

단, 아이들이 시골에 전학을 갈 경우 생기는 문제들이 있으므로 부모들은 그 갈등을 줄여 줄 대비를 하셔야 합니다. 비교적 학생 수가 적은 학교가 대부분이어서 모두가 잘 지낼 것 같지만 오히려 도시에서 온 아이들이 따돌림을 당하거나, 스스로 적응하지 못하는 경우가 많이 있습니다. 이럴 때 잘 지켜보면서 아이들이 불행해지지 않도록 묘안을 만들어 주셔야 합니다.

예를 들면 저희 딸아이가 힘들어 할 때 저희 집을 방과 후 놀이터로 만들어 같이 숙제도 하고 놀 수 있게 만들어 주니까 쉽게 친해지면서 부모들 사이도 좋아졌던 경험이 있습니다. 도시에서 배운 것을 자랑하거나 시골을 우습게 여기는 태도가 아이에게 있다면 하루빨리 고치도록 도와 주어야 따돌림 당하는 것을 막을 수 있습니다.

그리고 학교 자체의 비교육적 방식이나 문화로 인해 고통 받을 수 있습니다. 시골에는 없을 것 같지만 여전히 교사들에 의한 체벌이나 군대식 교육이 이루어지기도 합니다. 학교에는 일제 시대의 교육으로부터 내려온 뿌리 깊은 부조리 문화가 자리 잡고 있기에 하루아침에 해소되기는 어려울 것이고, 도시보다도 오히려 더 이해하기 어려운 관행들이 시골 학교에서 나타나기도 합니다.

또한 교육의 지체 현상이 나타나서 나이 많은 한 두 교사의 무기력함이 아이들에게 전달되기도 하고, 학교 교육보다는 인근 소도시의 학원 교육에 의존하게 만드는 기현상도 경험하게 됩니다. 소풍이나 운동회, 조회 등에서 나타나는 불합리한 문화도 괜히 아이들을 이런 학교에 보내어 고생시킨다 하는 후회를 갖게 할 것입니다.

하지만 이런 고질적인 문제들은 우리 나라 어느 곳에나 널려 있습니다. 회피하기보다는 작은 것부터 해결해 보고자 하는 노력이 필요합니다. 일단 친숙해진 다음에는 사소한 문화부터 바꾸어 가기 위한 지혜가 요구됩니다. 교육적 빈곤을 해소하기 위해서는 다른 부모님들과 함께 방과 후 프로그램이나 주말 학교를 열어 보는 것도 좋을 것입니다.

학교 운영에 적극적으로 참여하여 학교 문화를 조금씩 바꾸어 가는 노력도 기울여야 합니다. 물론 학부모 운영위원회에 참여하는 것은 에너지 소모가 크므로 신중히 판단해야 하고, 정착 초기 단계에는 적합하지 않을 수도 있습니다만 장기적으로 볼 때 시골 학교가 지역의 중심 센터가 되고 마을공동체의 중심이 되어야 합니다. 그런 점에서 관심을 기울여야 할 것입니다.

대안 학교 보내기

앞으로 시골의 중 · 고등학교들이 어떻게 변화될지 모르지만 아직까지는 선뜻 자신 있게 보내라고 권할 수 있는 현실은 아닌 것이 사실입니다. 현재 아이들이 초등학교를 졸업하고 나면 중학교는 인근 도시로 유학 보내는 부모들이 대단히 많습니다. 그만큼 시골의 중·고등학교는 대학 진학에 불리하다는 생각이 만연해 있고, 시골의 농부들도 자식의 고등 교육만큼은 도시로 보내서 교육시키겠다는 생각이 크다는 것이지요.

그래서 부모들의 높은 교육열을 반영하지 못하는 농촌의 중·고등학교들은 상대적 패배감, 열등감에 빠져 있고 학업 분위기가 조성되기 어렵거나 무기력증에 빠진 교사들을 쉽게 발견할 수 있습니다. 중·고등학교 진학에 관해서는 지역에 따라 부모들이 잘 판단하셔서 결정할 수밖에 없습니다.

도저히 학교를 보낼 수 없다고 판단이 되면 두 가지 방법이 있습니다. 하나는 스스로 대안 학교를 만들거나 아니면 이미 만들어져 있는 대안 학교에 아이들을 보내는 것입니다. 둘 다 어려운 것이 아니냐고 반문할 수 있습니다. 먼저 대안 학교 만드는 것이 어디 쉬운 일이냐고 하는 분들에게는 먼저 학교를 만들기 전에 학교에 대한 개념을 새로이 하여야만 학교를 만드는 꿈을 꿀 수 있다고 말씀드리고 싶네요.

학교에 대한 고정 관념을 없애야 학교를 만들 수 있습니다. 지역이 학교이며 자연이 교사인 학교를 만드는 겁니다. 간디 선생님의 사례에서 보면 먼저 농장으로 출발하여 그 속에 학교를 만들고 아이들과 함께 사는 것이 학교가 되었던 좋은 모범입니다. 교육의 근본을 찾아 나가게 되면 결국 우리가 살아가는 삶이 배움이며, 지역이 학교가 될 수 있음을 깨닫게 될 것입니다.

대안학교법이 제정되어 학교 설립이 쉬워졌다는 측면도 있습니다만 학교의 설립을 대규모 제도 형태로만 국한할 게 아니라 작은 학교를 구상하고 지역의 인프라를 이용하는 자연 학교를 계획한다면 얼마든지 가능할 수 있다는 것입니다. 물론 이렇게 학교를 운영하려면 상급 학교 진학을 위한 도구가 되어버린 현 중·고등학교 체제에 대한 비판적 사고와 아울러 대안적 학교를 만들겠다는 인식의 전환이 필요합니다.

공동체 마을 학교가 필요합니다. 진정한 농부를 만드는 학교가 미래 학교의 모범안이 되어야 하고, 농부가 21세기 최고의 직업이 되리라는 전망을 갖고 학교의 미래를 꿈꾸어야 합니다. 그리고 대안 학교를 만들기 어려운 여건에 있는 분들은 기존의 대안 학교에 보내라고 권하고 싶습니다.

저는 제 아들을 전남 장성에 있는 한마음 공동체에서 운영하는 비인가 학교에 보냈습니다. 그 학교에서는 친환경적 농사, 생태적 흙집 짓기, 천연 염색, 도자기 등 생태적 삶을 살기 위한 과정을 공부합니다. 지식 교과에 대해서는 아무런 대책이 없을 수 있지만 그래도 저는 그 학교가 가장 대안적인 학교라고 생각합니다. 비인가 학교에 보내서 어떻게 하려나 하는 생각을 갖기 보다는 이러한 학교가 미래지향적 대안 학교임을 깨닫고 먼저 자녀들에게 권유하는 것이 좋을 것입니다.

대부분의 대안 학교에서는 귀농하는 분들과 연대의 필요성을 느끼고 귀농한 분들의 자녀가 대안 학교를 진학할 경우 장학금으로 경제적 어려움을 나누고 있습니다. 저희 학교에도 매년 농부들의 자녀들이 진학하고 있으며 대안 학교와 귀농자들의 연결을 적극 권장하고 있습니다.

가정 학교 만들기

이것도 저것도 다 어려우면 홈스쿨을 고려해 보는 것도 좋을 것입니다. 가장 작은 학교의 형태가 바로 집에서 배우고 가르치는 홈스쿨입니다. 두세 가정으로 이루어진 학교가 과연 학교인가 의문이 생기겠지만 이제는 홈스쿨을 하고 있는 가정도 늘어나 보편화되는 흐름을 갖게 되었습니다. 온·오프라인을 통해 잘 연결하면 홈스쿨도 그다지 어려운 것은 아니라는 생각이 듭니다.

홈스쿨은 또 다른 형태의 새로운 학교 운동입니다. 그래서 저희 학교에서도 '학교 너머'라는 이름으로 '간디 홈스쿨 네트워크'를 만들어 홈스쿨 하는 가정들을 지원하고 있습니다. 학교 밖 배움이 가능한가에 대한 사회적 물음이 서서히 일어나고 있습니다. 비싼 학비 들여서 학교를 보내는 것이 과연 아이들이 행복한 삶을 살아가는 데 반드시 필요한 일인가를 근본적으로 물어볼 때가 된 것입니다.

물론 홈스쿨의 어려움은 여전히 나타나고 있습니다. 부모가 직접 자신의 아이를 가르치기 어렵다고 호소하는 분이나 농사하기도 너무 바쁜데 언제 아이들까지 가르치겠냐고 답답해 하는 분들도 계십니다. 처음에 너무 거창한 계획을 세우면 아이들만 닦달하다가 부모들도 아이들도 금방 지치게 되고 맙니다.

아이들은 외로워하고, 부모들은 정신 없는 상황에서 홈스쿨이 제대로 되려면 몇 가정이 뭉쳐 함께 힘을 모아야 하고 일방적으로 가르치는 학교에서 벗어나 스스로 공부하는 학교를 만들어야 합니다. 잘 꾸려가고 있는 가정을 방문하여 정보를 수집하고 힘을 모으는 지혜도 필요할 것입니다.

홈스쿨의 장점은 무엇보다도 부모 자식 사이의 친밀감이 뚜렷해진다는 것입니다. 교사에 대한 새로운 눈을 떠서 가르치기보다는 안내하고 격려하는 역할에 충실할 수 있다면 스스로 배우며 자라는 아이들의 성장에 놀라게 될 것입니다. 이제는 좋은 교재와 네트워크가 마련되어 있으니 서로 연대하고 정보를 교류한다면 얼마든지 효과적인 홈스쿨을 할 수 있으리라 생각됩니다.

때때로 가정끼리의 위탁 교육, 협동 교육, 또는 함께 움직이는 학교를 만들어 체험 활동, 공동체 활동을 할 수 있습니다. 이제는 교육의 근본 틀을 만들고 새로운 대안의 삶을 위한 교육을 할 수 있는 곳이 진정한 학교라는 생각을 현실로 만들 때가 되었습니다.

귀농하는 분들은 모두가 대안 교육자라고 생각합니다. 시대의 흐름을 바꾸어 내는 불복종 정신과 창조적 대안을 만들어 가는 창조자로서, 효율과 경쟁의 구조에서 벗어나 욕심을 버리고 변화하는 교육을 만들어 가는 주체가 바로 여러분입니다. 학부모이면서 동시에 교사로써 함께 대안적 삶을 꿈꾸어야 할 것입니다.

대안 학교 현황

대안학교는 입시와 개성을 살리지 못하는 공교육의 문제점을 극복하고자 세운 학교로 교육 관청이 인정한 인가형 대안 학교와 비인가형 대안 학교가 있습니다. 대안 학교를 선택하기 전에 장·단점과 각 학교의 교육철학, 특성을 꼼꼼하게 알아보고 결정하는 것이 좋습니다.

비인가 대안 학교의 경우 졸업 학력이 인정되지 않기 때문에 상급 학교 진학 시 검정 고시를 치러야 하는 문제가 있고, 정부의 재정적 지원을 받지 않기 때문에 운영상 어려움이 있기도 합니다. 하지만 최근에는 대안 학교의 법제화로 인해 다양한 대안 학교가 많아지고 제도적인 장치가 마련되고 있습니다. 이런 움직임은 반가운 일이나 독자적인 교육 철학을 그 전처럼 발휘할 수 있을지는 의문입니다.

자녀를 대안 학교에 입학시킬 때는 우선 위와 같은 학교마다의 장단점을 잘 파악해야 합니다. 그리고 아이들의 의견과 함께 충분한 상담을 한 뒤에 결정하는 것이 좋겠습니다.

구분		학교명	홈페이지	주소	전화번호
인가형 대안학교	특성화 중학교	두레자연중학교	doorae.ms.kr	경기도 화성시 우정면 화산리 692-15	031-358-8773
		성지송학중		전남 영광군 군서면 송학리 219-1	061-353-6351
		용정중학교	yongjeong.ms.kr	전남 보성군 미력면 용정리 186	061-852-9602
		이우중학교	2woo.net	경기 성남시 분당구 동원동 산13-1	031-710-6933
		지평선중학교	jipyeongseon.ms.kr	전북 김제시 성덕면 묘라리 99-1	063-544-3131
		헌산중학교	hensan.ms.kr	경기 용인시 원삼면 사암리 883-1	031-334-4004
	특성화 고등학교	경기대명고등학교	daemyoung.hs.kr	경기도 수원시 권선구 당수동 122	031-416-3754
		경주화랑고등학교	hwarang.hs.kr	경북 경주시 양북면 장항리 333	054-771-2355
		공동체비전고등학교	vision.hs.kr	충남 서천군 서천읍 태월리 75-1	041-953-6292
		달구벌고등학교	dalgus.net	대구 동구 덕곡동 75-5	053-981-1318
		동명고등학교	www.kdm.hs.kr	광주 광산구 서봉동 518	062-943-2855
		두레자연고등학교	doorae.hs.kr	경기 화성시 우정면 화산7리 692-11	031-358-8183
		산마을고등학교	sanmaeul.org	인천 강화군 양사면 교산리 366	032-932-0191
		산청간디학교	gandhischool.net	경남 산청군 신안면 외송리 122	055-973-1049
		세인고등학교	seine.hs.kr	전북 완주군 화산면 운산리 110-1	063-261-0077
		양업고등학교	yangeob.hs.kr	충북 청원군 옥산면 환희리 181	043-260-5076
		영산성지고등학교	yssj.hs.kr	전남 영광군 백수읍 길용리 77	061-352-6351
		원경고등학교	wonkyung.hs.kr	경남 합천군 적중면 황정리 292	055-933-2019
		이우고등학교	2woo.net	경기 성남시 분당구 동원동 산13-1	031-710-6917
		지구촌고등학교	glovillhigh.org	부산 연제구 거제1동 50	051-505-8656
		지리산고등학교	jirisan.hs.kr	경남 산청군 단성면 호리 523번지	055-973-9723

구분		학교명	홈페이지	주소	전화번호
인가형 대안학교	특성화 고등학교	푸른꿈고등학교	purunkum.hs.kr	전북 무주군 안성면 진도리 865	063-323-2058
		한마음고등학교	hanmaeum.hs.kr	충남 천안시 동면 장송리 418-1	041-567-5525
		전인고등학교	jeoninschool.net	강원 춘천시 동산면 원창1리 923-1	033-262-2484
		풀무고등학교	poolmoo.or.kr	충남 홍성군 홍동면 팔괘리 664	041-633-3021
		한빛고등학교	hanbitschool.net	전남 담양군 대전면 행성리 11	061-383-8340
비인가형 대안학교	초등	고양자유학교	jayuschool.org	경기도 고양시 덕양구 대장동 113번지 2	031-965-0402
		과천자유학교	gcfreeschool.x-y.net	경기도 과천시 갈현동 48-10	02-503-4035
		꿈틀자유학교	ggumtle.or.kr	경기도 의정부시 의정부2동 132-4	031-848-3346
		대전꽃피는 학교	peaceflower.org	충남 공주시 반포면 마암1리 677-3	041-855-7761
		과천무지개학교	moojigae.or.kr	경기도 과천시 별양동 19-1	02-3679-7778
		물이랑 작은학교	freechal.com/mmooll	경기도 과천시 중앙동 28-5	02-507-6465
		벼리어린이학교	byuri.org	경기도 의왕시 삼동 414	031-461-4575
		산어린이학교	san.gongdong.or.kr	서울시 동작구 대방동 344-22 2층	02-814-2606
		삼각산재미난학교	cafe.daum.net/yahoschool	강북구 우이4동 584-35	02-995-2277
		수원칠보산자유학교	home.freechal.com/suwondaean	경기도 수원시 권선구 호매실동	031-292-5929
		양평전인새싹학교	yp.jeoninschool.net	경기도 양평군 단월면 부안리 239-1	031-773-0917
		영남 전인학교	cafe.naver.com/0to100yjs	울산시 울주군 삼동면 금곡리 49	054-264-9200
		열음학교	cafe.daum.net/yeuleum	경기도 부천시	032-654-5754
		자유학교물꼬	freeschool.or.kr	충북 영동군 상촌면 대해리 698	043-743-4833
		자자학교	jajaschool.net	경기도 파주시 문산읍 내포리 321번지	031-953-7295
		평화학교	scpeace.or.kr	전남 순천시 상사면 오곡리 303-1	061-745-4008
		하남꽃피는학교	peaceflower.org	경기도 하남시 미사동 438-2	031-791-5683
		참좋은기초학교	chamjoeun.net	서울시 구로구 고척동 166-5	02-2684-0561
		어린이학교	sarangbang.org	경기도 포천군 소흘읍 무림리 348	031-544-1615
		맑은샘 솟는학교	eduspring.or.kr	경기도 이천시 갈산동 우성아파트 101-207	031-634-4507
		들살이학교	dulsari.ez.ro	제주도 남제주군 성산읍 난산리 1109	064-782-0196
	중·고	초중고간디마을학교(중)	gandhivillage.net	경남 산청군 신안면 안봉리 916-1	055-972-7972
		간디자유학교(고)	gandhifree.net	경북 군위군 소보면 서경리 652-1	054-382-6690
		간디청소년학교(중고통합)	gandhischool.net	충북 제천면 덕산면 선고1리 92-3	043-653-5792

구분		학교명	홈페이지	주소	전화번호
비인가형 대안학교	중·고	굼나재청소년학교(중고통합)	goomnaje.com	전북 전주시 덕진구 여의동 1232-3	063-211-1318
		꿈의 학교(중고통합)	dreamschool.or.kr	충남 서산시 대산읍 영탑리 5-36	041-681-3411
		늦봄학교(중고통합)	bomedu.com	전남 강진군 도암면 만덕리 196	061-433-7212
		독수리기독중고교(중고통합)	eagleschool.com	경기 성남시 분당구 분당동 90-7	031-789-2400
		마리학교(중고통합)	mari.or.kr	인천시 강화군 길상면 초지리 1140-4	032-937-2313
		볍씨학교(중고통합)	byeopssi.org	경기도 광명시 옥길동 73-2	02-809-2081
		산돌학교(중고통합)	sundol.or.kr	경기도 남양주시 수동면 운수리 357	031-511-3295
		성미산(초중고통합)	sungmisan.net	서울시 마포구 성산동 256-31	02-3141-0507
		실상사작은학교(중)	jakeun.org	전북 남원시 산내면 선돌마을 50	063-636-3369
		참꽃작은학교(중)	alt21.net	강원도 원주시 귀래면 주포1리 906	033-766-0167
		춘천전인학교(중/고)	cafe.naver.com/jeoninedu	강원도 춘천시	033-256-3555
		푸른숲학교(초중통합)	gforest.or.kr	경기도 하남시 하산곡동 456-4	031-793-6591
도시형 대안학교		꿈꾸는아이들 학교	dreamwe.org	서울 관악구 신림동 난곡 남부교육센터	02-855-2529
		꿈틀학교	imyschool.com	서울 종로구 명륜1가 33-23 2층	02-743-1319
		들꽃피는학교	wahaha.or.kr	경기도 안산시 와동 812-13 2층	031-402-4405
		민들레사랑방	flyingmindle.or.kr	서울 청계2가 청소년수련관	02-322-1318
		성장학교 별	schoolstar.net	서울 관악구 봉천8동 922-20 대원빌딩3층	02-888-8069
		은평씨앗학교	seedschool.net	서울 은평구 녹번동 176-27	02-384-3518
		자유터학교	unischool.org	서울 관악구 봉천동 1681-26 (201호)	02-446-4646
		하자작업장학교	school.haja.net	서울 영등포구 영등포동 7가 57	02-2677-9200
		한들	youth1318.or.kr/handle	서울시 송파구 문정2동 150-8	02-449-0500
		스스로넷 미디어스쿨	mediaschool.co.kr	서울 용산구 갈월동 101-5	02-795-8000
		도시속 작은 학교	bigschool.or.kr	서울 용산구 한강로3가 63-46	02-796-7855
		셋넷학교	34school.net	서울 영등포구 당산동4가 32-104 (701호)	02-2636-2890
		여명학교	ymschool.org	서울 관악구 봉천동 1680-29 (4층)	02-888-1673
		디딤돌학교	cafe.daum.net/didimdolschool	성남시 수정구 태평1동 6797 3층	031-755-4080
		도시속참사람학교	macji.or.kr/zb41	광주 남구 월산5동 1026-3 2층	062-368-8041
		도시속작은학교	uriidl.or.kr/udada	부산시 동구 초량1동 1211-10 서울빌딩 10층	051-466-1318

* 참고 사이트 : 한국대안학교협의회 (caeak.com) 대안교육연대(psae.or.kr)

자연이라는 큰 선생님

김광화 농부. 전북 무주

1996년 봄, 서울을 떠났습니다. 농사로 자급자족을 해 가듯이 자녀교육과 예술, 더 나아가 영적인 성장, 그 모두를 자급하고 또 자족하고자 합니다. 이러한 고민을 묶어, 아내 장영란과 함께 「아이들은 자연이다(돌베개)」를 썼습니다. e-mail : flowingsky@naver.com homepage : www.nat-cal.net 한글 이름 자연달력

우리 식구가 서울을 떠나온 지 어느덧 10년입니다. 아이가 둘, 18살 딸과 11살 아들이 있습니다. 두 아이 다 학교를 다니지 않고 집에서 지내고 있습니다. 큰아이는 중학교를 두 달 다니다가 그만두고 일 년 만에 검정고시로 중학교 의무 교육과정을 마쳤습니다. 작은 아이는 초등학교 1학년을 다니다가 '취학 의무 유예원'을 냈습니다.

처음 시골로 내려오고자 할 때는 나는 자녀 교육에 대해 별다른 생각이

없었습니다. 농사를 지어 흙에 뿌리내리는 일에 모든 힘을 바치고, 교육은 교사나 교육 전문가들의 몫이라고 생각했습니다. 하지만 지금은 아닙니다. 환경만 주어진다면 아이들은 스스로 잘 배울 수 있고, 잘 지낼 수 있다고 생각합니다. 정말 아이들은 자연에서 커야 하고, 빠르면 빠를수록 좋다고 생각합니다.

공부는 스스로 알아서

우리 아이들은 입시 위주의 경쟁 교육을 하지 않습니다. 대신에 자신이 배우고 싶을 걸 그때그때 배웁니다. 요즈음은 정보와 지식이 넘치는 세상입니다. 교과서는 물론 참고서도 잘 나옵니다. 재미있는 교양서적도 끊임없이 쏟아지고 비디오나 CD 따위들도 좋은 게 많습니다. 인터넷은 더 말할 것도 없지요. 지방자치제가 되면서 지역 도서관도 훌륭한 편입니다. 배우고자 하는 의욕만 있다면 뭐든 배울 수 있습니다.

자연에서 크는 아이들은 스스로 배우고자 합니다. 나는 배움은 인간 본성 가운데 하나라고 믿습니다. 본성이 살아있는 아이, 열려있는 사람은 배우고 싶어 합니다. 자신이 성장하는 데 배움은 소중하기 때문입니다.

우리 아이들이 학교를 그만두고 나서 한동안은 교과서 중심으로 공부를 했습니다. 남들 다 하는 공부를 안 한다면 왠지 시대에 뒤떨어질지 모른다는 두려움이 있었던 것이지요. 하기 싫은 공부를 억지로 하다보면 나중에는 배우고 싶은 본성마저 잃어버립니다. 배움이 기쁨이 아니라 억압이나 두려움이 되는 것입니다. 우리 아이들 역시 이런저런 치유의 과정을 거치면서 스스로 배울 수 있는 힘을 키워가고 있습니다.

공부를 남들보다 잘해야 한다는 부담에서 벗어나면서 아이들의 관심 분야가 아주 넓어졌습니다. 작은 아이는 만화책을 보면서 많은 지식을 얻습니다. 만화도 워낙 다양하게 나와서 아이의 관심 영역을 넓히는 데 도움이 됩니다. 서바이벌 과학 만화를 좋아했고, 역사도 만화를 통해 여러 번 보았고, 이제마의 사상 의학도 보고, 신문에 나는 만화들은 스크랩을 합니다. 그러더니 점차 자연 과학이나 동화에도 관심을 갖습니다. 여덟 권으로 나온 파브르 곤충기는 다섯 번도 더 읽어서 곤충에 대해서는 우리 식구 가운데 가장 해박합니다.

큰아이 독서 영역은 아주 넓습니다. 큰 줄기만 이야기하자면 우선 청소년으로서 몸에 관심이 많습니다. 그런 관심이 나아가 수벽치기, 요가, 태극권을 익히게 되었습니다. 뇌를 비롯한 우리 몸 하나하나에 관심이 많은 것 같습니다. 자연에 사니 자연과학에 대해서도 당연히 공부를 많이 합니다. 심리학에도 관심이 많아 틈틈이 봅니다. 그러면서도 그 또래 아이들이 좋아하는 무협 판타지 소설도 좋아합니다.

그런데 재미있는 것은 우리 아이들은 어떤 분야에 관심이 생기면 한동안 푹 빠져 배운다는 것입니다. 작은 아이는 요즘 바둑을 좋아해서 바둑책을 여러 권 샀고, 도서관에 가면 바둑책을 먼저 빌립니다. 컴퓨터로도 익힙니다. 신문이 오면 바둑란을 가위로 오린 다음 한 수 한 수 따라 두면서 복습을 합니다. 교과 공부도 그렇습니다. 한번은 초등학교 수학책 한 권을 보름 만에 다 풀기도 했습니다. 호기심이 생기면 그걸 다 풀어야 직성이 풀리는 모양입니다.

식구가 함께 하는 배움

아이들이 학교를 안 다니니 식구가 많은 시간을 함께 하게 됩니다. 세 끼 밥 먹는 것부터 그렇습니다. 그러다 보니 식구 사이에 이야기를 많이 합니다. 학교 교육이라면 듣기와 말하기, 그리고 읽기와 쓰기를 따로 배우겠지만 우리는 삶 속에서 통합적으로 이루어집니다.

밥상머리에서 많은 이야기가 오고 갑니다. 그날 할 일이나 했던 일, 물론 세상 돌아가는 이야기, 책을 보고 배운 이야기들을 두루 합니다. 이야기로 밥상이 푸짐하지요. 부모 자랄 때 이야기를 아이들은 무척 재미있어 합니다. 나중에는 할머니, 할아버지의 삶에 대해서도 궁금해 합니다. 또한 아이들은 자연에서 보고 겪은 이야기를 많이 합니다. "생강나무 꽃이 피었어요. 올챙이를 봤어요. 갓버섯 좀 보세요……." 아이들이 들려주는 이야기는 내게도 도움이 됩니다. 농사에 매달려 놓치기 쉬운 자연의 흐름을 알게 되는 것이지요.

겨울에는 더 많은 시간을 식구가 함께 합니다. 군 도서관에 가끔 들러서 각자 보고 싶은 책을 빌려와서 다 읽고는 소감을 나눕니다. 느낌이 좋은 책은 서로 돌려 읽다 보니 겨우내 엄청 많은 독서를 하게 됩니다.

식구가 함께 하는 배움에는 일이 빠질 수 없습니다. 아이들은 부모의 삶에 관심이 많습니다. 가까이서 부모가 하는 일을 자주 보니 더 그렇습니다. 아이가 관심을 갖다가 호기심이 생기면 먼저 물어 봅니다.

한번은 아래채 구들 개자리를 파고 있는데 작은 아이가 곁에 와서,
"아빠, 뭐 하시는 거예요?"
"응, 개자리를 파고 있지."

"개자리가 뭔데요?"

"음, 아궁이에 불을 때잖아. 그럼, 뜨거운 열이 구들돌을 데우는 거야. 그
리고 나면 열이 식겠지. 식은 열이 어디로 가겠니?"

"아래로요?"

"그래. 개자리를 깊이 파, 불기운이 굴뚝으로 바로 나가지 않고 개자리에
서 돌게 하는 거야. 공기가 위로 아래로 도는 거지. 그럼, 방이 잘 안 식어.
이런 현상을 어려운 말로 하면 대류 현상이라고 하지."

일하면서 배우는 건 정말 많습니다. 큰아이는 요즘 자그마한 아래채를 짓
고 있습니다. 집짓기 하나만 해도 피타고라스 정리에다가 역학은 물론 미학
도 배우게 됩니다. 집이 앉을 모양새는 물론이요 방문 배치에다가 문얼굴을
짜면서도 아름다움을 염두에 둡니다. 각재로 제재가 된 나무 기둥의 위아래
를 구분하는 법도 배우게 됩니다. 전기 대패나 드릴 따위의 공구 다루는 법
도 배웁니다. 큰아이는 집을 지으며 일기를 쓰고 있습니다. 한창 집을 짓고
있는데 계간 〈귀농통문〉에서 큰아이에게 원고를 써 달라고 했습니다. 내 자
식이지만 아이가 집짓는 과정을 곁에서 보니 나부터 부럽습니다. 까치도 집
을 짓듯이 누구나 집을 지을 수 있는 힘을 갖고 태어납니다. 잠재된 그 힘이
살아나는 모습이 보기에 좋습니다. 아이는 집짓기에서 자연스럽게 글쓰기
로 이어지고 있는 것입니다.

집짓기가 그러하거늘 농사일은 배울 게 더 많습니다. 농사는 생명과 맞닿
아 있기에 부모가 뭐라 하지 않아도 아이들은 자기 힘만큼 자기 텃밭을 일
구어 갑니다. 이것 역시 아이가 학교를 그만두면서 생긴 큰 변화입니다. 오
래 전에 썼던 글을 다시 옮겨 봅니다.

큰아이는 모내기나 벼 베기처럼 큰 일 있을 때, 어쩌다 한 번씩 나타나곤 했다. 그러다가 학교를 그만둔 해 처음으로 두 평정도 자기만의 텃밭을 가꾸었다. 콩나물 콩, 호박, 더덕, 들깨, 해바라기 따위를 심었다. 그 해 겨울, 열네 살 아이가 대견해 이것저것 물어보았다.

"왜 농사에 관심을 갖게 되었니?"

"오래돼서 잘 기억이 안 나지만, 아마 학교를 그만두고 시간이 많았기 때문이 아닌가 해요."

"해 보니 어떠니?"

"생명력이 대단한 것 같아요. 풀을 제때 뽑아 주지 못했는데도 풀 속에서 잘 자라니…….. 물이 중요하다는 걸 알았고, 이전엔 가뭄이 와도 우리 마실 물만 나오면 됐는데 이젠 가뭄이 들면 애가 타요. 내가 키운 늙은 호박을 보면 행복해요. 해바라기는 오줌을 가끔 준 것과 안 준 것과 차이가 많이 나고. 콩나물 콩은 다행히 비둘기가 몰랐던 것 같고……."

"힘들거나 어려운 일은 없었니?"

"더덕은 하루가 다르게 자라 올라가니까 받침대 해준다고 뛰어다닌 거. 그러면서도 좋았어요. 쑥쑥 자라 내 키보다 크니까. 그리고 더덕 꽃이 예뻐요. 꽃도 예쁘지만 모양이 오각형이라 신기하기도 해요. 내가 기르는 작물의 꽃을 제대로 보게 되고……."

그리고는 몇 해가 흘러서 지금은 아이가 어른 몫을 단단히 합니다. 그러니 식구 사이에 대화가 훨씬 깊어집니다. 농사 경험을 다양하게 나누다 보면 아이의 성장을 생생하게 느낍니다. 우리 부모님은 자식 교육을 위해 당신을 희생해가면서까지 뒷바라지를 하셨습니다. 많이 배워 도시에서 성공하기를 바라셨습니다. 자식 키우는 즐거움을 제대로 누리지 못하셨고, 우리

형제들은 잘해야 한다는 부담을 느끼며 자랐습니다. 하지만 지금 우리는 그게 아닙니다. 아이들은 남과의 경쟁이 아닌 성장 그 자체에 기쁨을 느끼며 자랍니다. 부모로서 나는 아이들 뒷바라지 할 게 많지 않습니다. 오히려 아이들을 통해 내가 힘을 얻습니다.

자식이 할 수 있고, 하고 싶은 일을 부모가 대신해 줄 때 부모는 힘이 듭니다. 반대로 자식은 일에서 소외됩니다. 그런 과정이 오래 되면 머릿속에 든 지식은 많지 몰라도 일을 두려워하게 됩니다. 어려서부터 자신이 하고 싶은 일을 마음껏 하다 보면 점점 할 수 있는 일이 늘어나리라 봅니다. 우리가 농사일을 하는 건 성공을 위해서가 아니라 자기 생명을 가꾸어 가는 것이며, 그 자체가 행복입니다. 먼 미래를 꿈꾸는 교육이 아니라 '지금 여기'에 충실하고자 합니다.

몸에 배는 지식

배움에는 여러 가지 길이 있을 겁니다. 책으로 달달 외우는 공부도 있지만 몸으로 직접 해 보는 배움도 있습니다. 나는 자연에서 몸으로 배우는 배움을 소중히 생각합니다. 교육학적으로 말하면 '체험 교육'입니다.

몸으로 배운 지식은 몸에 뱁니다. 머리로는 잊었더라도 몸을 다시 쓰면 신기하게도 기억이 되살아납니다. 첫 농사할 때였는데, 참깨를 베어서 어떻게 말리는지를 몰랐습니다. 밭둑에 앉아 곰곰이 어릴 시절을 돌아보았습니다. 그러니 희미하던 기억이 차츰 되살아나더군요. 어릴 때 우리 어머니가 참깨 다발을 세우는 모습이 떠올랐습니다. 30년이 훌쩍 지난 일인데 신기했습니다. 작은 다발 네 개를 다시 하나로 묶어서 세운 다음, 알맞은 너비로 벌려 균형을 잡으면서 세우던 모습이 눈앞에 그림처럼 떠올랐습니다. 자라면서 어머니가 하시는 일을 여러 번 지켜보기도 했고, 한두 번은 거들기도 하면서 뇌리에 박힌 것입니다.

헤엄치기도 그렇고, 자전거 타기도 그렇습니다. 한 번 몸에 배면 잃어버리지 않습니다. 아이가 도자기를 빚고, 염색하고, 요리하고, 집짓고, 군불 때고, 나물하고 ……. 이 모두가 언젠가 필요하게 되면, 다시 살아나지 않을까 합니다. 책으로 외운 것이 아니라 손과 발, 그리고 머리를 다 써서 했기 때문에 잊기는 어려울 것입니다. 설사 잊더라도 자신이 원할 때는 언제든 그 기억이 되살아나겠지요.

몸에 배는 지식은 몸을 움직이는 일뿐만 아닙니다. 교과에도 그대로 적용됩니다. 국어 하나만 보더라도 읽기, 말하기, 듣기, 쓰기도 몸에 배야 합니다. 우선 자신에게 끌리는 분야가 당연히 잘 읽힙니다. 읽고 배운 게 소중하다면 이야기를 막 하고 싶어집니다. 남이 하는 이야기를 주로 듣기만 하거나 억지로 듣는다면 말하기도 싫어집니다. 듣기나 쓰기도 그렇습니다. 호기심이 살아 있어야 듣는 것도 잘 합니다. 더 나아가 제대로 성장하자면 온몸으로 들을 수 있어야 합니다. 글도 온몸으로 쓸 때 감동이 크다고 봅니다.

생명의 교육

교육이란 글자 그대로 '가르치고 기르는 것'입니다. 무엇을 가르치고, 무엇을 길러 줄 것인가요? 경쟁 교육이 아니라 '생명의 교육'에서 본다면 몸이 기본이라고 봅니다. 몸이 안 좋으면 집중이 안 돼서 공부가 될 리가 없습니다. 설사 억지로 공부를 했더라도 시험 보고 돌아서면 대부분 잊어버립니다. 반대로 몸이 건강하다면 왕성한 호기심으로 배워갑니다.

바른 몸을 가지려면 먼저 먹는 것이 중요하다고 봅니다. 우리는 먹고 싶을 때 먹고, 먹고 싶은 걸 먹습니다. 배고프지 않은데 밀어 넣는 것은 몸에 무리가 갑니다. 그렇다고 시도 때도 없이 먹는 건 아닙니다. 계절에 따라, 일에 따라 조금씩 다를 뿐입니다. 또 먹고 싶은 걸 먹기에 식구가 같은 걸 먹고플 수도 있지만 다 다를 때도 있습니다. 어느 날은 큰아이는 부침개를 하고, 작은아이는 고구마를 굽고, 아내는 떡을 하고, 저는 약밥을 하기도 했습니다. 한번은 우리 부부가 감자를 심는 동안에 작은아이는 밭 옆 냇가에서 다슬기를 잡아와 저녁을 아주 맛나게 먹은 적도 있습니다. 몸이 자라는 만큼 먹을 걸 스스로 구하는 힘도 커가고 있는 셈입니다.

바른 몸을 갖는 과정은 끝이 없습니다. 시장에서 사 먹기보다 스스로 가꾸어 먹기, 농사보다 자연에서 저절로 자란 걸 얻기, 복잡하게 지지고 볶는 요리보다 단순하게 요리 하기, 맑은 공기 깨끗한 물 마시기, 따사로운 햇살 받기 …… 이 모든 게 어우러져야 합니다.

학문이란 어렵게 보면 한없이 어렵습니다. 하지만 한 분야만 제대로 파고들면 다 연결되는 게 학문이 아닐까요. 무수히 많은 선택 가운데 꼭 한 가지만 선택한다면 저는 목숨이라 봅니다. 살아있어야 교육도 자기실현도 가능하기에 목숨은 더할 나위 없이 소중합니다. 소중하기에 배우기가 좋습니다. 배울수록 점점 더 호기심이 많아집니다. 자기 생명에 대한 이러한 자각이 생기면 공부를 하지 말라고 해도 합니다.

목숨을 살리는 가장 기본은 농사입니다. 농사 하나만 제대로 해도 여러 분야와 만납니다. 우선 생물학은 기본입니다. 살아있는 생물학 교재가 논밭에 널려있습니다. 생명에 관심을 기울이다 보면 생물학도 다양하게 갈래를

칩니다. 흙과 미생물 분야, 벌레와 곤충, 동물 행동학 따위로 나아갑니다. 농사지은 것으로 밥상을 차려야 하니 요리를 빼놓을 수 없습니다. 우리가 먹는 게 몸이 되기에 몸이 아프거나 하면 의학 공부도 덤으로 됩니다.

자식 교육도 농사와 크게 다르지 않습니다. 오죽하면 예로부터 자식 농사라는 말이 있지 않습니까. 흙을 살리고, 작물의 건강성을 잘 살려 주면 곡식이 알아서 크듯 아이들도 그렇습니다. 고요한 환경에서 자기중심을 가지고 자랄 때 아이들은 잘 자랍니다.

몇 가지 질문

심심해하거나 게을러지지 않을까?

작은 아이는 학교를 그만 두고 한동안 심심해했습니다. 학교라는 틀과 교과라는 짜여있는 일정에 맞추어 지내다가 스스로 해나가자니 처음에는 쉽지가 않았습니다. 또 아침에 잘 일어나지 못합니다. 그러다가 자기치유 과정을 거치면서 심심할 겨를이 없어졌습니다. 그동안의 심심함은 정말 자신이 하고 싶은 게 무언지 묻게 해주는 과정이었습니다. 외부 자극 없이 혼자 고요한 시간을 갖다 보면 자신이 뭘 하고 싶고, 뭘 원하는지 알게 됩니다. 아이들이 혼자 잘 지낼 수 없다는 건 그만큼 치유가 필요하다는 말이기도 합니다. 아무리 오래 해도 심심하기는커녕 점점 더 즐겁고, 기쁘고, 신선한 게 있습니다. 바로 하루하루 삶에 충실한 것입니다.

게으름 역시 공부에 시달리던 아이들이 자기회복 과정에서 일어나는 일시적 반응입니다. 외부 조건(등교 시간, 수업 시간, 식사 시간 등)에 의해 강제된 부지런함이 점차 자립적인 부지런함으로 넘어가는 과정입니다.

쉴 만큼 쉬고, 하고 싶은 게 있을 때 하면 됩니다. 물론 먹고 자는 것도 마찬가지입니다. 먹고 싶은 걸 먹고 싶은 때 먹고, 잠은 졸릴 때 잡니다. 이런 '동물적'인 욕구가 자연스럽게 채워지면 점점 더 높은 자발성으로 나아갑니다.

굳이 단계를 나누자면 자기치유 과정, 자기발견 과정, 자기실현 과정으로 나눌 수 있습니다. 자신이 뒤틀려 있거나 병든 부분이 있을 때는 자기치유를 하고, 자라면서 자신에게 감추어진 새로운 힘을 발견할 때는 스스로 놀라게 됩니다. 그 과정에서 자신을 긍정하는 자신감이 무럭무럭 자라게 됩니다.

친구 사귀기가 어렵지 않을까?

친구란 무엇인가? 흔히 비슷한 또래의 마음이 맞는 사람이라고 합니다. 마음이 맞자면 비슷한 환경이라야 합니다. 내가 자라던 시대랑 지금 아이들이 자라는 시대는 많이 다릅니다. 내가 자라던 시절은 부모가 하는 일이라든가 사회적 환경이 비슷했습니다. 하지만 지금 사회는 다양하고 전문화된 사회 아닙니까.

우리 식구는 친구 개념을 확장했습니다. 부모 자식 간에도 친구가 됩니다. 먼 이웃 마을에 사는 아이들과 가끔 만나도 잘 놉니다. 나이를 떠나 우리 아이들보다 더 어린 동생들이 친구가 되기도 합니다. 혼자 잘 지낼 수 있을 때 남들과 어울리는 일은 어렵지 않은 것입니다.

사회에 잘 적응할 수 있을까?

산골에 산다고 사회와 동떨어진 건 아닙니다. 세상이 발전할수록 사람 관계도 다양하게 연결됩니다. 산골이지만 도시에서 손님이 자주 옵니다. 우리 아이들 역시 세상에 열려 있습니다. 인터넷으로도 소통을 합니다.

사회성도 아이가 자람에 따라 자라는 것 같습니다. 아이가 어릴 때는 세상에 대한 관심이 적습니다. 부모만 가까이 있다면 아이들은 다른 걸 크게 바라지 않습니다. 그러다가 자라면서 세상과 호흡을 하고 싶어 합니다. 작은 아이는 아직도 여행을 거의 바라지 않는데, 큰아이는 부쩍 사회와 소통을 하기 시작했습니다. 몇 해 전에 '우리 쌀 지키기 100인 100일 걷기 운동'에 참여하며 부쩍 사회의식이 높아졌습니다. 또 집에서 공부하는 아이들이랑 어울려 여행도 합니다.

사회 적응 역시 '이 다음'에 하는 게 아니라 자라는 과정에서 힘닿는 만큼 사회와 호흡을 합니다. 한 가지 보기를 들면 글쓰기입니다. 큰아이는 외부에서 원고 청탁이 심심치 않게 들어옵니다. 글을 싣는 잡지도 다양합니다. 어린이가 보는 잡지도 있고, 어른이 보는 잡지도 있습니다. 글 쓰는 주제도 다양합니다. 요리, 농사, 집짓기, 대안 교육……. 보통 사람들은 아이가 차리는 밥상에 대해 궁금해 합니다. 또 아이가 농사를 짓거나 집을 짓는 것에 놀라워합니다. 아이가 스스로 공부하는 모습에 대해서는 방송에서도 관심이 많습니다. 자연에서 일하고 배우는 아이들 삶에 세상 사람들이 부쩍 관심을 갖기 시작한 셈입니다.

그렇다면 우리 아이들이 이다음에 사회에 적응하느냐 마느냐 하는 것은 불필요한 질문이 아닐까요. 결국 사회 적응의 문제가 아니라 얼마나 세상에 쓸모 있는 일을 할 수 있느냐가 중요하게 됩니다. 대학을 나와도 취업이 안 되는 청년 실업자가 얼마나 많습니까. '불투명한 앞날에 불안하게 적응' 하기보다는 '지금 자라는 만큼 적응' 하는 게 아이 자신에게도 좋고 사회에도 유익하지 않을까 합니다.

부모가 준비되어야 하지 않을까?

아이에 대한 믿음은 좀 더 깊이 따져보면 부모 자신에 대한 믿음이 아닐까요. 자신에 대한 믿음이 온전하다면 자기가 낳은 자식에 대한 믿음도 같이 이루어질 것입니다. 부모의 삶이 아이들에게 미치는 영향은 클 수밖에 없습니다. 부모가 자기 삶을 행복하고 온전하게 살아간다면 아이들은 성장 과정에서 크게 벗어남이 없습니다.

문제는 부모로서 제대로 사는 게 쉽지가 않다는 것입니다. 그럴 때는 아이들 앞에 솔직해지는 수밖에 없습니다. 우리는 아이들이랑 늘 함께 하기에 감출 수가 없습니다. 처음에는 당황스럽지만 그 과정에서 점차 솔직해지는 내 자신이 좋습니다. 아이들을 키우며 내게 가장 큰 기쁨이라면 어른인 나 자신이 아이들을 통해 거듭나는 것입니다. 자식을 낳은 이유가 바로 거기에 있더군요.

침뜸은 농민 의술이다

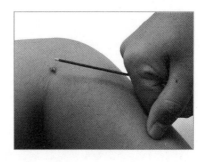

김남수 침구사. 뜸사랑 회장. 녹색대학 석좌교수

아버지로부터 한학과 침뜸의학의 가르침을 받고 60여 년 동안 침구사의 길을 걸어왔습니다. 생생한 임상경험을 담은 「나는 침과 뜸으로 승부한다」를 비롯한 여러 책을 썼습니다.

　　침뜸은 농민 의술입니다. 침구사는 이동 병원이요 종합 치료 기관이기 때문에 어디든 갈 수 있고, 몇 개의 침과 한 줌의 뜸쑥만 있으면 어디서든 치료가 가능합니다. 별다른 장비가 필요하지 않고, 저비용 고효율인 침뜸은 농민들에게 딱 알맞은 의술입니다.

　　옛날에는 집집마다 종기를 짜는 '대파침' 이 있었고, 아낙네의 머리 장식을 하는 '잠' 도 끝을 뾰족하게 만들어 아이들의 경기나 응급 상황에 바로 치료 도구로 썼습니다. 침뜸은 농민들의 생활 의술이었고, 가정 의술이었던 것입니다. 독충에게 물리면 마른 쑥을 비벼서 뜸을 했고, 뜸으로 아이가 죽을 고비를 넘긴 경우도 많았습니다.

농촌에서는 특히 만성 질환과 농부증이 큰 문제로 대두되고 있습니다. 농부증으로 어지럽거나 몸이 붓고, 피로하고, 심장이 심하게 뛰는 경우에도 침뜸이 탁월한 효과를 낼 수 있습니다. 침뜸을 농민들의 생활 가까이에 두면 고혈압 같은 만성 질환에는 물론, 시설하우스 등 특수 환경에서 장시간 노동으로 오는 농부증 등을 예방·치료하는 데 큰 역할을 할 것입니다.

농민들은 들판에서 일하다가 응급 상황에 처할 때가 많았습니다. 치료 장비가 간편한 침뜸은 응급 상황에 대처하는 데도 탁월합니다. 옛날부터 '일침 이뜸 삼약' 또는 '일뜸 이침 삼약'이라고 하여, 환자가 있으면 우선 침이나 뜸으로 치료하고 나중에 약으로 치료하는 것을 원칙으로 삼았습니다. 농사일 과정에서 생기기 쉬운 허리와 팔다리 관절 부위의 질환에, 침뜸은 수술을 하지 않고 치료할 수 있는 거의 유일한 방법으로 널리 알려져 있습니다.

발을 삐었거나 허리를 다쳤거나 타박상을 입었을 때 침은 그 자리에서 효과를 냅니다. 벌에 쏘이거나 지네나 독사에 물렸을 때는 물린 자리에 즉시 뜸을 뜨면 해독 효과가 탁월합니다. 중풍으로 쓰러졌을 때도 침뜸으로 즉각적인 조치를 하면 위기를 넘깁니다. 농약에 중독되어 혼수상태가 되었을 때도 우선 응급으로 침뜸 치료를 하고, 병원으로 후송하면 회복에 큰 도움이 될 것입니다. 만성화된 농약 중독도 뜸으로 해독을 시킬 수 있습니다. 농민들에게는 특별한 질병이 아니더라도 과도한 노동으로 생기는 신체적인 피로가 쌓이기 쉽습니다. 이를 해소하는 데도 뜸은 큰 몫을 합니다. 특히 뜸은 뜸자리만 잡으면 집에서도 할 수 있으므로 돈이 거의 들지 않습니다.

보이지 않는 통로, 경락과 경혈

침뜸에서는 아픈 곳에 바로 침이나 뜸을 놓기도 하지만 전혀 다른 곳에 침뜸을 하는 경우가 많습니다. 가령 유방에 병이 있을 때 난소 쪽을 치료한 다든가 하는 경우는, 바로 우리 몸이 어떤 원리에 따라 연결되어 있다고 보기 때문입니다.

고대 중국에서는 몸의 기능을 '오장육부五臟六腑'의 활동이라고 생각했습니다. 오장五臟이라고 하면 간장肝臟, 심장心臟, 비장脾臟, 폐장肺臟, 신장腎臟을 말합니다. 그리고 육부六腑는 대장大腸, 소장小腸, 담膽, 위胃, 방광膀胱, 삼초三焦를 말합니다. 이 장부臟腑는 현대 의학의 해부학적 장부를 말하는 것이 아니고, 이 장부와 밀접하게 관계되는 전체적인 기능을 말합니다. 이 장부의 활동을 주관하는 특수한 에너지의 통로를 경락經絡이라 하고, 특수한 에너지를 기혈氣血이라고 합니다.

기혈이 경락이라고 하는 길을 통해서 '오장육부' 즉 인간의 몸을 움직이게 하고, 이 기혈이 넘치거나 모자랄 때 몸 상태가 좋거나 나쁘다고 생각한 것입니다. 그래서 이 에너지의 통로인 경락의 요소요소에 위치한 경혈을 자극함에 따라 멈추어 있는 에너지를 잘 흐르게 하여 몸의 활동을 정상으로 하려는 것입니다.

이 경혈이란 도대체 무엇일까요? 우리는 경혈이라고 하는 말에 대해서 잘 알고 있습니다. 한 마디로 '몸 가운데 급소'라고 할 수 있습니다. 몸의 상태에 따라서 경혈을 누르면 아프거나 기분이 좋아지는 등의 반응이 나타납니다. 거기에 침뜸 시술을 하면 아픔을 없애 주고 내장의 활동을 정리하여 줍니다. 즉 경혈은 문밖에서 누르는 초인종과 같아서 몸 밖에서 직접 내장으로 통합니다. 즉 인체의 체표 부위와 내재한 장부 사이는 경락 계통으로 연락되고, 인체는 유기적으로 통일된 전체 상이 형성되어 있다는 것입니다. 경락 이론에 기초하면 경락은 기혈 운행의 통로이고 경혈은 각 경맥 상에 분포한 침구의 자극점입니다. 또 경혈은 인체의 장부 경락의 기가 모여서 출입하는 부위이기도 합니다.

대표적인 경혈은 전신에 365개가 있고 또 새로 발견된 경혈을 합하면 약 1천 개나 된다고 합니다. 각 경혈들은 연결되어서 그룹을 만들고 있는데, 이 그룹을 경락이라 하고 14선의 길이 되어서 전신을 돕니다. 이 14경락이 치료할 때 중요한 길이 됩니다.

경락은 철도 선로와 같은 것으로서 경부선, 중앙선, 경의선, 경원선과 같고, 경혈은 서울역, 용산역, 영등포역과 같이 생각하면 될 것입니다. 병은 그 선로의 흐름이 고르지 못한 상태입니다. 그 때 그 곳에서 가까운 역을 찾아 치료하는 것, 즉 경혈에 침 치료로 기운이 잘 가게 하여 병을 치료하는 것입니다.

어느 경혈이 어느 병에 효과가 있는지는 이미 체계적으로 정리되어 있지만, 똑같은 병이라도 환자의 증상에 따라 증상의 경중輕重이나 원인도 각기 여러 가지여서 그에 맞게 처치를 해야 합니다. 침뜸을 하는 사람은 환자의 말을 상세히 듣습니다. 이는 침뜸을 할 때 환자들의 증상을 확실하게 파악해 적절한 경혈을 찾아 쓰는 것이 가장 중요하기 때문입니다.

침뜸은 수천수만 년 간 검증되어온 원시 자연 요법이기 때문에 누구나 쉽게 배울 수 있고, 배운 만큼 쓸 수 있습니다. 또 종합 치료기이며, 침뜸을 배워 익혀두면 저비용 고효율의 고급 의술을 그저 마음만 내고 몸을 움직이면 얼마든지 할 수 있고 누구에게나 베풀어 줄 수 있습니다. 여기서는 제 침뜸 치료법의 가장 기본이 되는 뜸요법과 무극보양뜸을 소개하고자 합니다.

평생 건강을 지키는 무극보양뜸

뜸은 인간이 불을 사용하면서부터 써온 태초의 의술입니다. 뜸으로 치료가 되거나 치료 효과가 있는 질병을 현대적 병명으로 정리해 보니 270여 종이나 되었습니다. 세계보건기구(WHO)는 오랜 기간의 과학적 검증을 거쳐, 1998년 300종의 질병을 침과 뜸으로 치료할 수 있다고 공인한 바 있습니다. 수술이 필요하거나 세균으로 인한 질환을 제외하면 거의 대부분의 질병이 여기에 포함된다고 할 정도입니다. 그만큼 뜸은 침과 더불어 옛날부터 사람들의 건강을 지키는 데 탁월한 역할을 해온 것입니다.

뜸은 쑥을 살갗 위에 직접 놓고 태워 약 60~70°C 열도의 가벼운 화상으로 경혈을 자극시킴으로써 신체 내부에서 발생하는 특수한 물질을 작용하게 합니다. 뜸은 3년 이상 묵은 쑥으로 떠야 뜸에 가장 적당한 열도를 낼 수 있습니다.

어떤 병에 어떤 경혈을 취해 자극할 지는 침구사의 판단이 필요합니다. 그리고 뜸자리가 정해지면 뜸뜨는 방법을 배워서 집에서도 얼마든지 할 수 있습니다. 처음에는 조금 서툴더라도 자꾸 하다보면 곧 익숙해져서 짧은 시간에 할 수 있게 됩니다.

뜸의 장점은 첫째, 다른 의료 수단으로 고치지 못하던 고질병에도 효과가 있습니다. 둘째, 뜸자리만 정해주면 전문가의 손이 아니더라도 가족끼리 집에서도 할 수 있고, 아무 때나 편리한 시간에 할 수 있어서 병원을 오가는 많은 시간이 절약됩니다. 셋째, 부작용이 전혀 없습니다. 약, 주사, 침 등은 부작용에 대한 주의를 요하지만 뜸에는 전혀 부작용이 없습니다. 설사 조금 크게 떠서 물집이 생겨 고름이 나오더라도 덧나는 일은 없습니다. 넷째, 경제적 이유를 뺄 수 없습니다. 뜸은 돈이 거의 안 듭니다. 뜸은 뜸쑥과 선향만 있으면 되는데 실제로 한 번 뜰 때 드는 비용은 겨우 몇 십 원 꼴입니다.

뜸을 하는 동안은 딱지가 생기므로 뜸자리가 보이는데, 치료가 끝나 시간이 지나면 자연스레 없어집니다. 뜸은 기간을 오래할수록 효과가 좋습니다. '뜸 구灸' 자는 오랠 '구久' 밑에 불 '화火'로 만들어진 글자로 불(뜸)을 오래 하면 좋다는 뜻입니다.

모든 병이 그러하듯 병이 난 뒤 치료하기보다는 미리 예방하는 것이 좋고, 병을 예방하기 위해서는 항상 원기를 북돋우고 저항력을 기르는 뜸을 하는 것이 대단히 효과적입니다. 저는 오랜 뜸의 역사를 밑바탕으로 질병의 예방과 치료에 기본이 되는 무극보양뜸을 개발하게 됐습니다. 무극보양뜸은 만성병을 치료하는 뜸요법이며 미리 병을 예방하는 뜸요법입니다. 따라서 병이 있거나 병이 없어도 무극보양뜸은 필요합니다.

무극보양뜸은 한마디로 인체의 8개 경혈 12군데 자리에 쌀알 반 정도 크기로 매일 한 차례에 3장~5장씩 뜸쑥으로 뜸을 하는 것입니다. 무극보양無極保養뜸의 배혈配穴구성에서 남자는 백회百會, 중완中脘, 기해氣海, 관원關元과 좌우 양쪽의 곡지曲池, 족삼리足三里, 폐유肺俞, 고황膏肓을 합하여 12개혈을 배합하고, 여자의 경우는 기해氣海와 관원關元 대신 중극中極과 좌우 양쪽의 수도水道혈을 배합하여 13개 혈을 사용하고 있습니다. 처음에는 쌀알 반만 한 뜸쑥으로 3장씩 하다가 뜨겁지 않을 때부터는 쌀알 정도 크기로 5장씩을 매일 계속합니다. 부득이할 때는 건너뛰어도 무방합니다.

그 간의 예로 보아 대부분 혼자 스스로 뜸 할 수 있는 자리인 앞쪽의 곡지 · 삼리 · 중완 · 기해 · 관원만 떠도 좋았다고 합니다. 그러나 이것은 병 없이 건강한 사람이 예방 차원에서 행하는 경우이고 병이 있는 사람은 8혈을 다 뜨는 것이 효과적입니다.

무극보양뜸은 우리 몸의 기본을 치료하는 뜸법입니다. 기본을 치료한다

함은 우리 몸의 근본인 음양의 균형 조절을 통하여 자연 치유력을 높여주는 치료 방법입니다. 사람은 자연의 일부로서 생명력을 유지하기 위해 자연自然의 법칙法則에 맞추어 살아가야 하는 존재이기 때문에, 자연의 변화에 순응하면 주어진 생명을 영위할 수 있지만 자연의 변화에 역행하면 질병과 생명의 위협까지도 감수해야 하는 것입니다. 따라서 질병의 원인은 과음, 과식, 과색, 과욕 등으로 인한 음양의 불균형이 그 주된 원인이고, 이를 조절하여 음양의 균형을 찾아 주는 것이 근본 치료가 되는 것입니다.

무극보양뜸혈의 구성 원리는 음양오행의 근본원리에 입각하고 있습니다. 음양에 관련하여 살펴보면, 몸통은 음이요 팔은 양이요, 팔이 양이라면 다리는 음이요, 복부가 음이라면 등배는 양이요, 좌측이 양이면 우측이 음입니다. 이러한 이치로 상하, 전후, 좌우로 서로 경혈을 배합하여 음양의 평형을 이루고자 하였습니다. 즉 음에 위치한 아랫배의 하단전에서 기해, 관원으로 우리 몸의 기가 고도로 농축된 정을 저장케 하고, 양에 위치한 상부의 등배부에서 폐유, 고황으로 심장과 폐의 기능을 활성화시켜 전신에 기와 혈을 골고루 뿌리게 해 줍니다. 좌우의 곡지와 좌우의 족삼리는 좌우의 음양을 조절하는 배합이요, 팔의 곡지와 다리의 족삼리는 상하의 음양을 조절하는 배합으로 볼 수 있습니다.

오행과 관련하여 살펴보면 중앙의 토를 관장하는 중완을 중심으로 좌우의 사방으로 뻗어나간 팔다리의 곡지, 삼리는 목木, 화火, 금金, 수水의 작용으로 볼 수 있으며, 또한 모든 양陽의 근본인 팔, 다리의 활성화는 몸통의 상하, 좌우에 있는 목木, 화火, 금金, 수水에 해당하는 오장의 肝, 心, 肺, 腎의 기능인 좌간 · 우폐와 심신의 수승화강水昇火降이 원활히 이루어지도록 도와주고 있는 것입니다. 다시 말해서 음양과 오행은 서로 끊임없이 영향을 주고 받으며 우리 몸의 균형을 유지해 나가는 것입니다.

백회를 살펴보면, 우리 몸은 정신과 육체가 분리될 수 없는 존재입니다. 정신의 사령탑인 뇌가 아프면 오장이 다 불편해지고 육체가 병이 드는 것은 당연한 귀결입니다. 여기에 우리의 의학이 자연의 이치를 탐구하는 자연 과학이면서 정신의 세계를 다루는 형이상학인 것을 알 수 있습니다. 무극보양 뜸의 백회혈은 이러한 점을 간과하지 않고 반영하고 있는 것입니다.

무극보양뜸의 뜸자리

무극보양뜸을 꾸준히 뜨면 잘 먹고 잘 소화하여 건강을 유지할 수 있습니다. 여기에 사람마다 가진 병증과 신체의 상태에 따라 뜸자리에 약간의 가감이 필요합니다. 어린아이는 뜸자리가 많을 필요가 없습니다. 기가 활발한 청년의 경우에도 8자리를 다 할 필요가 없습니다. 그러나 40대 이상의 장년층은 무극보양뜸을 기본으로 하고 신유를 추가해야 합니다. 무극보양뜸은 상황에 따라 응용이 가능한 열려있는 요법입니다. 그리고 전체 치료를 기본으로 하고 병에 따라서 침시술을 가감합니다. 다음은 무극보양뜸의 각 뜸자리입니다.

백회

치매 예방과 중풍, 두통, 건망증, 코막힘, 뇌일혈, 뇌빈혈, 어지럼증, 이명, 탈항

양쪽 귓구멍에서 머리 위로 이어 올린 가상선을 긋고, 코 위로 인체의 중앙선을 그어 두 선이 십자로 교차하는 점이 백회입니다.

백회

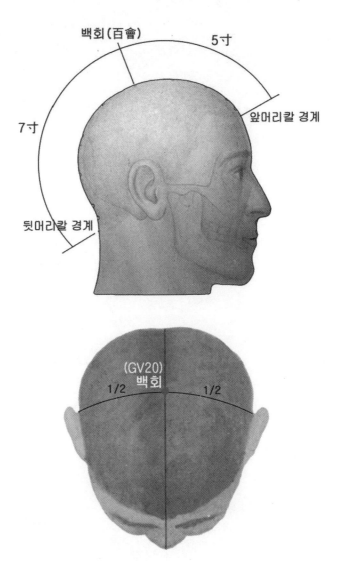

백회(百會)

5寸

앞머리칼 경계

7寸

뒷머리칼 경계

(GV20)
백회

1/2   1/2

폐유, 고황

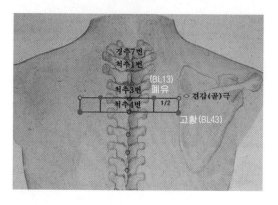

중완, 기해 · 관원, 중극 · 수도

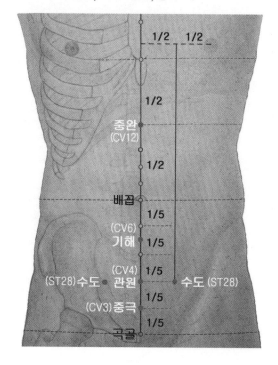

폐유, 고황

폐유 – 폐결핵, 폐렴, 폐출혈, 소화 불량, 기관지염, 천식, 해수, 피부 질환

고황 – 폐질환, 신경 쇠약, 몽정, 유정, 도한, 소화 불량, 식욕 부진, 깊어진 병

고개를 약간 숙이고 등 뒤 목 밑을 보면 툭 튀어나온 뼈가 있는데 이것이 제 7경추입니다. 아래로 계속해 흉추가 이어지는데 손가락으로 눌러 더듬어 제 3흉추와 제 4흉추 사이에 쏙 들어간 곳을 찾아 신주로 정합니다.

폐유는 이 신주 양 옆에 있는데 신주와 견갑골(날개뼈) 모서리의 중간에 취합니다. 고황은 제4흉추와 제5흉추 사이 쏙 들어간 곳에서 양옆으로 견갑골 모서리에서 취합니다.

중완

고혈압, 위궤양, 소화불량, 복통, 구토, 급성 위염, 위출혈, 식욕 부진, 변비, 설사

배에서 가슴으로 더듬어 올라가면 양쪽 갈비뼈가 만나 쏙 들어간 곳을 찾을 수 있습니다. 이곳과 배꼽의 중앙과의 중간점이 중완입니다.

기해, 관원(남자)

기해 – 생식기 질환, 장 질환, 신장 질환, 강장 구혈

관원 – 조루, 양기 부족, 유정, 발기 부전, 탈항, 오줌싸게, 복막염

배꼽의 중앙과 불두덩뼈(치골) 위를 잇는 선을 5등분합니다. 배꼽 아래로 1.5/5점이 기해, 3/5점이 관원입니다. 남자는 기해와 관원을 무극보양뜸자리로 정합니다.

중극, 수도(여자)

중극 – 여성의 모든 생식기 질환, 방광 질환, 자궁 질환, 신장 질환, 복막염, 자궁 물혹

수도 – 월경 곤란, 변비, 방광염, 소변 불통, 자궁염, 불임증, 신염, 부종, 탈장

여성은 기해와 관원 대신에 중극과 수도를 활용합니다. 배꼽 아래로 4/5 점이 중극, 관원 옆으로 2寸(젖꼭지와 배꼽 사이가 4寸이고 그 절반을 잡음)이 수도입니다.

곡지혈

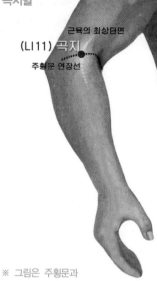

(LI11) 곡지

근육의 최상단면

주횡문 연장선

곡지

성인병 예방, 반신 불수, 두통, 피부병, 상박 신경통, 강장 작용

팔굽 안쪽에는 가로무늬 줄이 있습니다. 이것을 주횡문이라 합니다. 손등이 위로 향하도록 곧게 편 다음 팔 위의 근육 중간으로 세로선을 긋고, 주횡문과 십자로 교차되는 점을 정합니다.

※ 그림은 주횡문과 그 연장 선상에서 근육의 최상단면 위에 곡지혈을 잡은 것입니다.

족삼리

슬개골

슬안

슬안

3촌

3촌

족삼리
(ST36)

경골(정강이뼈)

족삼리

최고의 성인용 무병장수혈. 신경통, 고혈압, 사지 권태, 소화 불량, 위경련, 변비, 빈혈, 반신 불수

슬개골(무릎의 동그란 뼈) 밑의 들어간 곳이 슬안膝眼입니다. 다리 안쪽이 내슬안, 바깥쪽이 외슬안인데, 이 외슬안에서 경골(정강이뼈)을 따라 밑으로 3寸(자기 손가락 4개를 붙인 길이가 3寸)에 위치합니다.

※ 슬개골 아래쪽에서 3寸 내려와 경골 상단에서 바깥쪽으로 1寸이 족삼리입니다. 여기서 1寸이란 자신의 엄지손가락 폭 정도를 말합니다.

뜸 하는 방법

과거에는 뜸을 크게 떠야 효과가 있는 줄 알았습니다. 쑥 성분이 효과를 나타내는 줄 알고 크게 뜨면 더 좋으려니 하여 무조건 크게만 떴습니다. 그러나 뜸의 치효원리治效原理로 보면 일반적으로는 쌀알 반쪽만한 크기면 되고, 다만 꾸준히 오래하는 것이 중요하다고 생각됩니다. 뜸 하는 방법은 다음과 같습니다.

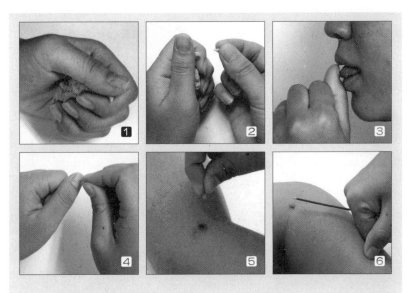

1. 왼손의 모양을 그림과 같이 하여 엄지와 검지 사이에 소량의 쑥을 놓고 엄지로 힘을 빼고 살살 굴리면 쑥이 길게 늘여진다.
2. 오른손 엄지와 검지로 살짝 집어 조금 떼어낸다. (쌀 반 알~한 알 크기)
3. 왼손 엄지손톱 위에 침이나 물을 조금 묻힌다.
4. 오른손으로 떼어낸 쑥봉을 침이 묻은 왼손 손톱 위에 세워 침을 묻힌다.
5. 쑥봉을 뜸자리에 옮겨 붙인다.
6. 타고 있는 선향으로 쑥봉 끝에 살짝 불을 붙인다.

☞ 뜸은 보통 한 자리에 다섯 장씩 하는데 둘째 장부터는 3번 과정을 생략하고 첫 장에 타고 남은 재 위에 쑥봉을 살짝 올려붙이면 잘 붙는다.

직접구가 진짜 뜸이다

뜸이 여러 가지 난치병을 치료하는 것은 예로부터 많은 사람들이 체험했습니다. 요즈음 의학으로 검토하여도 훌륭한 치효원리를 가진 빛나는 의술인 것은 말할 것도 없습니다. 뜸의 탁월한 효과는 다른 의료 수단으로 치료하지 못하고 고생을 하다 뜸의 효과를 본 사람에 의해 퍼져나가고 있습니다. 그런데 뜸으로 치료할 수 있거나 치료 효과가 나는 질병을 현대의학적인 용어로 대강만 정리를 해봐도 약 270여 종이나 됩니다. 대부분의 질병이 여기에 해당됩니다.

그러나 막상 뜸이라고 하면 쑥을 피부에 놓고 불을 붙여 태우는 것이라 미경험자는 '대단히 뜨겁겠지' 하는 공포를 가지고 있습니다. 또 젊은 사람들은 뜸자리에 흠이 남는 것을 염려합니다. 뜸자리의 흠은 뜸을 뜨지 않으면 얼마 안 가서 희미해지고 마침내는 알 수 없게 됩니다. 그래도 뜨거움에 대한 걱정은 남습니다. 뜨거움을 잘 참는 사람은 뜸의 독특한 맛을 보게 되어 뜸을 사랑하는 사람이 되지만 뜨거움에 약한 사람은 한 번 하면 다시 하지 않으려고 합니다. 이것이 보급상 제일 큰 장애이고 뜸이 가진 특수성의 하나라고 할 것입니다.

뜸쑥 아래에 다른 물질을 놓고 쑥을 태우는 간접구는 뜸쑥을 피부에 바로 올려놓는 직접구보다 효과가 없습니다. 뜸은 단지 경혈을 자극하는 것만이 아니고 피부에 작은 화상을 입혀 그 결과로 생기는 가열 단백체 때문에 치료 효과를 보이는 것입니다. 뜨거움을 참고 직접구를 하지 않으면 뜸의 독특한 효과는 볼 수가 없는 것입니다. 그래서 예로부터 직접구가 수 천 년 동안 전해 내려온 것입니다.

난치병으로 인하여 고통을 받으면서도 뜸의 혜택을 입지 못하는 것은 참으로 안타까운 일이 아닐 수 없습니다. 그래서 뜸은 뜨거움을 참기도 해야 하지만 덜 뜨겁게 느껴지는 방법 하나를 소개하겠습니다. 뜨거움은 쑥의 뜸봉을 살갗에 놓고 불을 붙여서 쑥이 다 타고 불이 꺼질 무렵에 알게 됩니다. 이때 손가락 세 개 즉 엄지와 둘째, 셋째 손가락을 삼각으로 벌려서 뜸봉 주위를 살그머니 눌러주는 것입니다. 그 이유는 원래 피부 감각이라고 하는 것은 피하의 진피중 끝인 신경 말단에서 생기는 피부 감각기에 의해서 느끼는 것입니다. 피부의 어느 부분이건 아프다든가 차다든가 하는 감각이 동시에 느껴지는 것이 아니고 통痛, 촉觸, 랭冷, 온溫 등의 각기 다른 감각점이 피부 표면에 분포되어 있어서 각각 감각을 수용합니다. 그러므로 뜸을 할 때 쑥이 다 타고 꺼질 무렵에 그 주위를 손가락으로 눌러주면 여러 가지 감각이 혼동되어 뜨거움을 완화해 주므로 고통을 적게 하는 것입니다.

뜸은 어느 정도 뜨거운 것일까? 쌀알 반쪽만 한 크기 정도의 쑥은 피부 위에서 약 60℃ 정도이고, 그 뜨거움은 약 2~3초 동안 지속되며 뜨겁다고 느끼는 순간 끝납니다. 이는 1도 정도의 화상으로 피부가 빨간 정도이고, 처음 뜸을 뜰 때는 잘 보이지 않습니다.

뜸의 원리가 온열 자극과 화상에 의해 생긴 이종단백체異種蛋白體에 의한 화학적 자극에 의해서 병을 고치는 요법이므로 병의 증상과 뜸에 의한 자극량의 관계는 마치 약을 지을 때 각 약제를 배합하는 것과 비슷하다고 볼 수 있습니다. 그래서 뜸을 할 때 뜸쑥의 질, 쑥의 크기, 쑥을 비벼 만들 때의 단단함, 쑥의 고저, 일회의 장수, 뜸을 하는 기간 또는 간격, 반응점(경혈)의 상태, 허약 체질의 여부, 병의 경중, 외과적 수술 관계, 나이, 성별 등을 고려하여 각기 맞는 방법을 선택하지 않으면 안 됩니다.

뜸을 할 때는 뜸쑥을 잘 골라서 알맞은 크기로 손으로 비벼 만들어 씁니다. 이때 쑥의 크기를 정하는 것은 보통 전문가의 경험에서 병증과 자극량을 검토하여 크기와 장 수를 결정합니다. 그러나 표준으로 크기를 정해둘 필요가 있으므로 보통 쌀알 반쪽만 한 크기로 합니다. 뜸봉의 단단함은 쑥을 비비는데 따라 여러 가지입니다. 일반적으로 단단하게 비벼진 뜸봉은 긴 시간 동안 타기 때문에 그 열이 많으므로 특별하게 필요한 경우에만 사용합니다.

누구나 간단하게 할 수 있는 것이 뜸 치료입니다. 뜸은 가정에서도 누구나 하기 쉬운 치료법입니다. 옛날부터 가정요법으로서 널리 사용되었습니다. 그런데 뜸자리가 난다고 하여 경원시 하는 사람이 많아서 지금은 간접구가 여러 가지 쓰이고 있습니다. 침과 뜸은 병을 고치고 고통을 없애기 위한 것이지 멋으로 모양을 내기 위한 것은 아닙니다. 그러나 목적을 위해서는 직접구를 하지만 때에 따라서 꼭 필요하다고 할 때에는 간접구를 하기도 합니다.

몸의 자연치유력을 되살리는 발포요법

양동춘 대체의학 연구가. 녹색대학교 자연의학과 교수

가난한 민중을 위한 의학이 어떤 것인가 찾으며 여러 요법을 공부하고 연구하고 있습니다. '살금살금 가야 한다' 는 '반지의 제왕' 호빗의 말처럼 살금살금 살아가고 있습니다.

'민중의학' 이라는 과제를 구체화하기 위해서 처음 공부한 것이 니시 의학이었습니다. 니시 의학은 지금도 우리 나라에서 유행하는 대부분의 건강법의 주류라 해도 과언이 아닙니다. 그 만큼 검증이 된 훌륭한 체계라는 의미도 있고, 우리 나름의 독자적인 건강법이 정리되지 못했다는 반증이기도 합니다. 아무튼 니시 의학으로 난치라고 하는 병들이 치료되는 사례들을 수없이 보면서, 경제적이고 합리적인 '민중의학' 의 체계가 가능하겠다는 확신을 갖게 되었습니다.

시골에서 살면서 시골 사람들의 건강 문제를 대하다보니 간단한 건강법이라도 실천하기는 어렵다는 것을 실감했습니다. 시골 사람들은 무리한 육체 노동으로 근육통 같은 질환이 많은데, 즉각 피부로 느껴지는 치료 효과가 없으면 계속하지 않으려고 했습니다. 그래서 찾아낸 것이 발포 요법입니다. 보다 직접적이면서도 근본적인 치료가 가능한 방법을 찾다보니 발포 요법이 적합하다 싶어 그것을 중심으로 다른 건강법을 덧붙이는 식으로 건강 상담을 하게 되었습니다.

시골 생활을 하거나 시골 생활을 원하는 분들이라면 쉽고 유용한 발포요법을 익혀두시면 여러모로 쓰임이 많을 것입니다.

피가 맑아야 몸도 맑다

건강과 질병에 대한 관점과 방법은 수없이 많고, 나름대로 효과도 있습니다. 예를 들어, 우리 몸의 골격을 바르게 하면 건강해진다는 많은 척추 교정법이 있고, 또 장이 맑으면 건강하다는 입장도 있습니다. 둘 다 분명히 효과가 있는 방법입니다. 그런데 스스로 이해하고 통제할 수 있는 근본적인 건강법을 위해서는 우리 눈에 보이면서 또 중요한 고리가 되는 물질, 상태, 현상을 찾아야 할 것입니다.

이 고리는 지금까지의 경험과 관찰을 통해 볼 때, 궁극적으로는 혈액, 체액을 맑고 깨끗하게 하는 것이 아닐까 합니다. 단식 · 생식 · 자연식을 하는 이유도, 그로 인해 숙변이 제거되어 궁극적으로는 피가 맑아져서 몸 전체를 건강하게 하는 것으로 볼 수 있습니다. 골격 교정도 골반이 바로 잡히면 척추가 바로 잡히고, 척추가 바로 섬으로써 신경 전달이 활발해져 혈액 순환을 북돋아 몸이 활기를 되찾는 것입니다. 암 또한 피가 맑아져야 자연치유력도 높아져서 회복될 수 있습니다.

그렇다면 어떻게 해야 피가 탁해지지 않고, 또 탁해진 피를 맑게 할 수 있을까요? 크게 올바른 식생활, 호흡, 운동, 마음가짐이 중요한 요소가 될 것입니다. 그렇기 때문에 섭생법, 운동법, 호흡법, 명상 등이 모두 치료법이 될 수가 있습니다. 이렇게 일상 생활을 몸과 자연의 요구에 맞게 꾸려나가는 것이 예방과 치료의 핵심이고, 이를 자연건강법이라고 부를 수 있습니다. 그렇다면 결국 자연건강법의 핵심은 우리 몸의 피를 맑게 해서 몸의 자연 치유력을 회복하고, 이 자연 치유력이 질병을 이겨내도록 하는 방법이라고 요약해도 좋을 것입니다.

모든 병은 한 가지 독에서 온다

우리 몸을 관찰하고 이해하는 데는 그 필요나 목적에 따라 다양한 관점이 있습니다. 전통적 관점에서는 질병을 이겨내고 건강을 유지하기 위해 우리 몸을 '흐르는 몸'으로 이해했습니다. 그리고 그런 관점에서 우리 몸의 기본 범주로 기·혈·수를 상정합니다. 그러면 질병은 아주 단순한 현상으로 이해할 수 있습니다. 즉 질병은 기·혈·수가 어떤 이유로 막히거나 과불급過不及인 현상이라고 볼 수 있습니다. 이런 현상에 대한 표현이 사기邪氣, 어혈瘀血, 담음痰飮입니다. 그런데 이런 현상은 따로따로 일어나지 않고 일체로 일어납니다. 결국 그것들은 우리 몸의 한 가지 독, 즉 만병일독萬病一毒이라고 할 수 있습니다.

서양 의학에서는 '물질적 실체'가 있어야만 이를 다루고 이해할 수 있고, 비로소 질병의 원인을 규정할 수 있습니다. 객관적 입증을 중시하는 입장에서는 당연한 것이지만 이 같은 관점에서 질병을 보면 증상은 있는데 병명이 없어서 치료법이 없는 자기 제약에 묶이고 맙니다. 하지만 관점을 바꿔서 우리 몸의 어디에서 흐름이 막혔는지 찾을 수 있다면 병명을 몰라도 병을 치료할 수 있습니다. 심지어 병의 원인을 이해하지 못해도 치료할 수 있습니다. 병명이란 우리가 관찰하고 이해하기 편하도록 붙인 꼬리표에 지나지 않습니다.

독을 제거하는 탁월한 방법 발포 요법

그럼 문제가 되는 것은 '어떻게 그 독을 제거할 것인가?'입니다. 우리의 전통 의학에서는 이를 침, 뜸, 약물을 위주로 해결했고, 그것은 여전히 효과적입니다. 특히 침의 보조 기구로 이용해 온 부항은 사혈이라는 방법을 통해서 직접적으로 독을 빼냅니다.

그리고 제가 소개하려는 발포 요법이 있습니다. 이 요법의 경우, 질병의 유무를 진단하는 방법이 확실하다는 점과 최소한 잘못된 치료를 하지 않을 수 있다는 특징이 있습니다. 왜냐하면 병이 없는 부위에는 발포 반응이 생기지 않기 때문입니다. 그리고 이 치료법은 우리 몸에 필요한 피나 체액을 소모하지 않을 뿐 아니라, 언제 치료를 끝내야 하는지도 금방 알 수 있습니다. 몸으로 느낄 수도 있지만, 독이 다 빠지면 발포가 되지 않습니다. 따라서 굳이 전문가가 아니라도 쉽게 쓸 수 있고, 효율성이 뛰어난 방법입니다.

하지만 발포 요법에 장점만 있는 것은 아닙니다. 가령 발을 삐었을 때 바로 그 부위를 사혈시키면 쉽게 치료가 되지만 발포를 하려고 제때 치료하지 않고 시간을 끌면 발포가 되기는 하지만 좋지 않습니다. 또 독충에게 물렸을 때도 그렇습니다. 이처럼 다급한 조치를 해야 할 경우인데도 발포 현상을 기다리다가 독을 키우는 결과를 낳습니다. 또, 발포 자국은 오랜 시간이 지나야 없어집니다. 때로는 건강보다 미용을 먼저 고려하는 경우도 있으니 이도 제약 조건이라 할 수 있을 것입니다.

발포가 되는 현상은 화상을 입어서 수포가 생기는 것과는 다릅니다. 건강한 부위에서는 발포가 되지 않고, 병소에서만 발포가 일어납니다. 발포는 우연한 현상이나 잘못된 치료 때문에 생기는 부작용이 아닌 우리 몸의 경락 체계에 따른 반응이며 질병 치료법입니다. 예로부터 발포 요법이 단편적으로 활용된 예는 많은데, 최근까지 체계적으로 정리되지는 못했습니다. 그런데 얼마 전 김형렬이라는 분이 부항으로 자신의 몸을 치료하다 발포 현상을 발견하고, 이를 바탕으로 체계적인 발포 요법을 개발하게 되었습니다.

저는 경험으로 발포 요법은 현대 의학이 어려움을 겪고 있는 순환기 질환, 대사성 질환 등에 탁월한 효과가 있는 것을 알았습니다. 몸에서 독만 빼면 병이 낫는다는 '만병일독설萬病一毒說'이 얼마나 질병의 핵심을 찌르고 있는지 알 수 있습니다. 우리 몸의 피를 비롯한 체액이 맑아지면 나쁜 환경에 노출되어도 스스로 이겨낼 뿐만 아니라, 질병에 걸려도 스스로 회복하고 치유하는 자연 치유력이 발휘됩니다.

어떤 방법을 통해서건 우리 몸의 체액이 맑아지면 대부분의 질병이 낫게 됩니다. 특히 현대 의학이 취약한 병일수록 더 쉽게 치유된다는 사실은 만병일독설의 유용성을 뒷받침해 주고 있습니다. 그리고 현대 의학에서 외과적으로 대응할 수밖에 없는 질병도 인체의 자기 회복력을 되살려 주면 치유할 수 있다는 사실도 확인할 수 있습니다. 예를 들면 디스크로 인한 요통도 그 부위의 독을 빼주면 통증이 없어질 뿐만 아니라 척추 자체가 바로잡아지는 것을 볼 수 있습니다. 물론 질병의 정도가 심할 때는 국부적인 발포만이 아니라 단식이나 생채식과 같이 온몸을 정화할 수 있는 방법을 함께 하는 것이 좋습니다.

경락과 발포 요법

이러한 발포 요법은 고대 유럽에서도 '유도요법'이라 해서 의사들이 시술했다고 하는데, 근대적 의학관이 등장하면서 사라졌다고 합니다. 오늘날 서양 의학에서는 아직 경락의 존재를 인정하지 않지만 침술의 효용성은 일종의 대체 의학으로 인정하는 분위기입니다. 경락을 전제하고 질병을 이해하면 아주 유용하여 진단과 치료도 누구나 손쉽게 할 수 있습니다.

그렇다면 어떻게 발포 위치를 찾을 수 있을까요? 가장 손쉽게는 전신에 부항을 붙여 보는 것입니다. 이를 건부항乾附缸이라 하는데, 한 곳에 약 1~2분 씩 붙였다 떼면 병과 연관된 부위에 시커멓게 자국이 남고, 이는 병이 심할수록 더 짙어집니다. 이 자국들 가운데 반응이 가장 심한 부위부터 발포하면 됩니다. 그 부위가 어떤 장기나 질병과 연관된 것인지를 알려면 전문적인 지식이 필요하긴 합니다. 그리고 오링 테스트O-ring Test나 다우징을 통해서도 질병을 진단하고 치료점을 찾을 수 있습니다.

어떤 사람이 간염이 있지만 다른 장부는 모두 건강한 경우, 간에 해당하는 경혈에서는 발포가 되지만 다른 곳에서는 전혀 발포가 되지 않습니다. 이때 간 경락의 주요 경혈에서 발포가 안 될 때까지 계속 발포를 시키면 간염이 치료됩니다. 몸에서 독소가 다 나온 경우에는 더 이상 발포가 안 되기 때문에 그 전까지는 치료가 완전히 끝난 것이 아닙니다.

모혈과 수혈에 하는 발포 요법

우리 몸속 장기의 대표점인 모혈과 수혈을 중심으로 부항의 색소 반응을 살펴서 진단하고 치료하는 방법을 살펴보겠습니다. 모혈은 우리 몸의 앞쪽에 있고, 수혈은 등에 있습니다. 모혈과 수혈은 다 해봐야 몇 개 안 됩니다. 이 정도는 정확히 익혀두는 것이 좋지만 정확한 자리를 모르더라도 침이나 뜸과 달리 부항은 적용 범위가 넓기 때문에 그림을 보고 더듬거려 실시해도 괜찮습니다. 또한 치료를 하다보면 경혈 이론과 자리가 똑같지는 않다는 것도 느낄 수 있을 것입니다. 대개는 그림에 상응하는 부위를 찾아서 주변보다 약간 함몰된 지점을 찾으면 됩니다. 설사 틀려도 위험하지는 않으니 자신 있게 몇 번 하다보면 감을 잡을 수 있습니다.

이 모혈과 수혈은 오장육부로 통칭되는 각 장기의 대표점으로, 부항을 붙여서 한 시간 정도 지나도 수포가 생기지 않으면 그 해당 장기는 별 문제가 없다고 판단해도 좋습니다. 간혹 장기·대표점이 아닌 부위에서 시키면 색소 반응이 보이지만 발포는 안 되는 경우가 종종 있는데, 이럴 경우에는 다음 날 다시 부항을 붙이면 대부분 발포가 됩니다. 그럴 경우는 독이 깊이 있어서 그렇습니다. 이렇게 몇 안 되는 장기 대표점과 아시혈(대부분 눌러서 아픈 곳)만으로도 현대 의학에서 치료하지 못하는 병도 간단히 낫는 수가 많습니다.

어떻게 발포를 하나

부항으로 발포를 할 경우에 보통 한 시간 정도 붙여두는데, 병이 심하면 발포되는 체액의 색이 진하고 발포되는 시간도 빠릅니다. 투명한 물색에서부터 연한 노란색, 연분홍색, 시커먼 포도색깔까지 질병의 정도에 따라 다양하게 나타납니다.

경락과 경혈을 모를 경우에는 그냥 아픈 부위에 부항을 붙여도 좋습니다. 가령 허리가 아픈 사람은 허리 부위에 발포를 하면 걷기 힘들 만큼 심한 경우에도 대부분 회복이 됩니다. 그러나 몇 번의 발포로 허리가 편해졌다고 해도 발포가 더 이상 안 될 때까지 계속하는 것이 완전한 치료를 위해 중요합니다. 그리고 간염이나 심장병, 위장병과 같이 장기에 이상이 생긴 경우에는 해당 경혈을 찾아서 그 부위에서 발포를 시켜야 합니다.

부항으로 발포를 할 경우에는 같은 자리를 매일 발포하는 것이 효과적입니다. 단 한꺼번에 여러 곳을 하지 말고, 환자라면 세 곳 이하로 하는 것이 무난합니다. 한꺼번에 너무 많이 하면 지치고 심한 경우 몸살이 날 수도 있습니다. 몇 차례 하다보면 자신에게 알맞은 정도를 가늠할 수 있습니다.

부항은 어떻게 붙이나

부항은 등뼈를 따라 죽 내려붙입니다. 그리고 목욕을 하고 난 후에 시술을 하면 발포가 빨리 되며, 원적외선을 쪼이는 것만으로도 발포가 되는 경우도 있습니다. 그런데 체력이 약한 사람이나 중환자의 경우에는 부항의 흡착력을 약하게 하면서 잘 살펴보아야 합니다.

발포된 수포는 바로 따도 되지만, 하루쯤 지나서 따야 쓰리지가 않습니다. 이때 수포는 이쑤시개로 따는 것이 좋고, 소독약이나 연고는 절대 바르지 않는 것이 좋습니다. 만약 덧나게 되면 찹쌀로 떡을 해서 붙이거나 숯가루(활성탄)를 식용유로 개서 바르면 됩니다. 빨리 낫고 싶은 욕심에 부항을 한꺼번에 많이 붙이면 오한이 들거나 기력이 떨어지는 수가 있으니 주의하시기 바랍니다. 환자의 경우에는 한 번에 3군데 정도로 하고 일주일에 한 번 정도 하는 것이 좋습니다.

발포를 하다보면 부항 속에 거품이나 젤리 같은 피가 고이는 수가 있는

데, 독이 빠지는 것이니 괜찮습니다. 덩어리가 빠져나올 정도면 상당히 중증으로 봐야 합니다. 또한 발포한 부위가 가려워질 때가 있는데, 이는 독이 빠질 때 나타나는 현상입니다. 독이 많은 분은 견디기 힘들 정도로 가려움증이 생깁니다. 가려움이 심하면 뜨거운 물수건으로 대면 가려움이 가시는 효과가 있습니다. 그리고 발포가 된 자리에 천연 양조식초를 묽게 타서 바르거나 알로에 즙을 바르면 좋습니다. 발포한 피부에는 흉이 생기는데, 젊은 사람은 3~4개월, 늙은 사람은 6~7개월이면 없어집니다. 많이 아팠던 사람은 더 오래가기도 합니다.

화병에는 심장을, 귓병에는 신장을

음양오행이라고 하면 많은 분들이 미신으로 보거나 보통 사람은 이해하기 힘든 것으로 여기는 경향이 있습니다. 하지만 음양오행은 모든 동양 학문의 가장 보편적인 이론적 토대로, 한의학도 이를 빼면 성립하기 어려울 정도입니다. 이러한 음양오행의 장부론을 보면 우리 몸을 상호 관계의 총체로 파악하기 쉽습니다. 간단한 예로, 소화가 안 돼서 병원에 가면 정상인데 본인은 여전히 힘든 경우가 있습니다. 이런 경우 대부분 심장에 문제가 있습니다. 흔히 말하는 화병이지요. 이 경우에는 오행상 화火에 속하는 심장을 고쳐 주면 소화가 잘 됩니다. 그 이유는 오행법칙상 화생토火生土인데, 위는 토土에 속하므로 화火인 심장에서 제대로 열을 만들지 못하면 위를 도울 수가 없는 것입니다. 이렇게 오행을 알면 몸의 상태나 질병의 전환 상태를 일목요연하게 추적할 수 있습니다.

또한 인체 전체를 오행으로 범주화함으로써 전혀 상관이 없는 것 같은 병리 현상의 상호 작용을 쉽게 찾아서 그 근본을 치료할 수 있는 길을 열어줍니다. 예를 들면 동양 의학에서는 귀가 아픈데 신장을 치료합니다. 일반적으로는 이해가 안 가는 일입니다. 하지만 오행상 수水에는 신장, 방광, 자궁, 전립선 등과 골수, 머리카락, 귀 등이 속합니다. 이것들이 발생학적으로 어떤 상관이 있는지는 알 수 없지만, 임상적으로는 분명한 관련성을 볼 수 있습니다. 이러한 음양오행의 장부론은 해부학적 특성이라기보다는 그 장부에 해당하는 에너지 패턴, 즉 경락과 상관이 있다고 봅니다.

이러한 전일적 인체 이해 방식은 질병을 진단하는 경우에도 매우 유용합니다. 부분과 전체의 홀로그래픽한 상의상관성相依相關性을 알게 되면 인체의 부분적인 현상이나 표징만으로도 문제의 소재나 정도를 짐작할 수 있기에 이것저것 비싼 검사를 하는 문제를 피해갈 수 있습니다.

음양오행과 우리 몸의 상관 관계

이제 장부의 음양오행에 대해서 살펴보기로 하겠습니다. 우선 오행은 목, 화, 토, 금, 수 이렇게 다섯 가지입니다.

'목'이라는 기운의 특성은 계절로 보면 봄기운입니다. 우리 몸에서는 간과 쓸개가 목입니다. 눈, 근육, 인대 등도 모두 목에 속합니다. 그래서 간이 나쁘면 눈이 어두워지거나 눈병이 잘 생긴다고 합니다.

'화'는 말 그대로 불기운이고 계절로는 여름입니다. 우리 몸에서는 심장이고, 소장이 그 짝입니다. 그리고 동양 의학의 장부는 육장육부라고 하는데, 서양 해부학에는 없는 심포, 삼초라는 기능적인 장부가 화에 속합니다.

'토'는 서로 결합하고 화합하는 상태입니다. 무언가를 중재해서 서로 합치게 합니다.

'금'은 가을날이니 곡식을 여물게 합니다. 우리 몸에서는 폐와 대장을 비롯해서 기관지, 코, 피부 등이 여기에 속합니다.

'수'는 겨울철입니다. 물이니 우리 몸에서는 당연히 신장, 방광에 해당되고, 여자면 자궁, 남자면 전립선이며 귀, 골수, 머리카락 등입니다.

상생상극과 복승의 법칙

이러한 다섯 가지 기운은 상호 촉진·제약 하는 법칙성이 있습니다. 상생, 상극이 그것입니다. 뱀이 없어지면 쥐가 끝없이 번식을 할 것 같은데, 그렇게 되면 나중에는 먹을 것이 없어져서 스스로 자살을 한다고 합니다. 이렇게 서로 돕고 제약하는 가운데 전체 생명이 자라나는 법칙이 상생상극입니다.

먼저 상생법칙을 보겠습니다. 목생화木生火, 나무에서 불이 일어납니다. 화생토火生土, 불이 꺼지면 재가 흙으로 됩니다. 토생금土生金, 흙 속에서 금을 캡니다. 금생수金生水, 쇠가 녹으면 쇳물이 됩니다. 끝으로 수생목水生木, 물이 있어야 나무가 자랍니다. 이렇게 한 바퀴를 도는데, 이건 그저 여러분이 외우기 좋도록 한 얘기입니다.

이번에는 상극입니다. 목극토木克土, 나무는 흙을 딛고 빨아먹습니다. 토극수土克水, 흙은 물을 흡수합니다. 수극화水克火, 물로 불을 꺼야지요. 화극금火克金, 불로 쇠를 녹입니다. 금극목金克木, 쇠도끼로 나무를 베어냅니다. 이것도 그저 기억하기 좋게 한 이야기입니다.

여기에서 약간 응용하면 복승複勝 관계가 성립하는데, 복승 관계는 '자子가 모母를 이긴 것을 이기게 한다'는 것입니다. 예를 들면 목이 토를 이긴 경우木克土에 토는 금을 낳아土生金 금이 목을 이기게金克木 되는 것입니다. 즉, 토는 목에 지지만 지기만 하는 것이 아니라 상생관계를 통해서 금을 낳아 목을 제압한다는 것입니다. 이같이 만물 만사가 상생이라는 생성과 상극이라는 제약만의 일방적인 관계만이 아니고, 복승이라는 평형 관계를 통해 발전해갑니다.

앞에서 간단하게 오행의 상생상극이 우리 몸에서는 어떻게 응용되는지 예를 들었습니다. 그 외에도 당뇨의 경우 비장 경락에 이상이 생긴 것인데, 대부분 간에도 이상이 있습니다. 이런 식으로 오행을 이해하면 질병 상태를 조망하면서 효과적으로 진단할 수 있는 것입니다. 그런데 서양 의학에서는 대부분 질병이 생긴 해당 부위에만 관심을 기울이다보니 기계적인 진단과 치료에 그치는 경우가 많습니다. 음양오행은 앞으로 구체적인 질병들을 공부를 할 때 꼭 필요하니, 익숙하지 않은 분들은 익혀두시기 바랍니다.

간장과 담낭의 병증과 발포 모혈

우리나라 전 국민의 10분의 1 이상이 간염환자라고 하는데, 수치에 잡히지 않은 경우까지 고려하면 그 수는 훨씬 더 많을 것입니다. 그런데도 간염에 대한 확실한 대안이 없는 실정입니다. 하지만 발포 요법을 할 경우, 물론 상황이 간경화나 간암까지 진행된 상황에서는 그리 쉬운 일이 아니지만 대부분의 간염은 손쉽게 해결됩니다. 경락학적으로 볼 때 간담은 우리 몸에서 간경肝經과 담경膽經, 그리고 대맥帶脈과 근육도 지배합니다.

근육이 아프거나 떨리는 것, 쥐가 잘 나는 것은 간담에 문제가 생겼을 때 일어나는 현상입니다. 손톱, 발톱, 목, 고관절, 발, 눈, 눈물 등도 간담이 지배해서 간담이 좋지 않은 사람의 손발톱을 보면 세로줄이 서있고 각이 져있거나 두꺼운 것, 찌그러진 것, 갈라진 것을 볼 수 있습니다. 또한 갑상선 열이라든가 후두암, 성대가 상해서 말소리가 잘 안 나오는 경우, 임파선이 붓는 것도 간담이 관계합니다. 눈물이 많이 나는 것도 간이 나빠서 그렇습니다.

그런데 문제는 이런 증상들이 느껴져도 검사를 하면 간 기능이 정상으로 나오는 경우가 많다는 것입니다. 간의 상태가 상당히 악화되어 있는데도 수치상으로는 정상이 나오는 경우가 허다합니다. 그래서 자기 스스로 간의 상태를 점검할 수 있는 간단한 방법 몇 가지를 말씀드리겠습니다. 우선 손바닥 전체에 붉은 반점이 얼룩얼룩하게 생겨 있으면 간이 피로하다고 보시면 됩니다. 일시적으로 피로가 누적되어도 손바닥에 이런 현상이 나타납니다. 좀 더 확실한 방법은 오른쪽 갈비뼈 부위를 자기 주먹으로 쳐보면 됩니다. 간이 안 좋을수록 통증이 심합니다. 그리고 가장 확실한 방법은 간담 부위에 부항을 붙여서 발포를 시도해 보는 것입니다. 만약 간에 이상이 없으면 절대 발포가 되지 않습니다.

간장, 담낭에 병이 들었을 때 나타나는 주요 증상
- 화를 잘 내고 결벽증이 있다. 심술을 잘 부리고 폭언 폭설을 좋아한다.
- 피곤하고 항상 긴장된 상태이다. 근육경련이나 쥐가 잘 나고 야뇨증도 생긴다.
- 입에 백태가 생기고 입이 쓰며 모래알을 씹는 것 같아서 잘 먹지를 못한다. 또 구역질이 나고 소화가 잘 안 된다.
- 옆구리가 아프고 요통이 있다.
- 한숨을 잘 쉬고 눈물이 흐르고, 시력이 떨어지거나 사시가 생긴다.
- 목이 쉬고 가래가 잘 생긴다.

이런 증상이 나타나면 간담에 병이 들어서 간염, 간경화, 지방간, 간암 등이 있을 수 있는데, 간경·담경에 발포를 해서 독을 빼면 병이 좋아집니다.

대부분의 경우 해당 장부의 모혈과 유(수)혈을 중심으로 발포를 하면 됩니다. 대부분의 경락은 좌우에 대칭적으로 흐르고 있습니다. 가령 간경의 모혈인 기문은 왼쪽 갈비뼈 위에도 있고 오른쪽 갈비뼈 위에도 있습니다. 이 경우에는 해부학적으로 간이 있는 오른쪽 갈비뼈 밑의 기문에서 발포가 되고, 일월도 마찬가지입니다. 그리고 장문은 비장의 모혈이지만 간이 좋지 않을 경우에는 오른쪽 장문에서도 발포가 됩니다. 비장의 경우에는 이와 반대로 왼쪽 기문, 일월, 장문에서 독을 빼면 됩니다. 등 쪽의 유혈에서는 간유를 중심으로 발포를 하면 좋습니다. 물론 모혈이나 유혈 이외의 경혈에서도 발포가 되지만, 경험상 해당 장기의 해부학적 위치에 가까운 모혈과 유혈에서 발포하는 것만으로도 충분합니다.

심장과 소장의 병증과 발포 모혈

다음은 오행의 화火에 해당하는 심장, 소장에 대해 알아보겠습니다. 심·소장에 병이 나면 신경통이 심경에 따라 생깁니다. 수소음심경은 새끼손가락 끝 손바닥 쪽에서 시작해서 겨드랑이까지 이어지는데, 이 선상에 빨간 점이 생기면 심장이 약하거나 병이 난 것입니다. 수태양소장경은 새끼손가락 손등 쪽을 타고 팔의 바깥쪽을 통해 어깨의 주걱뼈를 돌아서 어깨마루를 지나서 광대뼈로 해서 귀 옆의 청궁혈까지 이어집니다. 이 경맥 선상이 빨개지거나 툭 튀어나오거나 여기만 들어가 있을 경우나 기미가 끼어 있는 경우에는 심장, 소장에 문제가 있는 것입니다. 신경통은 심경보다는 소장경상에 문제가 많습니다. 주걱뼈가 아프거나 어깨의 소장경 부위 등에서 잘 나타납니다.

기경팔맥 중에서 독맥을 심장, 소장이 지배합니다. 독맥은 머리 정수리인 백회에서부터 머리 뒤통수와 목뼈, 척추를 타고 내려와서 항문과 생식기 중간에 있는 회음에까지 연결되어 있습니다. 또 심장, 소장이 지배하는 육체 부위 중 제일 중요한 것이 팔꿈치입니다. 다음이 상완, 상박골이 있는 곳인데, 이곳이 시리거나 아프거나 살이 찌는 경우 심장, 소장을 다스려야 합니다. 그리고 혀도 심장이 다스립니다. 혓바늘이 돋거나 혓바닥이 파여 음식을 먹기 곤란한 경우에도 심장을 다스려야 합니다. 잘 낫지 않는 것도 심장을 치료해주면 근본적으로 낫게 됩니다.

피와 혈관은 말할 것도 없습니다. 피가 맑다 탁하다 하는 것은 다 심포, 삼초에 원인이 있습니다. 반면에 협심증, 심장판막증, 심장에 구멍이 난 경우 등은 심·소장에서 지배합니다. 그러나 혈액 중에서도 적혈구는 콩팥과 백혈구는 비위장과 관계가 있고, 혈소판은 심포, 삼초와 관련되어 있습니다. 그리고 얼굴도 지배합니다. 얼굴의 물질적인 속성은 심·소장이 관할하고, 얼굴의 표정은 심포, 삼초가 지배합니다. 얼굴 표정이 뜻대로 되지 않는 경우는 심포, 삼초에 문제가 있는 것입니다.

심장, 소장에 병이 있을 때의 주요 증상

- 웃기를 좋아하고, 신경질을 잘 내고, 깜짝깜짝 잘 놀란다. 버릇이 없고 제멋대로 굴기를 잘 한다. 성질이 급하고 폭발적이다.
- 가슴이 두근두근하고 숨이 찬 병, 습관성 유산이나 낙태, 생리 이상 등
- 심장이 아프고 젖가슴 뒤쪽 등이 당긴다. 명치 밑이 아프고 소화가 잘 안 된다.
- 팔꿈치 관절통이 있고 상완부에 통증이나 저린 증상이 있다.
- 엉덩이가 아프고 좌골신경통이 있다.
- 양 눈 사이에 붉은 기운이 있으며, 특히 여드름이 턱 주변으로 나고 불그스레한

얼굴이다. 눈에 핏발이 잘 선다.

- 식은땀이 나고 딸꾹질을 한다. 말을 더듬거나 발음이 제대로 안 된다.
- 새끼손가락이 꼬부라지거나 휜다.

발포 요법이 여러 질병에 효과가 있지만, 특히 심장 계통의 질병이나, 서양 의학으로는 검사가 되지 않는 화병과 같은 심포 질환에는 효과가 큽니다. 화병이나 스트레스로 인한 병, 신경성이라는 병은 대부분 심포에 이상이 있습니다. 한방에서 매실 씨가 목구멍에 걸린 것 같다고 해서 매핵기라고 부르는 증상도 마찬가지입니다. 보통 이런 증상이 나타나면 사람들은 이비인후과를 찾고, 이비인후과에서는 정신과 쪽으로 안내한다고 합니다. 눈에 보이지 않는 기가 막힌 증상이니 그럴 수밖에 없을 겁니다.

협심증이나 관상동맥경화증과 같이 심장 자체에 이상이 있는 질병들은 모두 오목가슴 부위에 있는 거궐에서 발포가 됩니다. 그리고 등 쪽에서는 심포나 거궐의 정반대 쪽에서 척추를 누르면 통증이 심한 곳에서 역시 발포가 됩니다. 앞뒤를 교대로 발포하면 훨씬 빠르게 증상이 개선됩니다.

심소장으로 인해서 나타나는 신경통의 경우 경락 주행상 심장경, 소장경, 독맥을 따라 신경통이 생기고, 심장의 모혈인 거궐, 소장의 모혈인 관원, 등 쪽의 심유, 소장유 그리고 독맥의 통혈인 하거허혈에 통증이 있습니다. 그리고 이러한 혈들은 모두 발포요법의 치료점이 됩니다.

순환 농업 시범마을 만들기

문원산 농부, 장수하늘소마을 대표

늘 꿈꾸던 더불어 사는 마을에 들어왔지만 살다보니 갈등도 생기고 그것을 해소할 묘약을 찾지 못해 힘들었습니다. 세월이 약일 거라 믿게 되었지요. 그렇게 살다보면 미운정 고운정이 쌓여 사람 냄새 나는 마을이 될 것이라 기대합니다.

　잡목이 우거진 논자리와 황무지처럼 버려진 밭을 희망으로 일구기 시작한지 벌써 3년째입니다. 도시가 아닌 시골에서 인위적으로 마을을 만든다는 것이 보통 일이 아님을 절감하며 지내온 3년이었습니다. 좋은 마을을 이루어가고 열심히 농사를 짓는 것 자체로 이웃에게 보탬이 될 수 있기를 바라는 마음을 안고 12쌍의 초보 일꾼들과 20여 명의 천진한 아이들은 아직 익숙하지 않지만 부지런히 일하고 있습니다.

시간이 약이라는 말에 담긴 의미처럼 마을 만들기도 시간의 힘이 절대적인지라 성과를 내보이기에는 턱없이 부족하지만 과정을 보여 주는 것 또한 의미가 있다는 생각에 그 동안의 진행 과정을 간략하게 정리해 보기로 했습니다.

귀농길잡이라는 말이 거창해서 부담스럽기는 하지만 나름대로 최선을 다해 안내자가 되어 보겠습니다. 모두 제가 듣고 본 것이기에 주관성을 벗어날 수 없으니 이점을 감안해서 읽어주셨으면 합니다.

장수군과 뜻을 맞춰

현 장수군수와 기획팀은 농업이 살아야 건강한 사회를 지속할 수 있다는 확신으로 중앙정부에서 포기하다시피 한 농업을 지역 단위에서 회생시킬 방법을 찾아가고 있습니다. 농업의 다면적 가치와 생명 산업으로서의 중요성을 알리고, 설득하며 지역의 여건에 맞는 중장기 발전 전략을 세우고 충실하게 실천에 옮기고 있는 것입니다. 그 한 축이 지역 단위 순환농업 시스템을 통한 농업 소득의 증대와 지속 가능한 농업의 정착입니다.

장수군에서 하려는 순환 농업은 축산 농가에서 나오는 축분을 양질의 유기질 퇴비로 만들어서 경종(씨 뿌리는 농사) · 과수 농가에 공급하고, 농사를 통한 부산물과 조사료를 축산 농가에 되돌려 주는 지역 순환적 체계를 만들어서 농가의 생산비를 줄이면서 품질 좋고 안전한 농산물을 생산할 수 있도록 도와 주는 방안입니다. 결코 쉬운 일은 아니지만 이러한 지역 단위의 자립적, 생태 순환적인 시스템이 만들어 진다면 농업의 다면적 가치와 생명 산업으로서의 중요성을 실현하는 지속가능한 농촌을 만들어 가는 데 매우 큰 역할을 할 수 있으리라 봅니다.

맑고 청정한 장수 지역에서 친환경 농업에 종사하는 분들의 숫자는 손에 꼽을 정도로 적고, 관행농에 길들여진 어르신들이 순환 농업이 갖는 의미를 이해하려 들지 않는다는 현실이 시범 단지라는 인위적인 마을을 만들게 된 배경입니다(결코 적지 않은 예산을 지원한 마을 만들기 사업이며 귀농자 몇몇을 먹여 살려 줄 요량으로 마련된 것은 아닙니다). 그만큼 순환 농업의 가능성을 지역 농민들에게 눈으로 보여 주고 이끌어야 할 필요성이 컸던 것입니다.

마을사람 모으기와 마음 모으기

2003년, 더워지기 시작할 무렵부터 장수군 농촌발전기획단의 담당 공무원을 중심으로 지원자를 물색하는 일이 시작되었습니다. 알음알음으로 소식을 들은 분들이 전국 각지에서 하나둘 모여들기 시작했고 지역의 토박이 농민 두 사람이 결합했습니다.

그렇게 모인 사람들은 공교롭게도 대부분 30대였고, 우리는 금방 친구로 말벗으로 가까워졌습니다. 담당 공무원의 집을 근거지 삼아서 일부는 상주하다시피하고, 일부는 먼 길을 오가며 일주일이 멀다하고 토론을 벌였습니다. 주로 한국 농업의 현실과 순환 농업에 대해, 농촌의 활로에 대해, 그리고 각자가 꿈꾸는 마을의 밑그림에 대해서 많은 이야기기를 나누었습니다.

우리는 장수군의 농업 정책에 거의 동의했고, 우리가 시작하는 새로운 삶이 이 지역뿐만 아니라 우리 나라의 농업과 농촌을 회생시키는 데 기여할 수 있음을 확인할 수 있었습니다. 만남이 쌓여가면서 친환경적이며 지역순환적인 농업과 생태적인 삶을 결합해 지역에 새로운 문화를 꽃피우고 농촌이 주는 풍요로움을 마음껏 누릴 수 있도록 하겠다는 뜻이 모아졌습니다.

특히 가족 단위의 외톨이 귀농이 갖는 어려움을 공감하며 지역과 함께 유기적인 관계를 적극적으로 풀어가고자 하는 마음들을 모아 낼 수 있었습니다. 자신이 정말로 해보고 싶었던 일, 살아보고 싶었던 삶을 살아가는 것과 동시에 지역과 사회의 일원으로 자신의 의지와 가치를 자연스럽게 실현시킬 수 있다는 것은 정말 멋진 일이었습니다.

그 더운 여름 날, 우리가 나누었던 무수한 이야기들은 거칠게나마 정리되어 〈마을에 대한 몇 가지 합의〉로 모아졌고, 지금까지 우리 마을의 정신이 되어 주고 있습니다.

〈마을에 대한 몇 가지 합의〉

1. 우리 마을은 생태적인 삶과 공간을 지향합니다.

자연을 훼손함 없이 다음 세대에 돌려주기 위해 가능한 애씁니다. 그러나 생태를 위한 생태보다는 인간과 함께하는 생태를 꿈꿉니다. 처음에는 작게 시작하지만 지향하는 삶으로서의 생태적 질서를 만들어 갑니다.

2. 우리 마을은 친환경 순환 농업을 지향합니다.

농업이 중심이 된 마을, 그 중에서도 순환적인 농업을 실현하려 합니다. 가축을 기르는 것과 밭에서 일하는 것이 순환하고, 농사짓는 일이 자연과 순환하며, 도시와 농촌, 노동과 놀이가 순환하는 마을을 꿈꿉니다. 특히 건강한 먹을거리를 생산하고 나누는 일을 우리의 주된 일로 삼으려 합니다.

3. 우리 마을은 느슨한 마을 공동체를 지향합니다.

하나의 통일된 이념이나 종교적 질서, 뛰어난 지도자의 영도가 아니라 자유로운 의식과 다양한 관심사를 가진 주민들이 스스로 만들어가는 마을을 지향합니다. 마을의 질서는 논의와 합의를 통하여 만들어지고, 그런 전통이 두툼한 자치 규약을 대신하는 상식이 지배하는 마을이 될 것입니다. 다수결이나 일사부재리라는 형식적 민주주의 보다는 설득과 양보, 기다림을 통한 일치와 마지막 한 사람의 의견까지 존중하는 마을을 지향합니다. 아울러 생산과 생활은 각자가 원하는 정도에 맞게 이루어지지만 협동과 조화 역시 마을의 동력과 목표가 될 것입니다.

4. 우리 마을은 가능한 한 자급을 지향합니다.

먹을거리는 물론이고 육아와 교육, 문화, 의료, 노후, 장묘 문제 등을 자급하기 위하여 적정한 규모의 마을을 만들어 나갑니다. 앞서 제시한대로 우리는 완벽한 자급자족을 위한 마을을 염두에 두지는 않지만, 필요한 많은 것들을 돈으로 대신하는 질서에 응할 수 없기 때문입니다. 소비자로서의 삶만이 아닌 생산자, 창조자로서의 위치에 서고자 함입니다. 자신이 할 수 있는 가장 작은 일로도 존재의 가치를 인정받는 공간이 이 땅에도 하나쯤은 필요하다고 우리는 생각합니다.

5. 우리 마을은 평등과 자유의 가치가 살아 숨 쉬는 평화로운 마을을 지향합니다.

무수한 편가름이 횡행하는 질서를 부정합니다. 경쟁력이 있는 사람과 집단만이 행복을 누릴 수 있다고 생각하지 않습니다. 남녀노소, 장애의 유무, 국적과 성적 정체성, 정치적 성향, 경제력의 다소 따위는 우리 마을 안에서 문제가 되지 않습니다. 드나듦이 자유로운 곳, 더 많은 사람의 평화를 지향합니다.

6. 우리 마을은 전체 구성원의 경제적 안정과 최저 생계 보장을 지향합니다.
각자가 하고 싶은 일을 하되 각 구성원은 마을 전체구성원을 배려하고, 마을은 각 구성원이 지향하는 물자와 마음을 고르게 나누는 곳, 꿈이 현실로 실현되는 마을을 만들어 나갑니다. 그러는 가운데 생겨날지도 모르는 제반의 불균형과 격차를 좁혀내기 위해 노력할 것입니다. 성실하게 일하는 사람들이라면 누구라도 행복을 누릴 수 있어야 한다고 우리는 믿습니다.

7. 우리 마을은 우리를 필요로 하는 사람들을 향해 언제나 열린 마을을 지향합니다.
우리의 경험을 알리고 비슷한 계획을 갖는 이들에게 가능한 많은 것을 나누며 교류하려 합니다. 우리 마을과 뜻을 같이 하는 사람과 마을이 널리 생겨나기를 소망합니다.

공무원과 일하면서 배운 것

많은 사람들이 지자체가 지원의 댓가로 간섭을 하는 것은 아닌지, 얼마나 많은 지원을 받고 그 지원된 자금은 상환을 전제로 하는지, 단체장이 바뀌면 정책이 바뀌거나 없어지는 것은 아닌지 하는 데 관심이 많습니다.

순환 농업에서 엇나가지 않는다면 '시시콜콜한 간섭'은 없습니다. 군에서 하려는 정책 자체가 농민들을 위한 것이므로 오히려 적극적인 참여와 관심이 필요합니다. 보통 농촌에는 세 주체가 있다고 하는데, 농민과 행정과 농협이 그것입니다. 어떠한 정책이든 주민의 입장에서 주민을 위한 정책이 마련되고 실현되어야 합니다. 그러나 현실은 그렇지 못합니다. 오랫동안 주민을 배제하고 진행되어온 그간의 관행 때문에 농민들은 행정을 불신하고, 역시 경제 사업을 등한시하는 농협에 대한 불신 또한 만만치 않습니다. 그런가 하면 농협 직원과 행정 공무원들의 농민에 대한 태도 역시 그리 좋은 편이 아닙니다.

우리가 시도해야 하는 일은 정책을 입안하는 과정에 주민이 참여하여 협의하고, 주민들에게 진정으로 필요한 일들을 진행하는 것입니다. 이것은 행정이 주도하거나 일방적으로 내려지는 사업이 아닌 함께 만들어 가는 사업입니다. 우리는 해마다 시범단지 조성 사업계획을 세워야 하는데 이는 마을에 꼭 필요한 일이면서 우리의 역량으로 가능한 일들을 기획하고, 다시 행정과 그에 따른 예산을 포함한 사업계획을 협의·절충하는 절차를 밟습니다. 그렇기 때문에 불필요한 간섭에 시달리는 일은 적어도 아직까지는 없었습니다.

지원에 따른 반대급부 역시 걱정할 필요가 없습니다. 친환경 농업이나 농도 교류는 누가 시키지 않아도 찾아서 할 일이었고, 그렇게 해서 우리가 잘 사는 모습을 보여주는 것이 바로 시범이 될 것이니 말입니다. 다만 정책의 지속성과 안정성에 대해서만큼은 쉽게 언급하기 어려운 점이 있습니다. 우리는 지방자치제가 시작된 지 10년이 갓 지난 시대에 살고 있습니다. 지속적으로 안정성을 갖고 진행되면서 별 탈이 없다면 대를 이어 나갈 수 있기를 바라고 애쓸 뿐입니다. 우리가 믿는 것은 지금 여기서 선택한 이 일이 어려움에 처한 농업이 나아갈 길에 희망을 만들고 있다는 소명 의식과 우리의 삶이 지금처럼 원칙에서 어긋나지 않는다면 지속과 안정은 가능할 것이라는 믿음입니다.

그렇다고 해서 일체의 어려움이 없는 것은 아닙니다. 우리는 지자체의 도움으로 마을을 만들어 나가고 있지만, 행정력은 우리가 생각하는 것과 많은 차이를 가지고 있습니다. 군수와 기획팀이 제시하는 정책과 실천계획이 아무리 올바르고 구체적이더라도 일반 공무원 모두가 그 정책을 이해하고 적극적으로 실천하는 것은 아닙니다. 오히려 딴죽을 걸거나 방기하는 공무원이 더 많은 것이 현실입니다. 그렇다고 우리는 무작정 떼를 쓰는 것이 아니라 효과적인 동반자 의식을 가지려고 합니다.

행정 업무 자체에 익숙하지 않은데다가 새로운 동반자 의식을 만들어 가는 일은 퍽 힘든 작업의 연속입니다. 행정 업무가 그렇게 절차를 중요시하는지를 알게 된 것도 이번 경험을 통해서입니다. 협의가 되었다고 모든 게 가능한 것도 아니었습니다. 그렇다고 절차를 무시했다가는 나중에 문제가 될 수 있습니다. 그러니 절차를 제대로 지키면서 해나가는 일은 더디기 짝이 없습니다. 따라서 재촉하는 일과 인내를 가지고 기다리는 일 역시 우리의 몫이었습니다. 봄부터 준비해서 여름 내내 기다린 끝에 초겨울에야 집을 지을 수 있게 된 일이나 겨우내 부족한 물과 임시 전기로 집을 짓고도 초여름이 될 때까지 전기와 물 문제가 마무리되지 않은 일도 얼마든지 있을 수 있는 일인 것입니다.

함께 산다는 건

영농조합 창립총회를 마치고, 마을을 만들기 위한 실질적인 준비에 들어

갔습니다. 여러 사람이 길을 가다보면 때로는 자기 걸음보다 더 빨리 걸어가야 하는 일도 생기는 법입니다. 시범 단지를 조성했기 때문에 가능한 한 빠른 시간 안에 눈에 보이는 성과를 내야 하는 점은 지자체와 함께 하는데 있어 참 어려운 대목입니다. 이를테면 많은 귀농자들이 꿈꾸는 것처럼 몇 년에 걸쳐 천천히 스스로 집을 짓겠다는 계획은 여기서 통하기 어렵습니다. 우리는 '농업 시범 단지'인 까닭에 곧바로 농사에 착수할 수 있도록 서둘러 집을 지어야만 했습니다. 그래서 여러 가지 출혈과 어려움을 예상하면서도 겨울 집짓기를 시도해야 했습니다.

아랫마을에 빈 집을 하나 얻어서 공동 식당을 마련하고, 집짓는 인부들과 마을 식구들이 같이 밥을 먹으며 참 많이 의논하고 궁리하고, 또 술잔을 돌리기도 했습니다. 각자의 집이지만 그것이 마을을 이루는 공동의 일이기도 하므로 집짓기는 품앗이로 했습니다. 훼손을 최소화하면서 도로를 내고, 집터를 닦고, 밭을 개간해야 했습니다. 눈이 내리면 4륜 차량도 스노우 체인을 채우고 가까스로 오르내리는 정도이다 보니, 집짓기는 자연히 늦어졌고, 그에 따른 추가 비용 부담은 온전히 우리 몫이었습니다. 1년이 넘는 시간 동안 마땅한 수입이 없다 보니 경제적인 어려움까지 목을 죄어왔습니다.

2004년 5월에 마을의 첫 집이 입주를 해서 임시 전기로 불을 밝히던 날의 설레던 가슴을 우리는 아직도 기억하고 있습니다. 그렇게 한 집, 두 집 늘어가는 동안 한편에서는 마을의 기반 시설, 공동 시설이 마을 주민들의 피땀 어린 노동으로 하나둘씩 갖추어져 갔습니다. 상수도 시설, 자연정화형 오·배수로 설비, 도로와 전기, 관정과 물탱크 들이 자리를 잡았고, 5천여 평의 황무지를 개간하고 암거배수를 깔아 농업 기반을 조성해 갔습니다. 또한 1,000여 평의 하우스가 지어졌고, 관수 시설이 갖춰졌습니다. 농기계 보관창고 2동이 세워졌고 집집을 연결하는 인터폰 시설과 인터넷이 설치되었습니다.

틈틈이 서툰 농사도 지으며 일 년 반이 넘는 세월을 보냈습니다. 공동 작업을 통해 형성된 신뢰와 피할 수 없는 갈등, 눈앞으로 다가온 가난과 끝없는 노동 속에 11가구 22명의 어른과 22명의 아이들이 마을에 정착하여 살게 되었습니다.

얼굴을 맞대고 있는 시간이 많다보니 필연적으로 갈등도 생겨났고, 그것이 해소되는 과정이 필요했습니다. 사실 가장 어려운 부분이 여기에 있었습니다. 있는 그대로 보고, 서로의 차이를 인정해 주며 서로 배려할 수 있다면 함께 사는 일은 가능한 것입니다. 허나 그게 말처럼 되지 않았습니다. 각자 다른 환경에서 30~40년을 살다가 한 데 모인 식구들이 쉽게 부드러운 화음을 낼 것이라는 기대는 진작부터 하지 말아야 했습니다. 우리는 아직도 갈등을 없앨 수 있는 묘약이나 손쉽게 갈등을 해소시킬 수 있는 만병통치약을 발견하지 못했습니다.

그러나 세월이 지나 서로간의 신뢰가 쌓이고 관계가 깊어지면 우리에게 알맞은 방법들이 찾아지고 정착되리라 생각합니다. 마을 구성원 하나하나가 자신의 선택에 믿음을 갖고 자기 성찰을 게을리 하지 않는다면, 그래서 타인에게 솔직하게 다가설 수 있는 힘을 조금씩 키워 간다면 말이죠.

어른들은 미래에 대한 걱정과 기대, 첫 농사에 대한 설렘 등이 교차하는 속에 농사 준비에 바쁜 나날이고, 아이들은 마냥 온 동네를 뛰어다니며 신바람이 났습니다. 이렇게 마을은 이루어져 가고 있습니다.

마을 속으로 내리는 삶의 뿌리

임덕배 농부. 경북 문경

2003년에 귀농해 우리 식구 먹을 정도만 겨우 농사짓고 있습니다. 농부의 급수가 있다면 좋은 일꾼은 못되니 건달농부라고 해야겠지요. 중학교 다니는 첫째 아래에 귀농해서 얻어 돌 지난 늦둥이를 아내와 함께 키우고 있습니다.

개구리 울음에 별빛이 더욱 곱게 돋는 어느 봄밤, 들일을 마친 귀농자들이 모처럼 한자리에 모여 앉았습니다. 사정이 있는 두세 명을 빼고는 원북리로 귀농한 가족들이 거의가 모였지요. 한동네에 살면서도 이렇게 모이는 것이 얼마만인지 모릅니다. 갑구 씨의 딸 윤하의 돌 잔칫상이 차려졌기 때문입니다. 갑구 씨는 사십대 초반의 토박이 농군으로 베트남 처녀 미뚱 씨를 아내로 맞아 요즘 신혼 재미에 푹 빠져 있습니다. 술잔이 돌고 웃음꽃이 피더니 단비 엄마가 먼저 숟가락을 마이크 삼아 '노란 샤쓰 입은 사나이'를 부르며 흥을 돋웁니다.

밤이 깊도록 술잔과 함께 노래 순서가 돕니다. 그러나 애써 웃고 있지만 서먹서먹한 눈길을 피하는 이들도 더러 있습니다. 사람이 어울려 사는 곳은 어디나 갈등이 있기 마련이듯 우리 동네 귀농자들 사이도 예외는 아닙니다. 최근까지 몇몇은 한자리에서 얼굴을 마주하는 것조차 거북해 하기도 했습니다. 그러니 마을의 공식적인 자리 아니고는 얼굴을 마주할 기회가 많지 않았습니다.

제가 이사 오던 재작년에는 한 달에 한 번씩 집집마다 돌아가며 모임을 갖기도 했습니다. 그렇게 몇 번 모여서 농사 얘기며 사는 얘기를 나누기도 했지만 이내 흐지부지 되었습니다. 이런저런 이유로 한자리에 모이기가 서먹해진 귀농자들이 있었기 때문입니다. 그래서 오늘 토박이 갑구 씨네 잔치가 아니었다면 이렇게 많은 귀농자들이 한자리에 모이기란 쉽지 않았을 것입니다.

귀농자들 사이는 서로 못자리를 같이 하며 일손을 나누는 이가 있는가 하면, 공식적인 자리에서도 데면데면하게 지내는 이도 있고, 또 그런 사람들 틈에서 이 눈치 저 눈치 보며 지내기 거북해하는 이도 있는 것이 사실입니다. 어쨌든 결론부터 얘기하자면 현재 이곳의 귀농자들은 서로의 가치관과 삶의 다양성을 인정하며 서로의 관계를 자연스럽게 조율하는 과정에 놓여 있습니다. 또한 원주민들과 더불어 살아가는 방법을 찾으며 조금씩 실천에 옮기고 있는 중이기도 합니다.

이 글에서는 이곳 원북리의 귀농자들이 어울려 살아온 과정을 슬쩍 엿봄으로써 바람직한 귀농자들의 관계, 마을 원주민과의 관계는 어떤 것인가를 찾아보고자 합니다.

삶의 다양성

경상북도 문경시 가은읍 원북 1, 2리 일대에는 12가구가 귀농을 했고, 최근에는 한 가구가 여기에서 약간 떨어진 민호리에 귀농하려고 집수리를 하고 있습니다. 귀농한 지 6,7년 된 사람들도 있지만 귀농자들의 절반 이상은 귀농한 지 3년 이내의 사람들입니다.

이곳 귀농자들 가운데는 아직 가족의 생계를 전적으로 농사 수입으로 꾸려나가는 사람이 없는 듯합니다. 염색을 겸하는 사람도 있고, 읍내에 분식점을 낸 사람도 있고, 십여 명의 아이를 입양해 작은 공동체 운동을 펼치고 있는 사람이 있는가 하면, 텃밭 수준의 농사를 지으며 삶을 모색하는 사람도 있습니다. 그런가 하면 작은 단위의 직장과 직거래를 터서 생산과 소비 운동을 이끌어 내는 사람도 있습니다.

귀농 전 전력도 다양해서 영화감독, 과학자, 교육 운동가, 문화 운동가, 노조 활동가, 은행원, 증권 전문가, 군인 등이 있습니다. 이런 각기 다른 삶과 가치관을 가지고 있던 이들이 한 마을에서 서로 새로운 관계를 맺어가자면 때때로 갈등이 생기는 것은 당연한 일일 것입니다. 하물며 마을 주민들과는 또 어떻겠습니까.

처음 귀농했을 때 같은 처지에 있는 귀농자들끼리 서로 도와 주고 의지하는 것은 정착하는 데 큰 힘이 됩니다. 그러나 한 마을에 귀농한 사람들이 많은 곳에서는 마을 원주민들과 깊은 관계를 맺지 못하는 한 귀농자들의 모임은 자칫 '그들만의 리그' 가 될 염려가 있는 것도 사실입니다. 우리 마을의 경우에도 처음에는 귀농자들을 무슨 종교 단체나 데모하다 도망 온 사람들, 혹은 정신이 약간 이상한 사람들로 취급하는 경향이 있었습니다. 그도 그럴 것이 남들은 시골에서 먹고 살기 힘들어서 도시로 떠나는 판에 시골에 와서 농사를 짓겠다고 하니 어른들로서는 색안경을 끼고 보는 것도 무리가 아닐 겁니다. 그래서 처음에는 농사지을 땅을 구하기도 어려웠고, 혹 땅을 빌리더라도 대개는 무성한 풀밭으로 만들어 버리는 경우가 대부분이니 귀농자들의 삶을 마을 어른들에게 이해시키기란 쉬운 일이 아니었습니다.

농촌에서는 모든 사고의 중심이 농사에 있는 만큼 농사에 대하여 열심히 어른들에게 묻고, 땀 흘리는 모습으로 설득하는 방법이 가장 중요합니다. 사실 살아가는 데 정말 필요한 정보는 귀농자들과의 관계보다는 원주민들과의 관계에서 더 많이 얻을 수 있습니다. 농사에 관한 것은 물론, 농토나 집터를 구입할 때도 그렇습니다.

귀농의 '명당자리'

이곳으로 귀농한 사람들의 생각과 사는 모습은 다양하지만 원북리를 귀농지로 선택한 데에는 공통적인 분모가 있습니다. 원북리 마을 끝에는 천년 고찰 봉암사가 있는데 그곳은 오래 전부터 일반인의 출입을 통제하는 구산선문 가운데 하나입니다. 그래서 어느 곳보다 개발될 여지가 없으며, 생태계가 잘 보존되어 있습니다. 물 좋고 공기 좋고 경치 또한 승경勝景이어서 팍팍한 도시의 삶을 탈출하여 조용히 살기에는 더 이상 좋을 수가 없는 곳입니다. 저 역시 이런 곳에서 사람들과 어울려 생태적인 삶을 살며 농사짓는 것을 오랫동안 꿈꿔왔기에 이곳을 귀농지로 택했습니다.

그러나 농토는 매우 열악합니다. 밭은 대부분 모래밭이나 자갈밭이고, 어쩌다 땅심이 좋다 싶으면 소를 부릴 줄 알아야 지을 수 있는 비탈밭입니다. 논 또한 작은 다랑이로 이루어져 있어 평지 농사보다 몇 곱절은 힘듭니다.

그래서 경지 정리가 잘 된 너른 들이 있는 곳에 비하면 농사로 생계를 꾸려 나가려고 생각하는 사람에게는 쉽지 않은 곳입니다. 그래서인지 이곳의 귀농자들은 농사에 대하여 치열하고 진지하지 못했던 것이 사실입니다.

여기서 잠깐 귀농지 선택에 대한 제 나름의 생각을 얘기해 보겠습니다. 귀농지를 선택하는 것은 매우 힘든 일일 수밖에 없습니다. 태어나는 것이 자신의 의지와는 상관없이 운명적으로 결정되는 실존적 선택이라면, 귀농지를 선택하는 것은 자신의 의지로 새로운 생을 결정하는 제2의 선택이기 때문입니다. 더구나 그것이 지금까지의 삶과는 전혀 다른 삶의 방식이기에 더욱 그러합니다.

귀농하려는 사람 가운데는 귀농지를 찾아 전국 방방곡곡을 돌아다니고도 결정을 못해 시간을 허비하는 사람들이 종종 있습니다. 경치가 좋아야 하고, 집은 깔끔해야 하고, 농토는 집 가까이 있어야 하고……. 하지만 그런 모든 조건을 두루 갖춘 귀농지란 아무리 귀농 자금을 넉넉히 준비했어도 결코 찾을 수 없다고 단언할 수 있습니다. 대개 경치가 좋으면 농사짓기는 어렵습니다. 어떤 농사를 어떻게 얼마나 지을 지를 정확히 결정한 다음, 거기에 맞는 곳을 찾는 것이 우선일 것 같습니다. 저는 나름대로 귀농의 '명당자리'는 지혜로운 어른이 이웃에 살고 있는 곳이라고 생각합니다. 경치는 몇 년 지나면 큰 의미가 없어지지만 함께 살아야 할 이웃은 평생 영향을 끼치기 때문입니다.

머리로 꾼 꿈

제가 이곳 원북리를 처음 찾았을 때, 제일 먼저 이곳에 정착한 분이 정보를 주고 친절하게 안내해 주었습니다. 그 분은 가은읍 일대의 귀농지 정보를 자세하게 기록해서 이곳으로 귀농하고자 하는 사람들에게 도움을 주는 역할을 했습니다. 지금도 그 분은 그 일을 7년째 마다하지 않고 있습니다.

다른 지역도 마찬가지겠지만 새로운 귀농자가 생기면 이사에서부터 집수리, 농사에 이르기까지 귀농의 연착륙을 위하여 선배 귀농자들이 노력을 아끼지 않습니다. 우리 동네로 귀농하는 사람이 있다면 바쁜 농사철이라도 트럭을 몰고 도시에까지 가서 함께 이삿짐을 날라 옵니다. 뿐만 아니라 조를 짜서 집수리를 돕고, 농토를 얻어주는 데 앞장서고 있습니다. 낯선 곳으로 새로운 삶의 터전을 옮기는 이들에게 이런 협력은 큰 힘이 됩니다.

제가 이사 오던 해에는 봉암사 소유지를 귀농자들이 얻어서 나누어 부치고 있었습니다. 도지도 싸고 산골 다랑이여서 농약으로 오염되지 않은 농수를 사용할 수 있어서 유기농에 적합했습니다. 그리고 해마다 경작지를 돌려가며 짓기로 하여 좋은 경작지를 골고루 지을 수 있었습니다. 또 그곳에서 얻어진 소득 중 일부는 독거노인이나 사회복지 시설에 기부하려는 아름다운 생각도 가지고 있었습니다. 뿐만 아니라 원북리에는 모래실 마을 학교가 막 생기고 있어서, 귀농자들이 마을 학교의 교사로 참여하고 있었습니다. 그래서 공동 작업을 하며, 쉬는 짬에는 함께 막걸리를 나누며 즐겁게 지냈습니다. 수시로 농사 회의가 열려서 농사를 이야기하고, 아이들 교육을 이야기하고, 미래의 공동체를 꿈꾸고, 지역 통화를 이야기하고, ……. 얼마나 꿈에 그리던 상황인지 모릅니다. 이런 상황들이 제가 원북리를 귀농지로 선택하게 된 중요한 이유 가운데 하나였습니다.

귀농자들이 다 함께 못자리를 할 때는 동네가 시끌벅적했습니다. 새로운 방법으로 농사를 짓는다고 구경 온 마을 어른들도 많았습니다. 일이 있을 때마다 몰려다니고(어른들이 보기에), 질펀한 뒷풀이가 이어지곤 했습니다.

그러나 농사 결과는 참담했습니다. 제때 돌보지 않아서 논밭에는 풀이 무성했고 곡식들은 제대로 영글지 못했습니다. 나락이 팰 무렵 모를 심거나 눈발이 휘날리는데 나락을 거둬들이지 못한 경우도 있었습니다. 그러니 당연히 마을 어른들은 유기농에 대한 의구심을 품기 시작했습니다. 먹고 살만하니까 농사를 재미삼아 짓는다는 따끔한 말이 들리기도 했습니다. 결국 공동작업은 서서히 막을 내리고 말았습니다. 마을 학교도 조용히 작은 공동체인 '작은 누리'라는 본래의 제자리로 돌아갔습니다.

물론 이 모든 결과는 귀농자들 사이의 갈등과 이견을 슬기롭게 조화시키지 못했기 때문일 것입니다. 또한 농사를 비롯한 대부분의 일들이 원주민들과 함께 하지 않는 귀농자들만의 일이여서 힘이 부족하기도 했습니다. 아직 성숙하지 못한 상태였기에 당연한 결과였는지 모릅니다. 그리고 귀농자들이 누구나 한 번은 꿈꾸는 마을 공동체에 대해서 몸보다 머리가 앞서 있었다는 인상도 지울 수 없습니다.

공동체는 만드는 것이 아니라 자연스럽게 만들어지는 것입니다. 그러기 위해서는 우선 귀농자가 아닌 마을 주민으로 단단히 뿌리내리는 일이 우선이란 생각이 듭니다.

나무를 꿈꾸며

마을 어른들은 서로 한바탕 멱살잡이를 하고 싸워도 대개는 곧 들판에서 함께 일하며 쉬는 짬에는 아무 일 없었다는 듯이 막걸리를 나눕니다. 전통사회에서 농사란 혼자 짓는 것이 아니라 함께 일손을 나누어야만 한다는 것을 체득해 왔기 때문입니다. 이렇게 그분들은 서로가 이 땅에서 숙명적으로 함께 살아가야 할 공동 운명이란 것을 잘 알고 계십니다. 사실 귀농자들이 그런 숙명적인 공동 운명에 스며들 때부터가 귀농의 새로운 출발일지 모릅니다.

그러나 귀농자들은 왁자지껄하게 다투지는 않더라도 마음이 멀어지면 그 사이를 다시 잇기가 쉽지 않습니다. 심지어 다른 곳으로 휑하니 이사가 버리기도 한다고 합니다. 농촌 공동체는 농사를 중심으로 관계를 맺고 푸는 것이 물 흐르듯이 자연스럽게 이루어져 온 사회입니다.

저는 가끔 나무 같은 관계를 꿈꿉니다. 나무는 너무 가까이 붙어서 가지로 서로에게 생채기 내지도 않고, 또 너무 멀어서 서로를 그리워하지도 않는 적당한 거리에서 삶의 뿌리를 내리며 삽니다. 설사 가까이 붙어 있더라도 서로 다른 쪽으로 가지를 뻗어서 햇볕을 다투는 법이 없습니다. 우리 귀농자들도 그랬으면 좋겠다는 생각을 해봅니다.

다시 마을 속으로

공동 작업, 공동체, 마을 학교 등의 말들이 서로의 대화 속에서 사라지긴 했지만 지난 2년 사이에 많은 변화가 있었습니다. 귀농자들이 꾸던 꿈이 잠시 유보되는 껄끄러운 시간들은 오히려 전화위복의 기회가 되었습니다. 다시 마을에서 각자의 위치를 고민하기 시작했고, 서로 간의 바람직한 관계에 대해서 반성하는 계기가 되었습니다.

귀농자들끼리 모여서 술 마시며 노는 시간보다 이웃의 일에 발 벗고 나서는 시간이 늘어났고, 진지하게 농사에 전념하는 시간이 늘어났습니다. 그러자 마을 어른들로부터 참 열심히 산다는 이야기와 역시 젊은 사람이 마을에 있어야 한다는 소리가 들리기 시작했습니다. 저 역시 마을 어른들의 불신을 씻기 위해 무척 열심히 어른들을 돕고, 새벽부터 밤까지 억척스럽게 일을 했습니다. 마을 어른들은 귀농자들을 한 통속(?)으로 보는 경향이 있는데, 그것을 깨려면 많은 노력이 필요합니다.

새로운 삶, 공동체를 운운하면서 마을 속으로 깊이 들어가지 않는 것은 물고기를 잡는 어부가 물을 피하는 것과 다름이 없다는 것이 제 생각입니다. 시골사람이 되기로 마음먹었으면 농사가 되었건 무엇이 되었건 모든 일을 원주민들과 생활 속에서 풀어나가야 하지 않을까 합니다. 지금은 귀농자들끼리만 몰려다니는 것을 지양하고 이웃 어른들을 돕는 과정에서 그분들에게 농사와 삶의 지혜를 배우는 데 힘을 쏟고 있습니다. 그러다 보니 마을의 큰 일을 치루거나 힘든 농사일이 있으면 귀농자들의 힘이 꼭 필요하게 되었고 그만큼 신뢰도 높아졌습니다.

저는 얼마 전 2년 동안의 농사일기를 바탕으로 우리 동네 날씨에 맞는 농사표를 만들어 보았습니다. 절기별로 밭농사, 논농사, 농사 준비, 나물이나 열매의 채취, 자연의 변화, 살림살이, 종자의 채종, 뿌리고 심고 거두기 알맞은 때 등을 담았는데, 무려 사십여 가지에 이릅니다. 그것을 귀농자들에게 나누어 주었는데 많은 참고가 되었다며 어느 날 몇몇이 우리 집에 모였습니다. 그리고 자신들의 씨앗과 내가 가지고 있는 씨앗을 마루에 가득 펼쳐 놓고 나누었고, 모자라는 것은 읍내 장날 공동으로 구입하여 나누어 가졌습니다.

우리 동네 귀농자들의 농사 규모는 아주 작기 때문에 각자 씨앗이나 농자재를 구입하면 부담이 클 뿐만 아니라 남아서 버리는 경우가 대부분이었습니다. 특히, 목초액이나 농사용으로 사용할 토착미생물 등을 함께 만들어 쓰기로 했고, 자기가 자신 있는 부분을 집중적으로 연구해서 서로 지도해

주기로 했습니다. 아직은 귀농자들 모두가 그렇게 하는 것은 아니지만 이런 협력이 하나씩 쌓이고 경험이 축적되면 귀농자들 사이뿐만 아니라 마을 전체로 확산될 것이라고 기대합니다. 씨를 넣고 거두는 알맞은 때라든가 작물의 상태에 따른 재배 기술은 동네 어른들로부터 지도를 받지만, 청초액비나 목초액 등 유기농 자재를 만들고 활용하는 것은 귀농자들이 어른들에게 도움을 주고 있습니다. 실제로 새로 조직된 친환경 우렁이 벼농사 작목반에서는 연중 몇 차례에 걸쳐 유기농 자재 만들기 행사를 어른들과 함께 하기로 했습니다.

이런 작은 나눔에서부터 서로 관계를 맺고 품앗이를 하며 서로의 관계를 다져나가는 것이 무엇보다 소중한 일이라고 생각합니다.

마을 회관에 울리는 풍물 소리

2005년 5월 3일, 드디어 원북리에 친환경 우렁이 벼농사 작목반이 결성되었습니다. 지난 2년간 열심히 농사에 전념해서인지 농약이나 화학비료를 치지 않았는데도 관행 농법보다 수확을 많이 한 귀농자가 속속 생겨났습니다. 그러자 동네 어른들도 관심을 갖기 시작했습니다. 작년 저의 끈질긴 설득으로 원북 2리 이장님이 우렁이 농법으로 다섯 마지기의 벼농사를 했는데, 귀농자들이 앞장서서 높은 가격으로 전량을 팔아주었습니다. 그러다 보니 친환경 우렁이 벼농사 작목반을 결성하는 데 원북 2리 이장님의 목소리가 높았음은 당연한 일입니다.

그간 귀농자들의 노력으로 문경시로부터 보조금(유기농 거름, 우렁이 지원)을 얻어내자 드디어 동참하는 어른들이 생겼습니다. 친환경 우렁이 벼농사 작목반은 14가구로 출발하게 되었는데 원주민이 6가구나 참여하고 있습니다. 그리고 관심을 보이는 어른들도 꽤 많아서 내년에는 더 많은 농가가 친환경 농법으로 전환하려 하고 있습니다. 반가운 소식은 문경시에서도 이런 모습을 보고 원북리 일대를 친환경 마을로 만드는 데 지원을 하기로 했다는 것입니다.

친환경 우렁이 벼농사 작목반 발기 총회가 있던 날, 원북리 마을 회관에는 오랫만에 풍물 소리가 울려 퍼지고 고사상이 차려졌습니다. 작목반장이 기원문을 낭독하여 소지하니 우리 모두의 뜻이 하늘까지 닿으려는 듯 소지한 종이가 넘실넘실 밤하늘로 날아오릅니다. 농협에서 낸 동동주 잔이 이리저리 돌아가고, 신명이 오른 꽹과리 소리에 할매들 어깨가 들썩들썩 하는데, 그날따라 별은 어찌 그리 많이 피어나는지….

지금 원북리 귀농자들과 동네 어르신들은 함께 친환경 마을을 꿈꾸기 시작했습니다.

시골살이 혹은 관계 맺기

추둘란 농부. 충남 홍성

남편 박성희, 민서·민해 두 아들과 살고 있습니다. 홍성에서 산 지 7년이 되었습니다. 봄부터 민해도 어린이
집에 가게 되어 오전 나절에는 홀린듯 논두렁에 나물을 뜯고 다니지요. 다운증후군인 민서 이야기, 시골 살이
를 엮어 「콩깍지 사랑(소나무)」을 썼습니다.

누군가 제게 이렇게 물은 적 있습니다.

"시골에서 몇 년쯤 살고 나서 둘째 아이를 낳아도 되겠다는 확신이 서던
가요?"

저는 그 질문의 요지를 이렇게 알아들었습니다. '몇 년을 살아야 나름대
로 정착하고 안정되었다는 느낌을 가질 수 있나요? 그런데 말주변이 없는
저는 그 물음을 신통치 않은 대답으로 얼버무렸습니다. 아니, 더 정확히는

그 물음에 좀 당황했습니다. 그렇게 물어온 분은 귀농을 준비하고 있었는데, 저를 귀농 선배로 생각하고 좋은 충고를 듣고자 하였던 것 같습니다.

그런데 솔직히 말해 남편과 저는 귀농이라는 말에 대해 퍽 부담감을 느낍니다. 우리는 좀 색다른 선택으로 시골에 살게 되었기 때문입니다. 다시 말해 귀농이라는 표현에 걸맞게 미리 준비하고 교육 받고 계획하여 시골에 살게 된 것이 아니라, 그저 민서를 잘 키울 요량으로 무턱대고 짐을 싸서 이곳으로 왔습니다. 다행히 홍성 환경농업교육관 사무국장이라는 일자리가 있었기에 가능한 일이었습니다. 교육관에서 일할 때만 해도 마을 사람들과 어울려 농사를 지으며 살게 되리라곤 꿈에도 생각지 않았습니다. 그러니 교육도 받고, 망설이기도 하고, 끝내 큰 결단을 내려서 귀농하신 분들에 비하면 우리는 부족한 부분이 많습니다.

어쨌거나 남편과 저의 입장이 그런데도 많은 분들이 우리에게도 귀농이라는 표현을 붙여줍니다. 어떤 사연이 있어 시골에 왔든, 농사채가 크든 작든, 농사를 잘 짓든 아니든, 탈 없이 잘 살고 있음을 높이 쳐주는 것이라 생각합니다. 하지만 여전히 귀농을 준비하는 분들에게 선배로서 무엇인가를 이야기할 자격에는 미치지 못합니다. 바라건대, 귀농인도 못되고 토박이도 아닌 사람이 사소한 경험을 이야기하는 정도로 읽어주었으면 좋겠습니다.

마을 공동체의 힘

도시에서 이사하는 일은 그리 대수롭지 않습니다. 어떤 동네에 누가 이사를 오든 큰 관심거리가 아닙니다. 하지만 시골은 다른 것 같습니다. 수십 년, 아니 평생토록 같은 구성원들끼리 사는 곳입니다. 굳이 공동체라는 말을 쓰지 않아도 마을의 테두리와 질서가 이미 오래 전에 세워져 있습니다. 그러니 그 틈에 전혀 새로운 누군가가 들어온다는 것은 결코 대수로운 일이 아닙니다.

우선 마을 사람들은 새로 들어올 사람이 어느 모로 보나 마을에 도움이 되길 원할 것입니다. 성품이 따뜻하여 누구와도 잘 어울린다면 좋을 것이고, 어르신들의 부탁이나 답답함을 시원시원하게 해결해 줄 사람이라면 더욱 좋을 것이고, 마을의 오랜 질서를 함부로 여기는 사람이 아니기를 바랄 것입니다. 만약 그 반대의 성향을 가진 사람이거나 아예 마을 사람과 마을 일에 무관심한 사람이 들어온다면 마을의 분위기만 흐려놓는 꼴이 되고 말 것입니다.

새로운 사람이 마을 공동체에 들어오는 일은 두 가지 입장에서 볼 수 있습니다. 마을 밖에서 보는 것과 마을 안에서 보는 것입니다. 한 가지 일을 예로 들어보겠습니다. 시골에는 마을 회의가 종종 있습니다. 그런데 공동체에 새로 들어온 누군가가 마을 회의에 꼬박꼬박 참석하고 마을 부역도 잘 거들고 이런저런 마을 행사에서 바지런하게 뛰어다닌다면, 그 일은 밖에서 볼 때 참 아름답습니다. 아름다운 노력이며, 그 자체로도 잘 뿌리 내리고 사는 것처럼 보입니다.

하지만 공동체 안에서 보면 그것은 아무 일도 아닙니다. 공동체의 구성원 어느 누구도 그런 일에 소홀한 사람은 없습니다. 구성원이라면 당연히 해야 하는 일인데, 그것을 놓고 아름다운 노력이라고 부를 사람은 아무도 없습니다. 물론 전혀 그렇게 하지 않는 것과 견주면 가벼운 일이 아님에는 틀림이 없습니다만 ….

사실 마을마다 보이지 않는 어떤 힘이 있습니다. 한 사람 한 사람을 공동체의 구성원으로 묶어두는 그 힘은 때때로 서로 돕는 힘으로 나타나기도 하고, 서로에 대한 배려나 이해의 힘으로 나타나기도 하며, 간혹 견제의 모습으로 나타나기도 합니다. 딱히 설명하기는 힘들지만 아무도 그 힘에 대해서 무시하거나 함부로 할 수 없습니다.

제 생각에는 그런 것이 바로 마을 공동체가 가진 힘이 아닐까 생각합니다. 그러니까, 새로 들어온 사람이 여러 모로 잘 해서 회의나 부역에 참석하는 것이 아니라, 마을 공동체가 그 사람으로 하여금 그렇게 하도록 이끌어 줄 힘을 이미 가지고 있다는 것입니다. 그 힘을 존중하고 그 힘에 적응해 나가는 것이 새로운 구성원이 마땅히 해야 할 일일 것입니다.

마을 공동체의 그 힘을 혹 텃세라고 표현하는 분도 있을지 모르겠지만, 그 또한 마을 밖에서 보는 시각에서 나오는 말입니다. 공동체의 구성원들끼리는 아무도 그 말을 쓰지 않습니다. 누군가 그런 말을 쓰는 사람이 있다면 그 사람은 공동체에 녹아들지 못하고 있다는 뜻도 될 것입니다.

솔직히 말해 처음 이곳에 왔을 때 저도 제 입장에서 마을을 바라보았습니다. '내가 선택한 곳, 내가 살아갈 곳, 내가 지켜보는 마을, 내가 누려야 할 것, 내가 포기해야 할 것, 내가 판단하는 상대방…', 모든 생각의 출발이 저였습니다. 하지만 시간이 흐를수록 그것이 잘못임을 알게 되었습니다. 공동체 속의 제 말과 행동, 공동체 속의 우리 가족, 공동체 속에서 찾아가는 삶의 지혜 등을 알게 된 것입니다.

그런 점에서 우리는 운이 아주 좋았습니다. 우리가 이 곳을 선택한 것이 아니라 마을 공동체가 우리 가족을 부담 없이 새로운 구성원으로 허락해주었습니다. 특히 마을 사람들 대부분이 따뜻한 성품을 지녔기에 우리가 마을에 도움을 주는 것보다 오히려 받는 것이 더 많습니다.

이웃을 이해하기까지

제 친구 가운데, 나이 들면 시골에 내려와 살고 싶다며 실제로 땅값을 물어오는 친구가 있습니다. 그저 시골의 겉모습과 자연 환경만 바라보는 그 친구는 마을에 살고 있는 사람들에 대해서는 크게 생각하지 않습니다. 그 친구의 머릿속에는 오로지 조용하고 낭만적인 전원 생활이 가득 차 있을 뿐입니다.

물론 당분간은 깨끗한 자연 환경, 농사짓는 기쁨, 뭔가 이루고 있다는 성취감이 클 수 있습니다. 그래서 사람과의 관계는 조금 사소해 보일 수 있습니다. 그런데 저는 오히려 그것을 더 크게 치고 싶습니다. 사는 재미라고 할까요? 첩첩 산중에 들어와 사는 것이 아닌 이상 어울려 사는 재미 말입니다.

줄 것도 없고 그렇다고 받을 것도 없어 보이며, 심지어는 그다지 기대할 것 없어 보이는 사람들과 좋은 관계를 맺는다는 것이 좀 귀찮을 수도 있습니다. 그런데 그렇게 제 쪽에서 미리 단정 지어 바라본 사람들일수록 생각지 못하게 우러러볼 성품을 가졌거나 배울 점이 있거나 콧날 시큰한 감동을 주는 경우가 많았습니다.

이웃과 좋은 관계를 맺기 원한다면 그들에 대한 판단을 쉽게 해서는 안 됩니다. 외모나 차림새, 어눌하거나 혹은 그 반대로 능청맞은 말솜씨에 판단력을 빼앗겨서는 안 됩니다. 마을 사람들 각자가 지닌 참 모습을 하나하나 알아가는 것도 농사짓는 기쁨에 못지않으리라는 생각이 듭니다.

복잡한 도시 생활에서 사람 관계에 지쳤기 때문에 시골에서는 그런 데 마음 쓰지 않고 살고 싶다고 하는 분도 있을지 모르겠습니다. 그러나 도시든 시골이든 사람 사는 세상은 마찬가지입니다. 어쩌면 사람 관계가 그 나머지 것을 좌지우지하게 될지도 모릅니다. 아무리 마음에 드는 직장이라도 사람 관계가 좋지 않다면 결국 일을 포기하고 마는 것과 다르지 않습니다.

이웃과의 관계를 잘 유지해나간다고 해서 뭐 크게 달라질 것이 있느냐고 물을 수도 있습니다. 하지만 그것은 어느 누구도 쉽게 말할 수 있는 부분이 아닙니다. 사람으로 인해 작은 행복을 만끽하며 살 수도 있고, 사람으로 인해 골머리를 썩으며 살 수도 있습니다.

물론 관계를 잘 맺지 못한다 하여 마을에서 대놓고 말하는 경우는 그다지 없을 것입니다. 그리고 그냥 그대로 관계가 더 나빠지지도 좋아지지도 않고 살아갈 수 있습니다. 서로 적당한 거리를 두고 무시하며 살 수도 있습니다. 하지만 그렇게 사는 것은 시골 생활에서 얻을 수 있는 가장 큰 기쁨 가운데 하나를 잃는 것이 아닌가 생각합니다.

저도 이웃들을 이해하는 데 시간이 좀 걸린 편이었습니다. 들어오라는 허락이 떨어지기도 전에 불쑥불쑥 내 집에 들어서거나 신통치 않은 이야기를 길게 늘어놓으며 시간을 뺏는 것에 대해 무척 마음이 쓰였습니다. 사교적이지 않은 제 성격 탓에 그 문제는 적지 않은 부담이 되었습니다.

그런데 그 문제는 입장을 거꾸로 놓고 생각해서 풀 수 있었습니다. 마을 사람들은 새 사람이 궁금할 수밖에 없습니다. 어찌 사는 사람인지 궁금하기도 하고 마을에 잘 적응하도록 뭔가 알려 줘야 한다고 생각할 수도 있습니다. 새 사람을 보러 오는 일 자체가 앞으로 잘 어울려 살아보자는 마음의 악수일 수도 있습니다.

그리고 한 가지 더 큰 까닭이 있음을 알았습니다. 그것은 오랜 동안 마을 사람들이 가족처럼 살아왔다는 점입니다. '확대된 가족'이라 할 수 있는 마을 공동체에서 사람들은 단점이나 허물을 다 받아들이고 이해하며 삽니다. 사람과의 관계가 아주 편안해져 있습니다. 그러니 때로는 격식이나 예의를 차리는 일에 무뎌질 수 있습니다.

그리고 바로 그 익숙한 방식으로 새 사람을 대할 수 있습니다. 그러니 내 집에 불쑥불쑥 누군가 찾아온다는 것은 나를 마을의 구성원으로 받아들인다는 뜻이며 가족처럼 편안하게 여긴다는 말도 됩니다. 그 사실을 깨닫고 나자, 저의 손님맞이는 많이 편해졌습니다. 이불을 개지 않아도, 청소가 되어 있지 않아도, 늦은 아침을 먹다가도, 찾아온 마을 사람들을 반갑게 맞이할 수 있게 되었습니다. 이젠 제법 넉살좋게 제 쪽에서 먼저 말을 걸거나 마실을 가거나 음식을 들고 찾아가기도 합니다.

숟가락 개수

언젠가 우리 집에 한 아가씨가 온 적이 있습니다. 그이도 시골에서 살고 싶어 했습니다. 그런데 선뜻 용기를 내지 못하는 까닭이 있었습니다. 다름 아니라, 남의 집 숟가락 개수까지 다 알고 있는 시골 생활이 두렵다는 것입니다.

그이의 마음을 알 만합니다. 도시 생활을 해 본 저도 한때는 '많은 사람들 속에 숨어 사는 것'이 편했습니다. 아무리 많은 사람이 있어도 자신이 어떤 사람인지 들키지 않고 살 수 있는 곳이 도시입니다. 그런 점에서 보면 시골은 너무 많은 것을 들키며 살아야 합니다.

그런데 이런 생활에 익숙해지면 오히려 좋은 점도 있습니다. 상대방이 이미 나에 대해 이해하고 있으므로 아픈 곳이나 약한 곳을 건드리지 않는 배려를 받을 수 있습니다.

우리 가족은 그런 배려를 아주 빨리, 그리고 넉넉하게 받았습니다. 마을의 교회에 다니다보니 다운증후군인 민서가 어떤 아이인지, 남편과 제가 어떤 성품을 가진 사람인지 얼른 드러날 수 있었습니다. 그래서 생각보다 일찍 적응할 수 있었고 넘치는 사랑과 배려를 늘 받을 수 있었습니다.

앞에서 '확대된 가족' 이야기를 잠깐 하였지만, 가족에게는 따로 들킬 일이 많지 않습니다. 이미 모든 것을 알고 살아갑니다. 마을 공동체에서도 구성원들끼리는 더 이상 숨길 것도 드러낼 것도 없습니다. 알고자 해서 숟가락 개수를 아는 것이 아니라 살다보니 자연스럽게 알게 되는 것입니다. 들킨 것이 많을수록 점점 더 확실한 한가족이 되어 가는지도 모릅니다.

그렇게 공동체의 구성원으로, 가족으로 인정해 주는 분들께 나름대로 보답할 수 있는 방법이 있습니다. 아주 간단하고 쉽습니다. 인사입니다. 장담하건대 시골에서는 인사를 잘하면 80점은 따고 들어갑니다. 흰머리 성성한 어르신이든 코흘리개 어린아이든 다정한 목소리로 인사하는 사람을 두고 손가락질 할 사람은 없습니다. 특히 늘 말동무가 그리운 어르신들에게 먼저 인사말을 건네는 것은 관계를 잘 맺을 수 있는 좋은 방법입니다.

존중하는 마음을 말로 선물하는 것이 인사입니다. 마을에 오래 전부터 살고 있던 분들에게 그 마음을 전달하는 것처럼 아름다운 일도 없을 것입니다.

계산기가 주지 않는 것들

이야기가 좀 다른 곳으로 흘렀습니다. 처음의 이야기로 돌아가 둘째 아이에 대한 물음을 다시 생각합니다. 그런데 다시 생각해봐도, 질문을 받은 그때나 지금이나 정확한 답변을 할 수 없기는 마찬가지입니다.

저는 원래 숫자 계산에 약한데다 시골에 살면서 더 무디어지게 되었습니다. 그런 사람에게 시골로 온 지 몇 년, 몇 평의 땅, 몇 원의 이익, 몇 년의 경험, 몇 년 뒤의 계획 따위를 누군가 물으면 머릿속이 하얗게 변하곤 합니다.

사실 시골에 살면서 계산기를 두드리지 않아서 편안하고 행복한 일이 더 많았습니다. 키 작은 나무까지 내려와 있는 하늘, 질리지 않게 눈동자에 담아둘 수 있는 푸르름, 들을 가로지르는 바람, 가문 날의 비 한 줄기, 잘 마른 빨래, 누군가 두고 간 밑반찬, 이웃과 눈을 맞추며 인사하는 내 아이들, 함께 일하다 웃는 싱거운 웃음 한 자락…. 그런 것들로 인한 만족감은 계산기를 두드려서는 나오지 않습니다.

그렇다고 우리 집 형편이 느긋함을 부려도 될 만큼 좋으냐면 그것도 아닙니다. 은행에 갚아야 할 돈도 많고 사람에게 갚아야 할 돈도 적지 않습니다. 그런데도 시골에 계속 살 것이냐고 누군가 묻는다면 전혀 망설이지 않고 고개를 끄덕일 것입니다.

둘째 아이 문제도 마찬가지입니다. 아이 둘을 키울 형편이 되는지 아닌지를 계산기로 두드리지 않았습니다. 민서에게 동생이 필요하다고 생각했고 마침 하나님께서 축복으로 허락해 주셨기에 감사한 마음으로 민해를 낳았습니다.

사람에 따라서는 시골로 내려오기 전에 계산기를 한참 동안 두드릴 수 있습니다. 그렇게 해서 계획을 잘 세울 수도 있습니다. 하지만 그렇다손 치더라도 시골살이는 그 계획을 많이 빗겨갈 것입니다. 시골에는 시골만의 형편과 사정이 기다리고 있기 때문입니다. 그것도 견디기 힘든 문제가 될 수 있습니다.

하지만 도시에서 계속 살았다고 해서 생활이 훨씬 더 나았을 것이라고 어느 누가 확신할 수 있겠습니까? 도시에서 살든 시골에서 살든 어차피 삶은 불확실합니다. 도시에는 도시대로 누릴 것이 있고 누릴 수 없는 것이 있습니다. 시골에는 시골대로 얻는 것이 있으면 포기해야 하는 것이 있습니다.

어느 쪽의 생활이 자신의 삶에 더 큰 의미를 차지하고, 더 편안하게 느껴지는지 선택하는 것은 그 사람의 몫입니다. 자신에게 더 나은 쪽을 골랐다면 그때부터 잘 적응해 나가는 것만 생각하면 됩니다. 굳이 뒤돌아보며 손해와 이익을 따져 마음 상할 필요는 없을 것 같습니다.

시골살이는 계산기를 두드릴수록 신통치 않은 결과가 더 자주 나올 것입니다. 술하게 세운 계획은 실전과 다르게 흘러 갈 것입니다. 하지만 뜻밖에도 계획 속에 포함되지 않은 것들이 행복의 다른 모습으로 찾아올지 모릅니다. 먹고 사는 데에 별 도움이 되지 않는 것들이 도시로 돌아가지 못하도록 발목을 잡을지도 모릅니다.

한 마디만 더 씁니다. 토박이들은 자신이 몇 년 동안 마을에 살았나를 헤아리지 않고 삽니다. 앞으로 마을에서 몇 년을 더 살까 헤아려 보지도 않습니다. 한때 이 마을에 새 사람으로 들어왔던 저도 도시에서 온 지 몇 년이 지났는지 헤아리는 일을 잊어버리려 합니다. 더 좋은 마을이 있을까 넘보는 일도 잊어버리려 합니다. 어쩌면 벌써 잊었는지도 모릅니다.

귀농 정보 곳간

전국귀농학교 현황

지역별로 귀농학교교를 여는 때가 다릅니다. 홈페이지(카페)를 참고하고 전화로 문의해 주시기 바랍니다.

귀농학교	홈페이지/카페	전화	주소
서울귀농학교	www.refarm.org	031-408-4080	경기도 군포시 속달동 24-4번지(교육장)-서울 정릉동 한성림연합 교육장)
부산귀농학교	www.busanrefarm.org	051-462-7333	부산 동래구 사직3동 157-44 재원빌딩 3층
대구귀농학교	www.dgcn.org	053-983-9798	대구 중구 대봉동 18-9
경남생태귀농학교	cafe.daum.net/kskschoo	055-582-7010~2	경남 함안군 가야읍 묘사길 291-28
거창귀농학교	www.ggschool.or.kr	055-944-5646	경남 거창군 고제면 봉산리 624
대전귀농학교	cafe.naver.com/agriculturedj	070-8879-7946	대전 서구 월평동 285-1
광주전남귀농학교	cafe.daum.net/landlovers	062-373-6183	광주 남구 임과동 893-4
화천현장귀농학교	cafe.naver.com/kiunzang	017-264-6233	강원도 화천군 간동면 유촌리 308-3
불교귀농학교	www.indramang.org	02-576-1886	서울 양천구 신정동 144-35
남원귀농귀촌학교	cafe.daum.net/jirisannamwonrefarm	063-636-4325	전북 남원시 산동면 대상리 1042 귀정사(내)
기독교귀농학교	http://hunn.or.kr	043-873-0053	충북 음성군 음성읍 소여리 233(교육장-서울 아현감리교회)

귀농에 도움이 되는 책

책이름	분야	지은이	펴낸곳
강대인의 유기농 벼농사	농사법	강대인	들녘
경제성장이 안되면 우리는 풍요롭지 못한가	농업/철학/사상	더글러스 러미스	녹색평론사
나부터 교육혁명	교육	강수돌	그린비
나의 애완텃밭 가꾸기	농사법	이학준	들녘
녹색 구보씨의 하루	생태/환경	존라이언	그물코
농부의 밥상	식생활	안혜령	소나무
농부 철학자 피에르 라비	농업/철학/사상	장 피에르 카르티에	조화로운삶
농업이 문명을 움직인다	생태농업	요시다 타로	들녘
도시농부들 이야기	생태농업	안철환	소나무
돌파리 잔소리	의료	임락경	호미(삼인)
땡큐 아메바	생태/환경	제프 로웬펠스	시금치
똥 살리기 땅 살리기	생태	조셉 젠킨스	녹색평론사
비아캄페시나	농촌운동	아네트 아우렐리 데스마레이즈	한티재
4천 년의 농부	생태농업	F.H.킹	들녘
살아남기, 근원으로 돌가가기	농업/철학/사상	이병철	두레
새 한입 벌레 한입 사람 한입	농업/철학/사상	전국귀농운동본부	들녘
생태농업이란 무엇인가	생태농업	전국귀농운동본부	들녘
생태도시 아바나의 탄생	생태/환경	요시다 타로	들녘
생태적 삶을 일구는 우리네 농사연장	농사	김재호	소나무
세상을 바꾸는 기적의 논	농사법	이와사와 노부오	살림
소농-누가 지구를 지켜왔는가	농업/철학/사상	쓰노유킨도	녹색평론사
숲과 들을 접시에 담다	식생활	변현단	들녘
식물의 정신세계	농업/철학/사상	피터톰킨스	정신세계사

책이름	분야	지은이	펴낸곳
신비한 밭에 서서	생태농업	가와구치요시카즈	들녘
아름다운 삶, 사랑 그리고 마무리	농업/철학/사상	헬렌니어링	보리
아미쉬 공동체	농촌운동	브래드이고우	들녘
약 안 치고 농사짓기	농사	민족의학연구원	보리
오래된 미래	농업/철학/사상	헬레나노르베리호지	중앙북스
오방색으로 하는 천연염색	의생활	정옥기	들녘
오영수의 어린 상록수	농촌운동	오영수	들녘
온 삶을 먹다	생태/환경	웬델 베리	낮은산
자급을 다시 생각한다	생태/환경	야마자키농업연구소	녹색평론사
자연달력 제철밥상	식생활	장영란	들녘
자연을 꿈꾸는 뒷간	주생활	이동범	들녘
자연을 담은 소박한 밥상	식생활	녹색연합	북센스
제초제를 쓰지 않는 벼농사	생태농업	민간벼농사연구소	들녘
조화로운 삶	농업/철학/사상	헬렌니어링	보리
조화로운 삶의 지속	농업/철학/사상	헬렌니어링, 스콧니어링	보리
지구를 구하는 경제책	경제	강수돌	봄나무
지구를 살리는 빗물의 비밀	생태/환경	한무영	그물코
짚 한오라기의 혁명	자연농법	후쿠오카 마사노부	녹생평론사
청둥오리와 함께하는 벼농사	농사법	후루노 다카오	정농회
태양이 만든 난로 햇빛온풍기	생태/환경	이재열	시골생활
텃밭백과	농사법	박원만	들녘
화덕의 귀환	생태/환경	김성원	소나무
흙을 살리는 길	생태농업	이태근,조완형	한살림
흙을 알아야 농사가 산다	생태농업	이완주	들녘

귀농정보 가득한 인터넷 사이트

- 간디 학교 http://gandhischool.net/
- 공동육아와 공동체교육 http://www.gongdong.or.kr/
- 녹색 대학 http://www.green.ac.kr/
- 대안교육 잡지 – 민들레 http://www.mindle.org/
- 들꽃 피는 마을 http://wahahaedu.co.kr/
- 생태 유아교육 공동체 http://www.ecokid.kr/
- 실상사 작은 학교 http://www.jakeun.org/
- 어린이 도서 연구회 http://www.childbook.org/
- 푸른꿈 고등학교 http://www.purunkum.hs.kr/
- 풀무 환경 농업 전문 과정 http://www.poolmoo.net/

- 야마기시즘 http://www.yamagishism.co.kr/
- 토고미 마을 신대리 http://togomi.invil.org/
- 학사 농장 http://www.62farm.co.kr/

- 가톨릭 환경연대 http://www.cen.or.kr/
- 녹색연합 http://www.greenkorea.org/
- 녹색평론사 http://www.greenreview.co.kr/
- 농어촌사회 연구소 http://www.agri-korea.or.kr/
- 에코붓다 http://www.ecobuddha.org
- 인드라망 생명공동체 http://www.indramang.org/home/
- 생명의 숲 http://www.forest.or.kr/
- 시민 환경연구소 http://cies.kfem.or.kr/
- 자원순환사회연대 http://www.waste21.or.kr/
- 전국 농민회 총연맹 http://www.junnong.org/

- (주) 이장 http://www.e-jang.com
- 풀꽃세상을 위한 모임 http://www.fulssi.or.kr/
- 한살림 http://www.hansalim.co.kr/
- 환경 운동 연합 http://kfem.or.kr/
- 환경 정의 http://www.eco.or.kr/
- 흙살림 연구소 http://www.heuk.or.kr/

농업 관련 언론

- 농민 신문 http://www.nongmin.co.kr/
- 농수축산 신문 http://www.aflnews.co.kr/aflnews/
- 농업인 신문 http://www.nongupin.co.kr/
- 월간 원예 http://www.hortitimes.com/
- 한국 농어민 신문 http://agrinet.co.kr/

농업 관련 공공기관

- 국립농업과학원 www.naas.go.kr/
- 국립원예특작과학원 www.nihhs.go.kr/
- 국립종자원 http://www.seed.go.kr/
- 농림수산식품 교육문화 정보원 http://www.affis.or.kr/
- 농림수산식품부 www.mifaff.go.kr/
- 농수산식품유통공사 www.at.or.kr/
- 농업과학도서관 http://lib.rda.go.kr/
- 농촌진흥청 http://www.rda.go.kr/

자연을 그리워하는 땅을 그리워하는 사람들의

귀 농 길 잡 이

처음 펴낸 날 2006년 5월 30일
여덟 번째 펴낸 날(1판 8쇄) 2013년 2월 7일

엮은이 전국귀농운동본부
펴낸곳 소나무
펴낸이 유재현
편집한 이 안철환, 이혜영, 김석기
꼴을 꾸민 이 조완철
알리는 이 장만
인쇄/제본 영신사

등록일 1987년 12월 12일 제2-403호
주소 서울시 마포구 상암동 11-9 201호
전화 02-375-5784
팩스 02-375-5789
이메일 sonamoopub@empal.com
웹사이트 www.sonamoobook.co.kr

ⓒ 2006, 전국귀농운동본부

값 12,000원

ISBN 89-7139-811-6 03520

소나무 │ 머리 맞대어 책을 만들고 가슴 맞대고 고향을 일굽니다.